Kalendarze

Małgorzata
Gutowska
Adamczyk

Wydawnictwo Literackie

Moim synom

I

Lato mieliśmy tego roku piękne, suche i słoneczne. Pod koniec sierpnia trochę popadało, ale deszcz stawał się już bardzo potrzebny, bo trawy zaczynały żółknąć, a drzewa gubiły liście. Teraz znów jest ciepło. Mimo że nocami i rano ciągnie chłodem, za dnia słońce świeci nieprzerwanie. Wychodzę z psami na dłuższy niż zazwyczaj spacer, gdzieś aż do lasu. Górka Delmaka, mimo pogody, i tak pewnie będzie pusta. Odpinam smycze i daję zwierzętom pobiegać. Zadzieram głowę. Patrzę na sosny i dęby z pocztówkowym niebem w tle. Żadnej chmury. Od czasu do czasu tylko biała wstążka znacząca drogę przelatującego gdzieś wysoko samolotu. Myślę o ludziach, którzy spoglądają w dół na szare nitki dróg, granatowe zbiorniki wodne, miasta niczym kolorowe plamki zatopione w zieleni, lasy podobne do puchatych dywanów. Dziś nic nie przesłania im widoku. Od kiedy sama często tak podróżuję, nie zazdroszczę nikomu przygody. Jestem tylko ciekawa, czy ci ludzie, podobnie jak ja, robią sobie sprawdzian z geografii. Czytają? A może drzemią?

Wracamy.

Zieleń jest jeszcze dość świeża, gdzieniegdzie tylko między liśćmi pojawia się złota plamka zwiastująca jesień. Winobluszcz na ścianie kościoła u dołu ciemnozielony, ku górze już całkiem w kolorze burgunda. Ptaki też śpiewają jesiennie. Co roku pojawiają się te same, wrześniowe tony.

Siadam do pracy.

Kiedy podnoszę wzrok, widzę, że cienie się wydłużają. Teraz sięgają już niemal ku rosnącym na parceli sąsiadów świerkom, które — oblane złotem zachodzącego słońca — z wolna szarzeją. Zapada zmierzch, choć dopiero minęła siódma. Mrok gęstnieje. Drzewa już całkiem czarne, za chwilę nieodwołalnie stopią się z granatowym niebem. Zapalona lampka przyciąga ćmy. Uderzają w szybę, chcąc sforsować zamknięte okno. Nadlatuje nietoperz i błyskawicznie chwyta jedną z nich, po czym, syty, nurkuje w ciemność.

W domu cisza. Psy drzemią, oczekując wieczornego spaceru. Laptop szemrze, wskazówka zegara ściennego niestrudzenie odmierza mijające sekundy. Kiedy opada na tarczy słychać ją głośniej, gdy wspina się ku górze, cichnie, jakby się zmęczyła. Około wpół do ósmej psy przychodzą sprawdzić, czy nie zapomniałam o najważniejszym. Trącają mnie nosami. Mogę je przez jakiś czas ignorować, ale w końcu trzeba będzie wyjść w tę ciemność.

Na ulicy jest widniej, niż sądziłam. Jaśniejsze smugi pocięły niebo za torami. Drzewa oświetlone przez latarnie znów się złocą. Szuram nogami w opadłych liściach. Jest w nich coś wzruszającego. Samotność? Śmierć? Niektóre, wyraźnie zniechęcone życiem, odrywają się od gałązek poznaczone plamami, zeschnięte jak staruszki. Inne przeciwnie, są w najpiękniejszym momencie, wciąż zielone, czasem wspaniale żółte lub bordowe.

Chciałabym zebrać całe naręcze i podrzucić do góry, ale boję się, że ktoś to zobaczy i pomyśli, że zaśmiecam ulicę, że zwariowałam.

Nie powstrzymuję się jednak od zerkania w okna. Nigdy nie potrafiłam się oprzeć pokusie zajrzenia do cudzego domu. Jeśli tylko okno nie zostało zasłonięte, zatrzymuję na nim wzrok. Czasem widzę obraz na ścianie, niekiedy lampę, zazwyczaj oczom przechodnia dostępny jest tylko wąski wycinek mieszkania, ale to mi wystarczy. Rzadko widać ludzi, nie jestem zresztą ich tak ciekawa jak wnętrz.

Psy biegną nieuważnie, nie lubią chyba nocnych spacerów. Przyspieszam kroku tam, gdzie latarnie nie świecą. Z ciemności nagle wyłania się rower. Nie ma świateł. Ktoś idzie, mówiąc sam do siebie. Gdy nas mija, nie ścisza głosu. Uliczne rozmowy przez telefon nikogo już nie krępują. Wracamy i widzimy auto parkujące na podjeździe. Psy, uwolnione ze smyczy, wbiegają do holu, radośnie oczekując kolacji.

Niespodziewanie powiedziałeś w połowie sierpnia:
— Wyprowadzam się.
„To już?" — pomyślałam.
Stałeś skrępowany. Coś tam jeszcze dodałeś, tytułem usprawiedliwienia. Jednak nikt cię nie słuchał. Ja i twój ojciec opuściliśmy głowy, wpatrując się w blat stołu. Straciliśmy ochotę na kolację. Może westchnęliśmy. Nie musiałeś niczego wyjaśniać. Widać nadszedł czas. Dla nas oznaczało to, że obaj nasi synowie wyprowadzą się mniej więcej jednocześnie.

Potem długo milczeliśmy. Przygnębieni, przywoływaliśmy głos rozsądku, tłumaczyliśmy sobie wzajemnie, przekonywaliśmy się, kiwaliśmy głowami. Coś się w naszym życiu kończyło. Nie rozumieliśmy tego jeszcze, nie analizowaliśmy. Staraliśmy się cieszyć, że jesteście gotowi, czujecie się dorośli, ale to był trudny weekend. Jeden z tych, które zmieniają wszystko.

A przecież na razie nic się nie stało. Wciąż byliście tu z nami. Mimo że większą część dnia spędzaliście w pracy, liczyło się to, że wracacie. I nawet jeśli coraz częściej nocowaliście poza domem, nadal mieliśmy tę naszą maleńką czteroosobową wspólnotę. Nasze plany, zwyczaje, wspomnienia. Byliśmy razem przez dwadzieścia pięć szczęśliwych lat, wliczając ostatnią zmianę: przeprowadzkę do tego domu. I choć każde z nas wpatrzone w ekran laptopa siedziało w swoim pokoju, to nadal byliśmy my, nasza czwórka. Tata, ja i wy dwaj.

Ten dzień, dzień pierwszej poważnej decyzji, był dla ciebie początkiem pięknej przygody. Zaledwie uchyliłeś do niej drzwi. Niedługo je otworzysz i wejdziesz w swoje dorosłe życie. My w naszych sercach usłyszeliśmy tylko głuchy stukot, jakbyś wyszedł na zawsze. Cóż mogliśmy powiedzieć? „Zostań jeszcze trochę"? „Będzie nam ciebie brakowało"? Szkoda, że natura nie obdarowała ludzi ptasim instynktem wyganiania potomstwa z gniazda. Wtedy pewnie byłoby nam łatwiej.

Wracam do tekstu, ale mi nie idzie. Raz po raz unoszę głowę i wpatruję się w swoje odbicie w całkiem czarnym oknie.

II

Pod grubą puchową pierzyną w brązowo-czerwoną kratkę czuła miłe ciepło. Była sama. Nieco wcześniej usłyszała głos babki mówiącej, że wychodzi, aby zadzwonić
do szpitala. Przed koszmarem oczekiwania na jej powrót
próbowała jeszcze uciec w płytki sen, ale teraz już się
obudziła i każde stuknięcie wydawało się nadciągającym
niebezpieczeństwem. Zegar głośno tykał, z namysłem
odmierzając sekundy. Za oknem wiatr targał bezlitośnie
krzakami bzu. Dobrze byłoby zakopać się wraz z głową
w ochronną miękkość pierzyny, gdyby nie lęk, że na zewnątrz z pewnością dzieje się coś niepokojącego i to coś
zaraz tu wtargnie. Musiała pozostać czujna.

„A jeśli babcia już nigdy nie wróci? Kto mnie znajdzie? Kto nakarmi kury i wydoi krowy?"

Niemal fizycznie czuła, jak ogarnia ją lęk. Czy będzie musiała sama to wszystko zrobić?! Zawsze starała
się być dzielna. Gdy rodzice wybierali się na sylwestra,
powiedziała: „Idźcie, ja przecież będę grzecznie spać!".
Ale tam była w swoim mieszkaniu. W razie czego mogła
pójść do sąsiadki. Tam wszystko było znajome, tu jest
obce. Pusty dom i ta ogromna przestrzeń pól dookoła.
Tak daleko do ludzi! To chyba najbardziej ją przeraża-
ło. Ale bała się też, że ktoś może znienacka zapukać.
Co wtedy?!

Wsunęła się głębiej pod pierzynę. Za oknami przetoczył się pociąg. Ostrzegawczo gwizdnął przed niestrzeżonym przejazdem i odjechał, ciągnąc za sobą swój stukot. Znów napłynęła dziwna cisza, aż buzująca od dźwięków. Wiatrowi udało się wpaść do komina i teraz straszył, zawodząc żałośnie. Deszcz tłukł o szyby, jakby chciał je otworzyć. Mały drewniany domek babki stękał, z trudem stawiając opór siłom przyrody. Gdzieś daleko poszczekiwały psy. Kogut zapiał ochryple. Na strychu chrobotały myszy. Drewniane ściany pokryte kilkoma warstwami papierowej tapety poddawały się kornikom niezmordowanie drążącym swe tunele.

Pośród tych hałasów, chroniona jedynie przez puchową miękkość pierzyny, zwinięta niczym embrion, przerażona, sama w pustym domu, mocno zaciskając powieki, kuliła się mała dziewczynka.

Babki nie było chyba całą wieczność. W rzeczywistości może godzinę. Jedyny telefon we wsi zainstalowano u sołtysa, a starsza pani zawsze zagadywała się z sąsiadami. Z uporem stawiała czoło październikowej słocie, zmagając się z porywistym wiatrem, aż wreszcie dotarła do domu. Najpierw słychać było wesołe poszczekiwanie psów, potem chrobot klucza, w końcu skrzypnięcie drzwi.

— Już jestem! — zawołała do wnuczki. — Wstawaj!

Dziewczynka odrzuciła kołdrę i z ulgą postawiła bose stopy na zimnej podłodze.

— Masz siostrę! — usłyszała. — Ubierz się!

Babka zdjęła z głowy mokrą chustkę, powiesiła na wieszaku przemoknięty płaszcz i zakręciła się przy kuchni. Z blatu kuchennego ściągnęła pogrzebaczem fajerkę, poruszyła płonące węgle, strząsając z nich popiół. Dosypała pod płytę nieco węgla, postawiła sagan z wodą i znów wyszła na dwór. Po kilku minutach wróciła, niosąc aluminiową miednicę, a w niej podrygującą jeszcze kurę. Odrąbana siekierą głowa z oczyma zasłoniętymi cienkimi powiekami ginęła gdzieś wśród piór. Umywszy ręce, kobieta postawiła przed wnuczką kaszę na mleku. Zalała kurę wrzątkiem i trzymając ją za pokryte żółtymi łuskami nogi, skubała od kupra ku głowie. Szło jej zadziwiająco sprawnie.

Dziewczynka marudziła nad nielubianą kaszą i spoglądała to na szybkie dłonie babki, które doskonale wiedziały, jak drzeć pióra z martwego ptaka, to na jej pożłobioną przez zmarszczki, ogorzałą od słońca twarz, na mały koczek z cienkich, gdzieniegdzie już siwych włosów, ciasno spięty w tyle głowy, wreszcie na brzuch, który czasem niebezpiecznie się wzdymał, a ona wtedy mówiła: „Patrz, jak mnie spuszyło!”. Babka znała odpowiedź na każde pytanie. Jej świat był uporządkowany i pozbawiony lęków. Dziewczynka czuła się przy niej bezpieczna.

— Gotujesz rosół? — zapytała zdziwiona. — Przecież dzisiaj nie jest niedziela.

— Twoja mama musi się dobrze odżywiać. Inaczej nie będzie miała siły karmić maleństwa.

— A zrobisz makaron?

— Nie mamy czasu. Przygotujemy mamie lane kluski.

Po oskubaniu woda z piórami została wylana do obory, a babka zmoczyła denaturatem zwiniętą w tutkę gazetę i na podwórku opaliła ptaka z resztek piór oraz czegoś, co przypominało włosy. Teraz kura była naga, miała żółtą skórę w drobne czarne kropki i pachniała dymem. Kobieta rozkroiła ją na pół. Wyjmowała kolejno wnętrzności, pokazując je wnuczce.

— To jest żołądek, to serce, a to wątroba. Żółci nie można przebić, bo mięso będzie gorzkie. Tu, widzisz, jest jajko, którego nie zdążyła znieść, a tu maleńkie zawiązki jajek, które zniosłaby w następnych dniach.

— Już nie zniesie. — Dziewczynka westchnęła.

Rozcięty żołądek wyglądał jak zamknięta muszelka. Babka okroiła go po brzegu i wywinęła, pokazując wnuczce jego zawartość.

— To dzisiaj zjadła.

Kura miała też wypełnione pożywieniem wole.

— Połknęła kamyki — zauważyła dziewczynka. — Dlaczego?

— Pewnie z pośpiechu. Może obok leżało nasionko? A może kamyki pomagają jej rozetrzeć te ziarenka, które przez cały dzień zbiera? — Kobieta odcięła kurze łapki i ściągnęła z nich twardą żółtą skórę wraz z pazurkami. Kilkoma szybkimi cięciami noża podzieliła ptaka na części. Wrzuciła opłukane mięso do garnka razem z podrobami, włoszczyzną, odrobiną soli oraz pieprzu. Wreszcie usiadła, ciężko wzdychając.

Dziewczynce nie żal było kury. Ani przez chwilę nie pomyślała, że ta jarzębata mogłaby jeszcze chodzić po podwórku, gdakać, znosić jajka, wysiadywać pisklęta. Jej śmierć wydawała się naturalna. Taki los czekał wszystkie kury i koguty z podwórka babci. Nikt się przeciwko temu nie buntował.

Szła z trudem. Jej trzewiki zapadały się w gęste błoto. Uliczka biegnąca wzdłuż boiska szkoły podstawowej, skrót do miejskiego szpitala, wydawała się nie mieć końca. Zimny październikowy deszcz smagał policzki. Różowy skafanderek i chustka matki nie dawały wielkiej ochrony. Dziewczynka spojrzała na babkę. Trzeba podbiec. Znów zrobiła kilka szybkich kroków, byle nie zostawać z tyłu. Nie wzięła rękawiczek. Zatarła zmarznięte dłonie i podniosła wzrok. Nieco z lewej, ponad niskimi zabudowaniami przedmieścia, za zasłoną deszczu majaczyły bezlistne drzewa otaczające szpital. Starła z twarzy krople i potrząsnęła głową. Nie rozpłacze się, przecież z każdym krokiem jest bliżej celu.

Babka stanęła i popatrzyła na wnuczkę niezadowolona.

— Pośpiesz się! — krzyknęła.

Brnąc po kostki w lepkim błocie, dziewczynka podbiegła kilka kroków. Woda mlaskała jej w butach. Czy babce deszcz nie przeszkadza? Przecież nie wzięła parasolki! Jej chustka, ciasno zawiązana pod brodą, też jest już prawie całkiem mokra, a na plecach powiększa się ciemna plama.

Wreszcie dotarły do utwardzonej ulicy. Teraz, mimo deszczu, szło się już o wiele łatwiej. Minęły otwartą bramę szpitala ujętą w betonowe słupy i podjazdem wyłożonym trylinką ruszyły ku stojącemu nieco z boku małemu domkowi, w którym znajdowała się porodówka. Przecięły w poprzek rozmoknięty, wydeptany klomb. Jeszcze trzy schodki. Staruszka nacisnęła klamkę. Weszły do środka. W wąskim korytarzu unosił się szczególny zapach. Coś ostrego, nieprzyjemnego, budzącego respekt. Gdzieś w głębi zaskrzeczało niemowlę. Pomalowane na biało, przeszklone matowymi szybkami drzwi były pozamykane. Babka uchyliła pierwsze z brzegu, wypuszczając na korytarz zawodzenia rodzącej. Zamknęła je natychmiast. Schyliwszy się nieco, zajrzała do kolejnej sali. Bez rezultatu. Wreszcie przywołała dziecko:

— Tutaj!

Weszły ostrożnie. W głębi z lewej strony, oparta na łokciu, leżała matka dziewczynki. Jej zamglone oczy na widok gości rozbłysły radością.

— Jesteście! Chodź, przytul się do mnie! — zmęczonym głosem powiedziała do córki. — Masz siostrę, wiesz?

Z głową wciśniętą między duże piersi matki dziewczynka zdołała tylko wymruczeć:

— Mhm.

Czuła się skrępowana obecnością innych kobiet i tym, że ma brudne buty. Z jej kurtki na biało-czarne płytki podłogi ściekały krople deszczu. Nie wiedziała, jak to jest mieć siostrę. Dotychczas, przez całe sześć lat swego życia, była jedynaczką. Teraz już nie będzie? Co prawda czyniła przygotowania na pojawienie się rodzeństwa. Brała do rąk maleńkie kaftaniki i sweterki jak dla lalek. Różowe i niebieskie, bo tylko takie matka kupowała. Oddała też swoje oszczędności zgromadzone w metalowej puszce z napisem „Oszczędzaj i ucz oszczędzać". Wie-

16

działa, że od teraz musi już być duża, została przecież starszą siostrą.

— Damy jej na imię Urszulka, Ula. Podoba ci się?

— Tak.

Obok łóżka na szpitalnym stoliku stał wazon z kwiatami. Ogromne kule złotych chryzantem niemal świeciły na tle białej lamperii. Babka wyjęła z torby zawinięty w gazety i ścierki szklany słoik z rosołem.

— Kto to przyniósł? — zapytała z dezaprobatą, wskazując na kwiaty.

Wysupłała wek z gazet, zadowolona, że nie ostygł. Zdjęła metalową sprężynę, podała córce wyjętą z torby łyżkę. Kobieta z lubością nachyliła się nad słoikiem.

— Moi uczniowie — rzuciła, myśląc o kwiatach. — Pycha! — dodała, wdychając miły zapach posiłku.

— Powariowali?!

— To małe dzieci.

— Chryzantemy... — Babka chciała powiedzieć: „Przynoszą nieszczęście", ale w takim dniu nie mogła przecież nawet wymówić tego słowa. Zagryzła wargę. — Nie na taką okazję. Nie powinni byli. Zabiorę je.

— Daj spokój! — Młoda kobieta dopiero teraz zauważyła, jak bardzo obie przemokły. — Zdejmijcie płaszcze, przeziębicie się. Chciałabyś zobaczyć siostrę? — zwróciła się do córeczki, ale w jej oczach zauważyła jedynie niepewność.

Zanim wróciły na wieś, babka i wnuczka poszły się nieco ogrzać do mieszkania rodziców dziewczynki. Zajmowali oni pokój z kuchnią na facjatce obszernego parterowego drewniaka z krytym blachą spadzistym dachem. Nie było tu żadnych wygód i każde wiadro wody czy węgla trzeba było wnieść po kilkunastu stromych schodach.

Komórka znajdowała się w głębi podwórza. Składowisko rozmaitych niepotrzebnych w domu sprzętów służyło również do przechowywania deputatu węgla, który ojciec dziewczynki, jako kolejarz, rokrocznie otrzymywał od swojego zakładu pracy. Z trudem dźwigając ciężkie wiadro, babka wniosła na górę węgiel i kilka szczap drewna, urąbanych wcześniej przez zięcia. Aby rozpalić pod kuchnią, musiała najpierw wybrać z popielnika pozostały po wczorajszym gotowaniu popiół, potem skręcić stare gazety, na nich ułożyć cienkie szczapki drewna, następnie grubsze, wreszcie drobne kawałki węgla. W końcu to wszystko podpalić.

Dziewczynka lubiła ten rytuał i moment, kiedy ogień się budził. Leniwie liżąc papier, zmieniał go w czarne powyginane płatki. Potem przychodziła kolej na drewniane szczapy. Rozgrzewały się do czerwoności i spalały w pięknym, żółtopomarańczowym płomieniu. Wtedy należało zamknąć popielnik. Za chwilę ogień będzie dość mocny, aby zagrozić twardym bryłkom węgla, opalizującym w świetle dnia na zielono i różowo. Teraz jednak nie było czasu na zabawy. Babka pozwoliła ogniowi rozgorzeć. Ze stojącego obok wiadra nabrała kubek wody. Uchyliła przykrywkę aluminiowego czajnika, nalała trochę wody, zdjęła trzy fajerki i postawiła czajnik na kuchni.

— Zaraz będzie herbata — powiedziała. — Zjesz kanapkę?

Dziewczynka kiwnęła głową.

— Umyj ręce.

Mała posłusznie podwinęła rękawy. Emaliowanym kubkiem nabrała z wiadra nieco zimnej wody i wlała ją do stojącej obok miski. Zanurzyła palce w pojemniku z rozmiękającymi resztkami zużytych kostek mydła, wyjęła odrobinę białoróżowej mazi, potarła, patrząc, jak powstaje piana, opłukała i wysuszyła dłonie ręcznikiem wiszącym na drewnianym kołku szafki. Wyżej, za matowymi szybkami, stały: tubka kremu do golenia Pollena, ałun do tamowania skaleczeń, zapas żyletek Polsilver, miseczka i pędzel, krem Nivea mamy, mydło 7 Kwiatów i niebieski szampon. To były chyba wszystkie kosmetyki rodziców.

— Nie mów nikomu, co się dzieje w domu — powiedziała, niby to czytając napis z makatki, na której mężczyzna jedną ręką obejmował przepasaną fartuchem kobietę stojącą przy kaflowej kuchni.

Takich makatek, haftowanych niebieską nicią na białym lnianym lub bawełnianym płótnie, jej matka miała kilka. Każda głosiła inną sentencję, ilustrowaną przez stosowny, na ogół dość nieporadny obrazek, ozdobiony wyszytymi w rogach girlandami. Gospodyni przy studni stwierdzała, że: „Zimna woda zdrowia doda", a obrazek przedstawiający suto zastawiony stół i kobietę z chochlą, która nalewa mężowi zupę, podpisany był półkoliście: „Dobra żona tym się chlubi, że gotuje, co mąż lubi". W razie zachlapania zmieniało się makatkę na czystą, przypinając ją kilkoma pinezkami do drewnianej ściany. Dziewczynka uniosła metalowy skobel, otworzyła drzwiczki na stryszek i wylała brudną wodę z miednicy do stojącego przy wejściu wiadra.

— Umiesz już czytać! — pochwaliła ją babka.

— Nie. Mama mi powiedziała, co tu pisze — odpowiedziało dziecko, nagle zawstydziwszy się niewinnego kłamstwa.

Miło buzując pod kuchennym blatem, ogień już rozpalił się na dobre. Raz po raz między fajerkami błyskały pomarańczowe języki. Z cienkiego, wygiętego jak łabędzia szyja dzióbka czajnika powoli zaczęła wydobywać się para — znak, że za chwilę będzie można zalać herbatę.

Tymczasem babka wyjęła z lodówki masło i posmarowała ukrojone pajdy chleba.

— Chcesz z powidłami?

— Tak.

Dziewczynka podeszła do wykuszu, wspięła się na palce i spojrzała przez okno. Na rosnącym obok domu orzechu włoskim, którego bezlistne gałęzie uginały się pod naporem wichury, siedział skulony ptak. Zrobiło jej się smutno.

— Mam mokre nogi — powiedziała, poruszając palcami w szmacianych kapciach. Chciała, żeby ptak ją usłyszał, bo wtedy może nie czułby się tak nieszczęśliwy.

Babka postawiła na stole dwa kubki ze słabą herbatą. Posłodziła i chciała usiąść, zamiast tego jednak poszła do pokoju, aby poszukać w szafie czegoś na zmianę.

— Zdejmij rajstopy.

Dziewczynka zadarła spódnicę uszytą z brązowej wełny w kratkę i zaczęła ściągać pomarańczowe rajstopy.

— Tata mówi, że wyglądam w nich jak bocian — zawołała głośniej, aby babka mogła ją usłyszeć.

— Te mają kolor twoich oczu. — Kobieta podała
wnuczce czyste rajstopki.

— Lubię niebieski.

Gdy uporała się wreszcie z przebieraniem, upiła łyk
herbaty.

— Słodka! — Skrzywiła się. Nie lubiła słodkiej. Za-
patrzona w okno, za którym siedział biedny, zziębnięty
ptak, ugryzła kęs kanapki. — Ciągle pada...

— Trudno, założysz kalosze. Musimy się powoli
zbierać, trzeba wydoić krowy, dać jeść świnkom, kurom
i psom. Mamy dużo pracy. Załatw się przed drogą.

— Ja ci pomogę w obrządku!

Mała wyszła na stryszek i kucnęła nad wiadrem.
Po chwili dało się słyszeć krótkie ciurkanie. Podciągając
rajstopy, wróciła do kuchni.

— Właśnie na to liczę. — Staruszka uśmiechnęła się,
pogłaskała wnuczkę po jasnych włosach, które pod wpły-
wem deszczu skręciły się w delikatne loczki, podeszła do
szafki i wzięła z górnej półki metalową puszkę z landry-
nami. Zdjęła wieczko.

— Masz ochotę na cukierka? — zapytała, choć z góry
znała odpowiedź.

— A jest jeszcze biały?

Deszcz nieco zelżał. Ponieważ była środa, babka
uznała, że znacznie szybciej niż pociągiem dostaną się
do wsi którąś z furmanek sąsiadów wracających po co-
tygodniowym targu. Założywszy na głowy plisowane

chustki z plastikowej folii, zawiązały je pod brodą. Szły poboczem ulicy Dąbrówki, która w tym miejscu przypominała zwykłą żwirową, pełną kałuż wiejską drogę. Raz po raz oglądały się, czy nie nadjeżdża ktoś znajomy. Babka, choć mieszkała w swojej wsi dopiero od kilku lat, znała tam już niemal każdego. Ludzie ją szanowali i cenili, gdyż miała wielkie serce i zawsze chętnie udzielała pomocy. Wybrali zresztą nawet Serwatkową na radną powiatową.

Dochodziły niemal do cmentarza żydowskiego, kiedy wreszcie na poboczu przystanął któryś z sąsiadów. Wspiąwszy się po piaście koła, dziewczynka usiadła obok woźnicy, a za nią babka.

— Sprzedał pan co, panie Młot? — zagaiła starsza pani i sadowiąc się na wytartym sienniku, wskazała przykryte plandeką pełne worki.

— Marny targ w taki deszcz... — odpowiedział zniechęcony i cmoknął na konia, który natychmiast ruszył.

Dziewczynka zawsze miała kłopot z wybraniem miejsca na wozie. Lubiła patrzeć na przesuwający się krajobraz, ale fascynowało ją również obserwowanie wzajemnych relacji furmana i konia, których podstawowymi narzędziami były trzymane przez woźnicę lejce oraz leżący w pogotowiu rzemienny bat. Nie czuła obrzydzenia, wąchając puszczane przez konia bąki ani przypatrując się, jak zwierzę unosi przepiękny ogon i wypycha z siebie wielkie, ciemnozielone, trawiasto-owsiane kule. Lubiła zapach końskiej kupy. Czasem woźnica dawał jej przez chwilę potrzymać lejce, cmoknąć lub pomachać batem czy wypowiedzieć jedną z magicznych formuł:

„Wio!", „Wiśta", „Od siebie", „Hetta", co stanowiło kulmi-
nację każdej podróży furmanką. Być może stąd wzięły
się jej marzenia o zostaniu wozakiem oraz próby z fur-
mańskimi przekleństwami, dzięki którym nauczyła się
prawidłowo wymawiać głoskę „r".

Teraz jednak nie było wyboru. Babka miała tylko jeden płaszcz ortalionowy. Narzuciła go na siebie i wnuczkę, toteż dziewczynka musiała usiąść przodem do kierunku jazdy. Licząc, że woźnica domyśli się i da jej choć
przez chwilę potrzymać lejce, przysłuchiwała się rozmo-
wie dorosłych.

Gdzieś na wysokości Bud Barcząckich deszcz wreszcie ustał. Kiedy dojechali do wsi, kobieta zapytała
sąsiada:

— Zatrzyma się pan na chwilę przy spółdzielni?

Zajechali na mały placyk przed jedynym we wsi sklepem prowadzonym przez gminną spółdzielnię. Babka
zeszła z wozu. Po chwili wróciła z plecioną siatką. Połyskiwał w niej okrągły, dwukilowy bochenek chleba
o pięknej brązowej skórce.

— Ostatni! To się nazywa mieć szczęście!

Mimo że w letniej kuchni kazała zbudować piec chle-
bowy, Janina Serwatkowa od dawna już nie piekła chleba. Wnuczka nie pamiętała, aby babka robiła to kiedy-
kolwiek. Zdarzało się jej nastawiać zsiadłe mleko na
twaróg, raz czy dwa dziewczynka widziała, w jaki sposób
ubija się masło, ale większość produktów spożywczych
dziadkowie kupowali w spółdzielni. Może z wyjątkiem
makaronu, chociaż to chyba dotyczyło wyłącznie świąt.
Nie chcąc kalać rosołu makaronem ze sklepu, Janina

Serwatkowa zagniatała ciasto, które suszyło się potem na pokrywających łóżko lnianych ścierkach. Ale mąki, kaszy, wędlin, tego wszystkiego nie produkowało się już, jak kiedyś, we własnym zakresie. Ziarna nie odwoziło się do młyna. Mimo braków w sklepach łatwiej było je kupić. Miało to swoje dobre strony: odpadało przechowywanie, kiedy pomimo najszczerszych chęci i dochowania należytej staranności część produktów zawsze się psuła. Kupowało się kilo, dwa kilogramy mąki, kostkę masła, pół chleba. Takie ilości prawie nigdy nie zdążyły się zepsuć. Zresztą gdyby nawet, zawsze jeszcze były wiecznie głodne psy i świnie, które nie gardziły żadnym poczęstunkiem. Przy kuchni stało specjalne wiadro na pomyje, gdzie wrzucano resztki niedojedzonych potraw: zupy, drugiego dania, chleba. Potem wylewało się jego zawartość świniom do koryta. Dziewczynka lubiła słuchać, jak im smakują te frykasy!

Od stacji kolejowej Barcząca droga, którą jechali, przebiegała po przeciwnej, południowej stronie torów i w zależności od tego, z kim udało jej się zabrać, babka wysiadała właśnie tutaj lub dojeżdżała do kolejnego przejazdu w kierunku Wiciejowa, gdy droga wracała na północną stronę. Tam dziękowała za podwózkę i kierowała się ku swoim zabudowaniom.

Dom Młotów znajdował się niemal dokładnie naprzeciwko jej obejścia. Wysiadły więc z wnuczką tuż przy wąziutkiej ścieżce, która wzdłuż zabudowań i sadu Jarzębskich wiodła wprost ku torom. Tu obejrzały się niczym na ruchliwej drodze. Dość często jeździły tędy

pociągi osobowe, towarowe, pośpieszne, a nawet eks-
presy. Te ostatnie zawsze wzbudzały zainteresowanie
dziewczynki, albowiem były to pociągi międzynarodo-
we. Gdy skład nieco zwalniał, zauważała w jego oknach
firaneczki. Jechali nim zazwyczaj ludzie ubrani w granatowe dresy. Wagony miały pod samym dachem napisy:
Spalnyj wagon albo *Carrozza letti*. Ktoś jej wytłumaczył,
że to wagony sypialne, bo pociąg jedzie do stacji doce-
lowej nawet kilka dni. Składy, przeważnie pomalowane
na jaskrawy zielony kolor, kursowały między Moskwą
a Berlinem i to budziło w dziewczynce jakąś nie do końca uświadomioną nostalgię.

Na tej trasie jeździły też pociągi pośpieszne z Warszawy do Hajnówki i Terespola, osobowe do Siedlec oraz
towarowe nie wiadomo dokąd, ale wszyscy mówili, że do
Ruskich. Przeważnie szczelnie zamknięte, nie ujawniały
swej zawartości. Czasem pociąg towarowy ciągnął odkry-
te platformy, a na nich jakieś ciekawe rzeczy, na przykład
samochody osobowe. Te jeździły chyba w obie strony.
Najrzadsze i najciekawsze były pociągi wojskowe, na które składały się kryte wagony z żołnierzami i platformy
ze sprzętem: kuchnią polową, armatami czy czołgami.
Dudnienie pociągu stanowiło dla dziewczynki znak, by
oderwać się od najważniejszych choćby zajęć i spojrzeć
w kierunku torów. Jeśli znajdowała się w pobliżu, niczym
mały dróżnik zamierała w pozycji na baczność i póki jej
starczyło znajomości arytmetyki, palcem wskazującym
odliczała kolejne wagony.

Wtedy chyba jeszcze machała ludziom wyglądają-
cym przez okna pociągów. Może wciąż wierzyła w tym

sposobem wysyłaną w świat magiczną moc przekazu. Kto jej potem powiedział, że to głupie, naiwne i dziecinne? Czy kryło się za tym jakieś rozczarowanie, czy też sama zrozumiała, że dorastanie polega na ignorowaniu ludzi jadących pociągami?

Po południowej stronie torów biegła żwirowa ścieżka. Pasażerowie pociągów wysiadający na stacji Barcząca dochodzili nią do swoich domów, druga strona była dzika. Od stacji aż do okrągłego czerwonego talerza za niestrzeżonym przejazdem do Wiciejowa, naprzeciwko domku dróżnika, ciągnął się wzdłuż nasypu zawieszony na niskich słupkach metalowy drut, schowany pod ziemią jedynie w miejscu przejazdu. Zawiadowca stacji Barcząca, posługując się zwrotnicami, kładł talerz odległy o ponad kilometr, kiedy pociąg miał wolną drogę, lub stawiał go, kiedy nie można było dalej jechać. Czasami na wysokości domu babci skład posłusznie czekał, aż zawiadowca zezwoli mu na dalszy kurs, bo hamował go też semafor stojący za stacją. Uniesione ramię semafora mówiło, że pociąg ma wolną drogę, opuszczone — że takiej drogi nie ma. Dziewczynka wiedziała, że zawiadowca dba o bezpieczeństwo podróżnych, i podobało jej się, że pociąg zawsze tak grzecznie czeka. Kiedy dostał pozwolenie, zawsze dziękował gwizdnięciem i z wolna ruszał.

Obejrzawszy się w lewo, w prawo i jeszcze raz w lewo, babcia dała sygnał do przejścia na drugą stronę. Przechodzenie po ostrych kamieniach nasypu nie było zbyt wygodne. Należało precyzyjnie stawiać stopy na podkładach, a po drugiej stronie jeszcze wysoko unosić nogi, aby nie zaczepić o drut biegnący do semafora. Potem zostawało już tylko przebiec przez chybotliwą kładkę, deskę rzuconą byle jak na małe bajorko, które tworzyło się tu zawsze podczas opadów deszczu.

— Jesteśmy! — dziewczynka oznajmiła triumfalnie, zerkając na babcię.

— Pewnie zgłodniałaś? Zjesz rosołu?

— Chętnie.

Kobieta uśmiechnęła się zadowolona. Mały niejadek wreszcie nie wybrzydza! Nie szły ku domowi ścieżką. Latem porośnięta gąszczem rozmaitych kwiatów: goździków brodatych, rumianków, rudbekii, astrów, nawłoci, teraz straszyła już tylko powiędniętymi, nadgniłymi badylami. Aby jeszcze bardziej nie zmoknąć, dotarły do utwardzonej żużlem drogi dojazdowej, odchodzącej od nieużywanego niemal przez nikogo traktu wytyczonego po północnej stronie torów. Babcia westchnęła i spojrzała ku domowi. Chyba wszystko tutaj w porządku?

Na gospodarstwo Janiny i Jana Serwatków składały się: stojący frontem do drogi drewniany, parterowy dom, od podwórka oddzielony niewielkim ogródkiem kwiatowym, z lewej, szczytem do drogi, stała murowana obora, gdzie trzymano świnie i krowy. Obora kończyła się od południa letnią kuchnią, z wejściem do pomieszczenia o obniżonej podłodze, która pełniła funkcję spiżarni. W tej tak zwanej piwnicy zawsze panował chłód, dlatego babcia przechowywała tu warzywa i przetwory. Parterowy budynek miał strych, na który trzeba się było wspiąć po kilku szczeblach chwiejnej drabiny, przystawionej do niewielkiego, wykonanego z desek podestu, ulubionego miejsca obserwacyjnego dziewczynki. Ach, jak daleko można stąd było sięgnąć wzrokiem! Obejmowało się jednym spojrzeniem sad za stodołą, las Krupińskiego, tory, a nawet odległą olszynę!

Strych doświetlało jedno maleńkie okienko wychodzące na południe, z którego widok roztaczał się aż ku zamykającemu horyzont lasowi pod Chmielewem. Choć nie znała jeszcze wtedy *Dzieci z Bullerbyn*, ów strych zawsze wyzwalał w dziewczynce nigdy niezrealizowane marzenie o własnym pokoiku z firaneczkami w oknie i dziecięcych kolorowych mebelkach. Babcia nie przekreślała tych nadziei, snując marzenia razem z wnuczką. Sama wciąż coś planowała, ale braki finansowe stawały na przeszkodzie większości inwestycji. Zazwyczaj na strychu suszyło się więc pranie, oczywiście tylko jesienią i zimą. W drugim jego końcu składano czasem siano lub słomę, którą można było wrzucić do obory przez pozostawiony w podłodze niebezpieczny otwór. Czasem rozkładano obok komina łęty fasoli, aby przed wyłuskaniem dobrze wyschły. Jak na każdym stryszku nie brakowało tu też zepsutych sprzętów, dawano im jeszcze szansę na drugie życie, kiedyś, w jakiejś bliżej nieokreślonej przyszłości, mimo że już dawno zostały zastąpione przez inne, nowsze i bardziej funkcjonalne.

Naprzeciwko obory zbudowano krytą papą drewnianą stodołę z umieszczonymi w obu dłuższych ścianach ogromnymi wierzejami, zdolnymi pomieścić wóz załadowany sianem lub snopkami żyta, a nawet młocarnię.

Po bokach w stodole znajdowały się sąsieki, miejsca, gdzie od wiosny składowano siano a latem snopki niewymłóconego zboża. Czasami, zwłaszcza przy uroczystościach rodzinnych, kiedy brakowało łóżek, udawało się dziewczynce spędzić letnią noc na takim cudownie pachnącym świeżym sianie. Wstawało się potem z pokłutymi rękoma, włosami pełnymi źdźbeł trawy, ale nie było chyba w rodzinie nikogo, kto nie lubiłby od czasu do czasu tak spędzić nocy.

Przed stodołą znajdowały się budy dla psów, a z prawej strony do stodoły przylegała duża szopa na narzędzia. Obok wejścia do domu wybudowano kolejną szopę, na węgiel i drewno, z przeciwnej strony zaś kurnik oraz wychodek. Podwórko ogrodzono od południa drewnianym płotem, za nim rozciągał się warzywniak, przecięty ścieżką obsadzoną kwiatami. Na podwórku stała jeszcze jedna szopa, w której zainstalowano parnik, gdzie gotowało się kartofle w łupinach, aby potem za pomocą motyki zgnieść je na miazgę w drewnianym szafliku, a po dodaniu ospy, czyli grubo zmielonego ziarna z otrębami, oraz po dosypaniu posiekanej zieleniny dać świniom i kurom.

Obok studni przykrytej niewielkim daszkiem w równym stosiku, nasączone jakąś mocno pachnącą i smolistą substancją, leżały podkłady kolejowe, w które nigdy nie wsiąkała deszczówka, pozostawiając wielkie tęczowe krople. Starszy syn Serwatków, Jerzy, kupił zużyte podkłady w MZK, gdzie pracował. Z nich właśnie ostatecznie pobudowali swój maleńki, przykryty eternitem domek, który składał się jedynie z sionki, kuchni i pokoju.

Obok parnika sterta zebranych z pola kamieni czekała na budowę murowanego domu, który nigdy nie powstał. Z czasem nazbierało się tu mnóstwo różnego rodzaju metalowych śmieci. Nikt nie kwapił się, żeby je wywieźć na złom. Wrastały więc w krajobraz podwórka zardzewiałe wiadra, bezzębne motyki, wyszczerbione, dziurawe miednice, jakieś druty, stare puszki, pudełka nigdy niezużytych gwoździ, aż wreszcie przestały komukolwiek przeszkadzać.

Pola mieli Serwatkowie niecałe półtora hektara, ale w ładnym kawałku. Nie był to wąski na kilka i długi na kilkaset metrów, trudny do obrobienia łan, jaki przypadł im z rodzinnego podziału we wsi Piaseczno, niedaleko Siennicy, gdzie mieszkali dotychczas w jednym starym domu z rodzinami siostry i brata Janiny. Gospodarzyli więc trochę tu, trochę tam. Jan Serwatka był kolejarzem, dojeżdżał co drugi dzień do Warszawy i to zbliżenie do stolicy o kilkanaście kilometrów, a przede wszystkim bliskość stacji kolejowej, miały dla niego duże znaczenie.

Z wyraźną ulgą, zmarznięte, babcia i wnuczka weszły do domu. Ogień wygasł, ale wewnątrz nadal było ciepło. Drewniane grube ściany z podkładów dobrze sprawdzały się zarówno w chłody, jak i w upały. Babka zdjęła palto i powiesiła je na gwoździu. Wilgotną chustkę zarzuciła na drut. Przypięty do niego metalowymi żabkami kawałek materiału zasłaniał wygrodzoną w rogu kuchni maleńką sypialnię pana domu. Masywny kredens stanowił trzecią ścianę, a jednodrzwiowa szafa stojąca w nogach łóżka — czwartą.

Kobieta umyła ręce w dużej miednicy zawieszonej na metalowej umywalce, wciśniętej między kuchnię a kredens. Solidny mebel ze ścianką i dolną półeczką, pomalowany białą farbą olejną, coraz bardziej poddawał się żarłocznej rdzy. Babka wlała dwie chochle rosołu do rondelka i postawiła go na elektrycznej jednopalnikowej kuchence. Cienkie sprężynki spirali momentalnie się zaróżowiły, rozgrzewając ceramiczny wkład. Nie czekając, aż rosół zacznie wrzeć, babka wyłączyła maszynkę. Z przyjemnością usiadły do stołu. W talerzu dziewczynki obok lanych klusek i marchewki pływało ugotowane kurze serce.

— Dlaczego miała tylko pół serduszka?

— Kto?

— Kura.

Babka zmarszczyła brwi, a wnuczka palcem na przykrywającej stół ceracie w kwiaty narysowała właściwy kształt serca.

— Może drugą połowę komuś oddała?

— Swojemu mężowi?

Dziewczynce stanął przed oczyma piękny brązowy kogut z połyskującymi u ogona zielono-czarnymi piórami i wspaniałym czerwonym grzebieniem. Zawsze bacznie się rozglądała, wychodząc na podwórko, bo nieraz zdarzyło się jej uciekać przed jego ostrym dziobem. Ten kogut lubił ją trochę straszyć. Straszył też kury, wskakiwał na nie, dziobał je po głowach, przyduszał do ziemi. Podnosiły się potem, otrząsały z kurzu i uciekały gdzie oczy poniosą, gdacząc w niebogłosy. Niektóre po tych bitwach wyglądały niezbyt elegancko: wyrwane pióra z głów, zaczerwienione kupry — że też babcia nie zrobi z tym kogutem porządku!

— Babciu, nie zerwałaś kartki z kalendarza! — wykrzyknęła nagle mała, jakby odkryła straszne zaniedbanie starszej pani.

Na gwoździu wbitym w futrynę drzwi wejściowych wisiała ozdobna tekturka z przecięciem, w które wsuwało się tylną okładkę kalendarza. Każdy dzień miał swoją kartkę. Zrywanie kartki oznaczającej miniony dzień, podobnie jak nakręcanie zegara ściennego, było codziennym porannym rytuałem. Dziewczynka pytała wtedy, czyje są imieniny, o której wzeszło słońce i który dzień roku właśnie się rozpoczyna. Na odwrocie kartki zawsze znajdowała się jakaś ciekawa lub pożyteczna informacja, porada czy przepis kulinarny. Z dnia na dzień kalendarz chudł. O tej porze roku pozostało w nim niewiele kartek.

— Słusznie, dziś mamy środę.

Babcia podniosła się, aby z opóźnieniem zerwać kartkę. Było już przecież dobrze po czwartej.

— Dwudziesty pierwszy października, imieniny Urszuli. Dziś urodził się też włoski autor, Edmund de Amicis, który napisał *Serce*.

— Takie jak to? — Dziewczynka wskazała kurze serduszko z fragmentem białej aorty, które wciąż pływało w jej talerzu.

— Myślę, że całkiem inne — powiedziała babcia i narysowała palcem na stole kształt przywołany wcześniej przez wnuczkę.

Spojrzały na siebie i uśmiechnęły się porozumiewawczo. Kobieta odwróciła kartkę, ale nie było tam chyba nic interesującego, zmięła ją bowiem i wrzuciła do wiadra na węgiel.

— I my mamy urodziny! — dobitnie stwierdziła dziewczynka, kręcąc łyżką w rosole.

— Urodziny Urszulki. Od dziś tego dnia co roku będzie nasze święto.

Ponieważ wnuczka rzadko miała apetyt, natomiast interesowała się niemal wszystkim, posiłki przeradzały się w długie pogaduszki, podczas których jedzenie zdawało się rosnąć jej w ustach. Poza barszczem czerwonym w zasadzie nie było potrawy, którą lubiła. Nie cierpiała mleka, zwłaszcza gotowanego, kaszy na mleku, zacierek, kakao. Nie znosiła mięsa, robiąc wyjątek jedynie dla drobiu. Nigdy niemal nie czuła się głodna i nie prosiła o kanapkę jak inne dzieci. Nie słodziła herbaty, nie lubiła ciastek z kremem ani tortów. Z tego powodu była przeraźliwie chuda. Cienkie ręce i nogi, wystające żebra. Rodzice czasem nazywali ją Chudusiem. Kiedy się myła, litość brała patrzeć. Czy jej siostra również będzie niejadkiem, który ucieka matce nawet na widok poziomek z cukrem i śmietaną?

Kobieta włączyła światło i mdła żarówka czterdziestka, osłonięta od sufitu białym talerzem klosza, rozjaśniła nieco szarówkę wczesnego zmierzchu.

— Trzeba jeszcze rozpalić pod kuchnią! — powiedziała i sięgnęła po wiadro. — Zostań w domu, bo chyba znów pada.

Niedługo potem wróciła, dźwigając wiadro węgla i kilka drewnianych szczapek. Ogień jakby tylko czekał, aby ogarnąć cienkie drewienka. Dziewczynka śledziła uważnie wszystkie czynności babki.

— Mruga jak żywy!

— Ale trzeba się z nim obchodzić bardzo ostrożnie, bo to niesforny diablik!

Kobieta nalała wody do czajnika ciężkiego od kamienia i postawiła naczynie na ogniu. Następnie wyjęła chleb ze sznurkowej siatki. Brązowa skórka pachniała przepysznie.

— Lubisz ten zapach! — stwierdziła wnuczka.

— Kiedy jest chleb, nikt nie będzie głodny — odparła babka, odkroiwszy piętkę.

Dziewczynka nie rozumiała pojęcia „głód", a już na pewno nie w znaczeniu, o jakim myślała starsza pani, dla której przez długie lata nakarmienie rodziny stanowiło jedną z najważniejszych trosk. Podczas wojny wielokrotnie nie miała z czego upiec chleba, ratowała się wtedy, dając dzieciom na tajne komplety choćby woreczek ugotowanej fasoli, a w domu karmiąc je kartoflami lub zupą. Wnuczka nie domyślała się, że kupowanie chleba może być oznaką zamożności. Bardzo względnej zamożności, bo dla dwojga po prostu nie opłacało się przeprowadzać tej całej procedury pieczenia chleba: nastawiania zaczynu, mieszania ciasta, czekania, aż urośnie, pieczenia, wreszcie oczekiwania na ostygnięcie. Dla dwojga to już w ogóle niewiele warto robić. Dziadek jeździł do pracy na całą dobę, zabierał coś ze sobą, nic takiego, kawałek kiełbasy czy pasztetówki, zawinięty w papier śniadaniowy, paprykowaną słoninę, kromkę chleba i tyle. Upchnięte do zatłuszczonej skórzanej teczki, stanowiły cały jego posiłek. W tym czasie babka musiała sama dopilnować gospodarstwa, z czym było zawsze mnóstwo roboty. Od kiedy dzieci się wyniosły, gotowała rzadziej, mniej się przykładała, jadła byle co, ciągle czymś zajęta.

Nagle rozszczekały się psy. Dwa duże łańcuchowe kundle, Reks i Agresor, przywiązane do swych bud tuż przy wierzejach stodoły, zaczęły z wściekłością ujadać. Babcia i dziewczynka uniosły głowy. Kobieta wstała, przeszła przez niewielką sionkę, zapaliła zewnętrzną lampę i wyszła na podwórze. Idąc na ukos od bramy, przecinał je właśnie wysoki, przygarbiony mężczyzna w kufajce, czapce leninówce i gumofilcach.

— A, to pan, panie Kruczek! Zupełnie zapomniałam, że się umawialiśmy. Wie pan, Maryla dziś urodziła.

— To pogratulować, pani Serwatkowa, pogratulować! A co bocian przynies?

— Córkę.

— Niech będzie i córka, jak już musi. Byle się zdrowo chowało. Bijem dziś?

— Sama nie wiem... Męża nie ma, a ja trochę niegotowa.

— A co to za wielkie przygotowania trza robić? Stół w kuchni, jakie wanne, trochu gorącej wody i będzie. Resztę mam ze sobą, a mąż przyjadzie na gotowe.

— Może i racja. Zgoda. Bijemy!

Dziewczynka nie słyszała rozmowy babki z sąsiadem. Nie domyśliła się więc, że jedna z babcinych świnek, do których tak chętnie zaglądała, stając na szerokim progu obórki, tego uroczystego dnia straci życie. Dziecko zostało w domu, zajmując się zleconym w pośpiechu rozplątywaniem nici, kordonków, segregowaniem igieł, guzików, fragmentów tkanin, agrafek, naparstków i wstążeczek wrzuconych bezładnie do dużego pudełka. Czując ciążącą na sobie odpowiedzialność, dziewczynka bardzo poważnie zabrała się do pracy. Nie wychodziła z kuchni. Zresztą zapadła już ciemna, zimna i mokra jesienna noc, a w mieszkaniu było ciepło i przyjemnie.

Zaaferowana świniobiciem babka co jakiś czas wpadała do domu, rzucała spojrzenie siedzącej przy stole wnuczce, brała nóż albo miednicę i znów wychodziła. Dziewczynka z zapałem rozplątywała kolorowe kłębki nici i wbijała igły oraz szpilki w twardą czerwoną poduszeczkę. Z przykrytego śliską ceratą stołu ubywało kolorowych szpulek. Wstążeczki zostały zawinięte w motki i ułożone według szerokości. Cicho grało jednozakresowe radio ścienne, pod płytą kuchenną wesoło buzował ogień. Babcia była gdzieś w pobliżu, kiedy wróci, na pewno pochwali swą pomocnicę.

Kiedy podzielone na połówki mięso z zabitego wieprzka stygło w kuchni letniej, kobieta wydoiła krowę i dokonała reszty obrządku. Pozamykała wszystko na klucz i wróciła do mieszkania. Zastała wnuczkę z głową na stole. Ukołysana stukotem przejeżdżających raz po raz pociągów, zmęczona dniem pełnym wrażeń, dziewczynka zasnęła.

III

Jestem sama. Właściwie lubię samotność. Nigdy na nią nie narzekałam, nigdy mi nie przeszkadzała, zawsze była moją sojuszniczką. Nie miałam problemu z samotnością, tak jak nie miałam problemu z nudą. Wystarczyła mi książka. Ale teraz, mając w zasięgu każdą książkę, o jakiej tylko zamarzę, czuję się samotna. Może dlatego szukam w sobie tego szczęśliwego dziecka, którym kiedyś byłam dzięki rodzicom i babci?

Z życia dziadków znamy jedynie schyłek, na który cieniem kładzie się ich śmierć. Życie naszych rodziców to w zasadzie wyłącznie ich dorosłość. Starzejąc się, niepostrzeżenie robimy się do nich podobni. Życie naszych dzieci to przede wszystkim ich dzieciństwo. Wszystko inne to obrosły domowymi legendami, wielokrotnie zmieniany przekaz.

A gdybyśmy tak zaczęli wspominać, okaże się, że każde z nas wszystko pamięta inaczej. Inne kolory, inny nastrój. Ta sama sytuacja zapisuje się w inny sposób. I ten łagodny wieczór w październiku, kiedy ukołysana *Muzyką i Aktualnościami* zasnęłam w babcinej kuchni, dla mnie mógł być błogi, spokojny, bezpieczny, dla niej uciążliwy, trudny, męczący. A może go nawet nie zapamiętała? Teraz już za późno, żeby zapytać.

Dla mnie zawsze była staruszką. A kiedy teraz liczę, ile mogła mieć lat w dniu urodzin mojej siostry, zdumiewam się. Była młodsza niż ja dzisiaj! Czy też czuła ból, wypuszczając swoje dzieci w świat? Miała ich trójkę: moją mamę Marylę i dwóch synów: Jerzego i Teofila. Wszystkich wychowała na ludzi, każąc im się uczyć i szukać szczęścia w mieście. Musiała być w tym wyjątkowo zdeterminowana, zdawała sobie zapewne sprawę, że z tak małego spłachetka ziemi, jakim dysponowali w Piasecznie, nie zdołają się wszyscy wyżywić.

Zmiana ustroju, która nastąpiła po wojnie, sprzyjała jej planom, ale mimo to rodzina z trudem wiązała koniec z końcem. Przez całą wojnę dziadek przebywał na robotach przymusowych w Niemczech i tak się w tym życiu rozsmakował, że trzeba go było ściągać przez Czerwony Krzyż. Podczas okupacji babka musiała sobie radzić sama z trójką małych dzieci. Jak obrabiała pole bez konia?

Starszy syn został inżynierem, młodszy weterynarzem, odjechali z rodzinnej wsi i nieczęsto się pojawiali. Zmienili nawet nazwisko, aby brzmiało bardziej z inteligencka czy ze szlachecka i kończyło się na „ski". Czy im to doradzała? A może przeżywała jak zdradę, choć sama była chłopką?

Moja mama została nauczycielką i nie oddaliła się zbytnio od swoich rodziców, osiadła w pobliskim mieście powiatowym, do którego oni z kolei się zbliżyli, zamieniając jednoizbowe mieszkanie w Piasecznie na kawałek ziemi i własne zabudowania w Barczącej. Była to w pewnym sensie konieczność, bo przy ówczesnych połączeniach komunikacyjnych, aby dojechać do pracy w Warszawie, dziadek musiał poza ponadgodzinną podróżą pociągiem przejść siedem kilometrów do stacji w Cegłowie.

Czy to dla nich też był awans? Czy byli z siebie dumni? Myślę, że wynik ciężkiej pracy i jakichś rozliczeń rodzinnych. Oddycham z ulgą, wiedząc, że moi dziadkowie niczego nie dostali z parcelacji cudzych gruntów, żadne z nich też nie jeździło po wojnie na szaber. Nie dorobili się na cudzej krzywdzie. Do końca pozostali biedni.

Moja babka odeszła, gdy miałam dwadzieścia pięć lat. Nie zdążyła mi dać żadnej rady, nie przekazała niczego, co chciałaby, abym przechowała dla moich dzieci i wnuków. Może niczego takiego nie miała? Może nie sądziła, że koniec nadejdzie tak szybko? Nie byłam jeszcze mężatką, mogła chcieć udzielić mi jakichś przestróg, abym nie popełniała niepotrzebnych błędów, nie kluczyła w dorosłym życiu. Dlaczego tego nie zrobiła? Mieszkałam tak blisko! Co ją powstrzymało? Kiedy byłam dzieckiem, chętnie ze mną rozmawiała. Opowiadała mi o roślinach, o zwierzętach. Do tej pory pamiętam jej opowieść o kłączach perzu. Nie była typem babci nadmiernie opiekuńczej, czytającej wnuczce bajki przed snem. Jako wieśniaczka, miała zawsze ręce pełne roboty. A tu jeszcze spadała na nią opieka nad wnuczką! Dlatego próbowała i mnie wciągać do różnych prac. Wtedy byłam blisko, bezpieczna, a jednocześnie może się przydawałam. Dzieci na wsi, gdzie liczyła się każda para rąk, musiały pomagać w polu i w obejściu. Czasem więc razem z nią pieliłam, zrywałam owoce w sadzie, przynosiłam jajka z kurnika. Mogłam się naturalnie również bawić, ale zabawa to miejska fanaberia, a w gospodarstwie czas bezpowrotnie stracony.

Najbardziej oczywiście lubiłam robić rzeczy niebezpieczne: rąbać szczapy drewna czy ciąć trawę w sieczkarni. Teraz byłoby to nie do pomyślenia! Dzieci żyją w coraz bardziej higienicznym, odseparowanym od pracy świecie, oglądając go przez ekran telewizora, komputera, przez okno samochodu rodziców. Wyręczane we wszystkim, zabawiane na wszelkie sposoby, bez szansy na zabrudzenie się, nie znają wysiłku, nie mają okazji ćwiczyć się w cierpliwości, pokorze, w planowaniu. Te pobyty na wsi to była doskonała szkoła. Wtedy trochę się buntowałam, szybko ogarniała mnie nuda. Nie było nic ciekawego w łuskaniu fasoli. Ale kiedy siedziałyśmy z babcią, gawędząc, nawet najbardziej nudna czynność stawała się nieważna. Żałuję tylko, że tak mało z tych rozmów zapamiętałam.

Zastanawiam się, dlaczego babka nie chciała porozmawiać ze mną o życiu, kiedy dorosłam. Może wtedy by mnie to zirytowało. Z pewnością wiedziałam wszystko lepiej. Najlepiej. Teraz żałuję, że do takiej rozmowy nie doszło. Są w tym też moja wina i zaniedbanie. Uwodził mnie świat, walczyłam w nim o własne miejsce, przykrawałam go do swoich potrzeb i wyobrażeń. Babka była na co dzień. Oswojona, zwyczajna, wciąż ta sama. Niosąca życie niczym ciężką siatkę z dwukilogramowym bochenkiem chleba. Źle leczona, zmarła nagle i niczego już nie dało się nadrobić. Niczego mi nie zostawiła, poza wspomnieniami. Nie robiłyśmy z mamą i siostrą porządków w jej rzeczach. Zrobił je kto inny. Ktoś pozabierał wszystko, co tylko miało jakąkolwiek wartość, nawet albumy ze zdjęciami, jakby należały się tylko niektórym członkom rodziny.

Ale jednak jest przecież coś, czym moja babka mnie obdarowała. Odnajduję w sobie jej cechy charakteru i podziwiam cichą determinację życia w codzienności, której nie zamierzała się poddawać. Żałuję, że rozumiem to dopiero teraz. Przykro mi, że może nie dość ją kochałam. Ale czy dorośleąc, nie dojrzewamy do dawania miłości, jako dzieci przede wszystkim ją chłonąc?

IV

— Wstawaj już! Wstawaj! Mamy dużo pracy! — pogania babka.

— Jakiej?

Dziewczynka z niechęcią żegna sen. Pewnie zaraz i tak by się wygramoliła. Pewnie wstałaby na nocnik, który wsunięty pod łóżko, pozwala nie wychodzić za potrzebą do chłodnej sionki. Ale chciałaby jeszcze zostać w łóżku. Lubi grzać nogi przy ciepłej ścianie. Kiedy babka pali pod kuchnią, ściana rozgrzewa się przyjemnie. Nie ma tu innego pieca, dlatego latem gospodyni wynosi się z gotowaniem do letniej kuchni.

— Zaraz przyjdzie pan Kruczek, będziemy dzielić mięso.

— A kiedy już podzielimy?

— Wtedy będziemy topić słoninę.

— A potem? — dopytuje się dziewczynka.

— Potem ugotujemy obiad.

— Barszcz czerwony?

— Zgoda. A co zjesz na śniadanie?

— Może nic? — sugeruje wnuczka, uśmiechając się nieśmiało. Jeśli na śniadanie znów ma być kasza, chyba wolałaby poczekać do obiadu.

— Czemu nic?

— Bo nie jestem głodna.

— Założymy się? — Babcia najwyraźniej ma jakiś plan. — Ubierz się szybko i umyj ręce, a kiedy skończysz, powiesz mi, że jesteś bardzo głodna.

Dziewczynka zapatruje się na to sceptycznie. Babcia wraca do kuchni, a ona, nie spiesząc się, powoli wkłada majtki, koszulkę, bluzkę, rajstopy i spódniczkę, wreszcie guzik po guziku zapina sweterek. W kuchni od razu zauważa talerz, na którym leży kilka naleśników. Babka nabiera drewnianą łyżką smalec z małego glinianego garnuszka. Na gorącej patelni smalec topnieje błyskawicznie, zmieniając kolor z białego na przezroczysty. Kobieta porusza patelnią i nalewa łyżkę wazową ciasta, potem przechylając naczynie, równomiernie rozprowadza je po powierzchni.

— Czy poczęstujesz mnie naleśnikiem? — pyta dziewczynka, starając się nadać swemu głosowi jak najbardziej obojętny ton. — Coś mi się wydaje, że właśnie w tej chwili zgłodniałam.

— Świetnie się składa, bo dziś potrzebny mi będzie silny pomocnik!

— Babciu! — Mała uśmiecha się niemal z politowaniem. — Zapomniałaś już, że ja chodzę do zuchów?!

— Rzeczywiście! Zuch musi zachowywać się jak zuch! Jednak nie zapominajmy, że zuchy zaczynają dzień od porannej toalety.

Wysłużoną cynową chochlą dziewczynka nabiera z wiadra zimnej wody i wlewa do miednicy. W tej niewielkiej ilości myje ręce i twarz, wyciera się ręcznikiem i siada przy stole.

— Czym ci posmarować? Może dżemem truskawkowym? — pyta babka.

— Tak, proszę.

Kobieta podaje dziecku zrolowany naleśnik. Dziewczynka odcina widelcem mały kawałek i wkłada go do ust. Zaczyna ostrożnie ruszać szczęką. W tej chwili jej zapał się ulatnia. Żuje i żuje ów pierwszy kęs, jakby bała się go połknąć. Babka, zdziwiona ciszą, odwraca wzrok od patelni i spogląda w jej stronę. Z głową podpartą na dłoni wnuczka patrzy przez okno na ogródek i dalej na podwórze, po którym snuje się gęsta październikowa mgła. Kobieta jest zadowolona, że zdążyła założyć dubeltowe okna i przestrzeń międzyokienną uszczelnić watą. Posypała też watę delikatnie tłuczoną bombką, co trochę przypomina śnieg skrzący się w słońcu. Aby wrażenie było pełniejsze, pośrodku każdego parapetu położyła jeszcze kulę z waty wielkości śniegowej piguły. Tak ozdobione okna przetrwają aż do sprzątania przed Wielkanocą. Wtedy, myjąc szyby na wiosnę, spali się pod kuchnią zakurzoną watę, a na wąski parapet wrócą kwiaty doniczkowe, zdjęte teraz na drewnianą żardinierę.

— Nie smakuje ci?

— Bardzo słodki ten dżem.

— Jak to dżem…

— Ja lubię kwaśny. Nie masz może twarożku?

Babka nie rozumie. Za każdym razem, kiedy jej się to przytrafia, musi od nowa tłumaczyć sobie przypadek wnuczki. Nie czuje irytacji, raczej zdziwienie lub smutek. Ale zna małego niejadka nie od dziś i nie zamierza się poddać.

— Chwilowo nie.

Dziecko wciąż żuje pierwszy kawałek naleśnika, nie mogąc się zdecydować ani na jego połknięcie, ani na wyplucie. Babka udaje, że tego nie dostrzega.

— Chcesz herbaty?

Mała kiwa głową i w tej samej chwili pierwszy kęs zostaje szczęśliwie przełknięty.

— Ale bez cukru — prosi.

Kobieta wzdycha, czując ulgę.

Pan Kruczek przyszedł po siódmej. W letniej kuchni pod blachą huczał już ogień. Mężczyzna zabrał się do dzielenia prosiaka. Córka prawdopodobnie dostanie połówkę, a syn i rodzice po ćwiartce. Może podział będzie inny? W każdym razie trzeba zawieźć mięso dzieciom, a najlepiej to zrobić po kawałku, w niezwracającej uwagi siatce lub teczce. Osobno schab, osobno szynkę i boczek. Warszawa nie lubi się babrać w podrobach, wolą czyste mięso, żadnych wnętrzności, obrzydliwości. Mińsk mniej marudzi, bierze i głowiznę, i podroby. Zięć pewnie przyjedzie na motorze i sam zabierze wałówkę.

Kobieta pracuje pod dyktando rzeźnika. Choć ręce grabieją jej z zimna, myje przy studni flaki. Dziewczynka podchodzi i przechyla się przez krąg. Nigdy nie potrafi odmówić sobie spojrzenia na taflę wody, sprawdzenia, czy jest wysoko, czy nisko. Fascynuje ją to, że poziom wody się zmienia, że ubywa jej albo przybywa. Latem czuła pewien niepokój, bała się, że woda ze studni ucieknie, bo była bardzo daleko. Dziewczynka lubi chrzęst odkręcanej korby, zgrzyt łańcucha, plask zawieszonego na łańcuchu cynkowego wiadra, czekanie, aż napełni się ono w pożądanej ilości, i moment podjęcia decyzji, że już można kręcić korbą. Potem sięganie po wiadro, chwytanie za pałąk, stawianie na cembrowinie i napełnianie podstawionego wiadra, tak aby jak najmniej wody się rozlało. Nie wolno przy tym zmoczyć butów! Woda jest metaliczna, zimna, smaczna. Teraz, po deszczach, stoi wysoko. Gdyby się dobrze przechylić, zawisając na cembrowinie, można by jej nawet dotknąć. Dziewczynka już widzi swoje odbicie, czasem myśli, że studnia jest drzwiami do innego świata. Chyba tak było w jakiejś bajce.

— Hu-hu! — woła ku tej drugiej, w chustce zawiązanej pod brodą, i słyszy jej odpowiedź.

— Hu-hu!

— Nie wychylaj się! — strofuje ją babka.

— Wyciągnąć ci trochę wody? — pyta mała, chcąc zatrzeć złe wrażenie.

— Nie, to nie dla ciebie.

Babka boi się, że dziewczynka pozwoli wiadru zlecieć zbyt szybko, że uderzy ją rączka, która może złamać rękę albo żebro, a nawet wybić zęby. Wyciąganie wody to nie zabawa.

Mała odwraca się od studni i posłusznie kuca, przygląda się zielonkawej mazi wypływającej z kiszek. Smród jej nie przeszkadza. To znajomy smród obory. Tak pachnie świńska kupa, która różni się od końskich pączków, krowich placków i kurzych kupek. Flaki wypełniają całe wiadro. Cienkie, białawe, o lekkim różowym zabarwieniu i grube, zielonkawoszare. Trzeba je dobrze wyczyścić, żeby nadawały się na kaszankę, pasztetową czy kiełbasy. Babka wielokrotnie płucze jelita w aluminiowej misce, raz po raz wylewając brudną wodę do obory. Tylna ściana budynku ma niewielki otwór, przez który gnojówka wypływa na pole, wsiąka w ziemię i zasila rosnące w pobliżu rośliny. Oczyszczone flaki kobieta składa do wiaderka, zasypuje solą i znosi do piwnicy.

Łeb ogolony ze szczeciny starą żyletką dziadka gotuje się już w wielkim kotle razem z podrobami: płucami, sercem, wątrobą. Połówka świńskiego ryja o jednej dziurce sterczy zawadiacko ku górze, jakby chciała odepchnąć pokrywkę. Dziewczynce wydaje się, że świnia próbuje wyskoczyć z garnka. Przygląda się kawałkom mięsa leżącym na stole, niepewnie dotyka sutków. Z pokrwawionego kręgosłupa gdzieniegdzie wystaje mlecz rdzenia w białej otoczce. Świnia, choć w kawałkach, z godnością poddaje się zabiegom rzeźnika. Ten odkrawa duże płaty skóry, oddziela podgardle, słoninę, boczek. Na stole nie ma miejsca, brakuje już naczyń. Babka dwoi się i troi, usiłując nadążyć. Zajęci swoją robotą, nie zwracają uwagi na dziecko, które przycupnęło na ławce obok kuchni i macha nogami, wyraźnie znudzone, po czym wychodzi na podwórko.

Mgła już całkiem opadła, dzień zapowiada się ładny, słoneczny. Zaaferowana babka wybiega z letniej kuchni. Widzi wnuczkę kręcącą się bezmyślnie. Łapie stojącą pod ścianą miotłę.

— Może byś tak pozamiatała podwórko? — pyta i już zapomina o sprawie, pędząc gdzieś dalej, a dziewczynka stoi zdziwiona i rozgląda się dookoła.

Podwórze jest spore, bałagan tu panuje ogromny. Krowie placki, kamienie, słoma, która wysunęła się ze snopka, kurze kupy, jakiś drut, śrubki, zeschnięte zielsko, w małych zagłębieniach gdzieniegdzie stoi woda. Dziewczynka nie wie, od czego zacząć. Chciałaby zapytać, ale babki już nie ma, drzwi do letniej kuchni właśnie się za nią zatrzasnęły. Rozpoczyna więc nieśmiało, nieumiejętnie, miotła z wierzbowych witek nie trzyma się jej ręki, jest trochę za gruba, za wysoka. Dziecko pragnie jednak zasłużyć na pochwałę, szura zamaszyście to w jedną, to w drugą stronę, aż nagle słyszy nad sobą pełen oburzenia męski głos:

— A co ty tu wyprawiasz?!

Dziadek jest zły, może nawet wściekły, nie rozumie, że nikt jej nie poinstruował, jak ma zamiatać, w którą stronę, do siebie czy od siebie, ku stodole czy ku oborze. Dziecko truchleje, stoi z otwartą buzią, nie potrafi znaleźć słów usprawiedliwienia, gotowe się rozpłakać. Psy ujadają jak szalone, z kuchni wybiega gospodyni.

— Nie krzycz na nią! — strofuje męża.

— Zobacz, co ona tu za śmietnik robi! — Mężczyzna nie zamierza ustąpić.

Dziewczynka kuli się w sobie. Nie chce być przyczyną kłótni dziadków. Nie patrzy na nich, aby nie prowokować kolejnej wymiany zdań, najchętniej by stąd uciekła. Ale oni już rozgorzeli, nie zamierzają obrócić sprawy w żart, zostawić, choć to drobiazg niewart sprzeczki. Inaczej chyba nie potrafią rozmawiać.

— Co takiego?! — napiera babka. — Tu już nie może być większego śmietnika!

— To weź się do roboty, zamiast się dzieckiem wyręczać!

— Ja?! Ja?! A kiedy mam to zrobić?! Cała gospodarka na mojej głowie!

— Akurat na twojej! To co ja tu niby robię?!

— Ty? Jeździsz sobie tymi pociągami. Kto cię tam zresztą wie... — Babka wzrusza ramionami, ale przypomniawszy sobie o rzeźniku, macha ręką i pośpiesznie wraca do letniej kuchni.

Ubrany w podniszczony mundur, samodziałowy płaszcz oraz czapkę pracownika kolei mężczyzna, lekko się garbiąc i powłócząc nogami, idzie do domu. W dłoni trzyma rączkę wytartej skórzanej teczki. Dziewczynka zostaje sama.

Pół godziny później babka wygląda na podwórze. Wnuczka nie ruszyła się ani o krok. Kucnąwszy, rysuje coś patykiem na ziemi. Obok niej leży miotła z brzozowych witek.

— A co ty tam robisz? Chodźże do kuchni!

— Miałam posprzątać... — dziecko szuka usprawiedliwienia.

— Nie przejmuj się dziadkiem. Wiesz, jaki on jest. Jutro posprzątamy.

Dziewczynka wstydzi się, ale nie lubi dziadka. Boi się go. Sądzi też, że i on jej nie lubi, bo odkąd pamięta, nie zwrócił się do niej po imieniu. Nigdy nie nauczył się łagodności. Nie wie, jak postępować z dziećmi. Nie próbuje rozmawiać z wnuczką, bo i o czym? Wciąż podenerwowany, zapędzony, stale podnosi głos, krzyczy, kłóci się z żoną, wymyśla zwierzętom. Dziewczynka woli, kiedy jest w pracy lub w polu. Kiedy dziadek wraca, ona czuje się intruzem. Schodzi mu z drogi. Nie zagaduje go, nie zamęcza pytaniami. Pierwsze próby ją zniechęciły. Dlatego chętnie korzysta z zaproszenia babki i staje przy stole, gdzie rzeźnik prawie kończy dzielić prosiaka.

Aż trudno uwierzyć, że te wszystkie kawałki jeszcze wczoraj były całą, żywą, wesołą świnką, do której tak chętnie chodziła z przysmakami! Niemal czarna krew skrzepła w aluminiowej bańce. Ugotowany łeb z zamkniętym okiem i powieką o długich jasnych rzęsach już nie chce donikąd uciekać, leży potulnie w wielkiej misie, czekając na los, jaki mu przypadnie z woli gospodyni. Nie obchodzi go: zostanie kaszanką czy salcesonem. Zabawny ogonek, zwinięty zawsze w urocze kółko, teraz rozprostowany poniewiera się po stole. Malutkie białe nóżki o ostrych raciczkach sprawiają wrażenie nierzeczywistych. Wszystko tu leży rozgrzebane, rozbebeszone, osobne, jak skorupy fajansowego kubka, który spadł na podłogę i roztrzaskał się na kawałki. Nikt go już nigdy nie sklei.

Tylko psy wietrzą ucztę. Nerwowo biegają, udeptując półokrąg zakreślony krótkimi żelaznymi łańcuchami. Znają ten zapach, wiedzą, że dziś kości będzie w bród, a może trafią im się nawet jakieś tłuste skórki, okrawki? Z cichym skowytem trącają nosami wiecznie puste miski, jakby chciały przyśpieszyć upragniony moment.

Dziadek z impetem wpada do kuchni.

— Gdzieś ty znów podziała moje spodnie?! — krzyczy od progu, nie zważając na obecność dziecka ani sąsiada. Nie wita się, nie przeprasza.

— Nigdzie. Nawet ich nie widziałam, szukaj, gdzieś zostawił! — Żona wzrusza ramionami, nie odwracając głowy.

— Wisiały w sieni na gwoździu, ale tej cholerze zawsze się porządku zachciewa! — złorzeczy dziadek, kierując zarzuty nie wiadomo do kogo, bo trzaska drzwiami, kończąc zdanie już na dworze. Tu żona raczej go nie usłyszy. Nie daje jednak za wygraną, wraca po chwili i znów, jakby nikogo poza nimi nie było, warczy:

— Co mam zjeść?!

— Oj, Janku! — Babka wzdycha ciężko. — Przecież na kuchni są naleśniki.

— Gdzie? Nic tam nie ma!

— Pod przykrywką. Weź sobie, widzisz, że jestem zajęta.

Dziadek znowu trzaska drzwiami, jakby w ten sposób chciał wyrazić dezaprobatę wobec żony, która nie zamierza go obsłużyć. Babka niewzruszona dalej obiera kości. Zajęty krojeniem mięsa rzeźnik nie komentuje zajścia. Czy to jest zresztą zajście? Zna Serwatków nie od dziś. Co w sercu, to na języku, a wiadomo, że człowiekowi lżej, kiedy wyrzuci z siebie złość. Po co ją w środku kisić? We wsi wielu porywczych, zagroda to nie pański salon, żeby trzeba było uczucia kontrolować. Zresztą panów już nie ma. Skończyły się ich dobre czasy. Teraz każdy na swoim siedzi, choćby i na hektarze, ale sam sobie panem. Z hektara nie wyżyjesz, za dodatkową robotą w mieście trzeba się rozejrzeć. Więc niby coś się tam swojego ma, ale jakby się nic nie miało.

— A mąż, pani Serwatkowa, to ciągle na kolei robi? — pyta Kruczek.

— Na kolei. W spedycji.

— Dobry to pinionc z tego?

— Co kot napłakał! — Kobieta wzrusza ramionami. Wciąż zła na męża, nie chce przyznać, że bez jego kolejarskiej pensji cienko by przędli.

— Takie to życie... — filozofuje rzeźnik. — Umordujesz się, człowieku, przez ten boży dzień, a ino po to, żeby było co do garnka włożyć.

— Pan to chyba nie narzeka, panie Kruczek? Dobry fach pan wybrał, jak nie tu, to tam, zawsze gdzieś pan dorobi. Ludzie pana znają, szanują.

— Co racja, to racja! — odpowiada mężczyzna, zadowolony z komplementu. — Ale widzisz pani, przez te obowiązkowe dostawy to spać nie mogę. Przyjdą, policzą ci krowy albo trzodę i albo państwu oddaj, albo tucz takiego zbója-kontrolera, wkładaj mu po cichu do kieszeni, co na jedno wychodzi.

— Teraz państwo naszym panem! — Kobieta wzdycha i zestawia z kolan miskę wypełnioną kośćmi. — Masz! — zwraca się do wnuczki. — Rzuć psom, dziś jeszcze nic nie jadły.

Skupiona na ważnym zadaniu dziewczynka ostrożnie niesie miskę. Obawia się za bardzo zbliżyć do psów, bo wiecznie głodne, rzucają się na każdą skórkę chleba, gotowe przez nieuwagę odgryźć karmiącą dłoń. Asekuracyjnie staje więc w pewnej odległości i wyjmując drobnymi paluszkami jeszcze ciepłe kostki, rzuca raz jednemu, raz drugiemu. Nie zawsze udaje jej się trafić w zasięg psiego pyska. Jeśli kość leży daleko, ponawia rzut, jeśli blisko, kopie kość po ziemi, co psom nie robi chyba żadnej różnicy. Połykają drobniejsze, utytłane w piasku kąski bez rozgryzania, wciąż domagając się więcej.

Wreszcie miska jest pusta! Psy nadal węszą dookoła w nadziei, że przeoczyły jakiś kęs, popatrują za dziewczynką, jak wchodzi do kuchni, jak macha im dłonią, obiecując tym gestem, że jeśli babcia da jej cokolwiek, ona na pewno zaraz wróci. Przejęta odpowiedzialnością, nie widzi jednak, żeby babka była skłonna powtórzyć psią ucztę. Kręci się więc, popatruje, gdzie można by znaleźć niepotrzebny kawałek skórki albo mięsa. Nagle jej wzrok przykuwa leżący na kredensie świński ogon. Odłożony na bok, samotny, nikomu niepotrzebny, w jednej chwili rozpala wyobraźnię. Dziewczynka przysuwa się ku niemu krok za krokiem, niemal niezauważenie. Pilnuje oboje dorosłych, patrzy raz na babkę, raz na rzeźnika, ale ci zajęci swoją robotą, nie zwracają na nią uwagi.

Milimetr za milimetrem mały spiskowiec zbliża się do ogona, ale dla niepoznaki w ogóle na niego nie patrzy. Odwrócony przodem ku dorosłym, wreszcie ma go za swoimi plecami! Maca na oślep i napotkawszy miękki obły przedmiot, wsuwa go sobie pod kurtkę. Teraz już może wyjść na dwór. Do drzwi jest kilka kroków, trzeba je jednak podzielić na etapy. Najpierw należy przysunąć się do kuchni, potem usiąść na ławce, a przez cały czas pilnować ogona, aby nie wypadł przypadkiem na podłogę i nie zdradził tajemnicy. Z wypiekami na policzkach dziewczynka kręci się więc, wsuwając ogon coraz głębiej w rajstopy.

Nie jest przyjemnie czuć zimne, lepkie mięso, które klei się do pleców i zsuwa w dół aż do pupy, dlatego trzeba jak najszybciej wstać i wyjść. Na szczęście nikogo nie interesuje, dokąd ona zmierza. Na podwórku, nie zważając na nic, dziewczynka wyciąga świński ogon i gotowa jest dać go psom. Ale psy są dwa, a ogon tylko jeden! Musi go podzielić. Jakim sposobem? W domu jest dziadek, w letniej kuchni babcia. Gdyby zapytać o nóż, zaraz zaczną się pytania. Nagle wzrok dziecka pada na pieniek do rąbania drewna. Tak! Oto rozwiązanie! Siekiera aż pali się do takiej roboty! Dziewczynka ostrożnie kładzie świński ogon na pieńku, z trudem wyciąga wbitą weń siekierę, unosi do góry. W tej chwili nadjeżdża pociąg i nikt nie słyszy uderzenia przecinającego świński ogon na dwie części oraz drugiego, które umieszcza siekierę tam, gdzie się wcześniej znajdowała. Nikt nie widzi, jak dziecko z triumfalną miną zbliża się do merdających ogonami psów. Nim wybrzmi odgłos pośpiesznego, psy rozprawią się z dwiema połówkami świńskiego ogona, a ona otrzepie dłonie i z poczuciem doskonale wykonanego zadania, dumna wróci do kuchni.

Niedługo później rzeźnik kończy robotę. Ociera dłonie o brudny fartuch, zdejmuje go, składa, wciska do torby, gdzie umieścił już swoje noże i ostrzałkę. Zabiera wiszące na gwoździu kurtkę i czapkę. W tym czasie gospodyni idzie do domu po pieniądze. Wróciwszy, wypłaca mężczyźnie umówioną kwotę. Ten, nie licząc, wkłada pieniądze do kieszeni. Unosi lekko czapkę, żegna się i oszczekany przez psy odchodzi, a kobieta wraca do kuchni. Kręci się, popatrując tu i tam, jakby czegoś szukała, wreszcie mówi pod nosem:

— Coś takiego!

Nie daje jednak za wygraną, zagląda do garnków, podnosi leżące na stole mięso, wreszcie idzie do piwnicy. Wróciwszy, rozkłada ręce:

— No coś takiego! — powtarza zdumiona.

Przez cały dzień będzie mieliła i topiła słoninę, wlewając ją do kamiennych garów. Co jakiś czas pokręci głową, jakby wciąż nie mogła uwierzyć.

Dziewczynka bacznie obserwuje babkę, ale ta nie tłumaczy się ze swego zaaferowania. Stoi przy stole i raz po raz kręcąc głową, jakby rozmawiała sama ze sobą, kroi grube płaty słoniny. Powstałe długie paski wkłada do przymocowanej z boku stołu maszynki do mięsa, drugą ręką kręci korbą. Powoli z maszynki do podstawionej emaliowanej miseczki wysuwają się cienkie języki zmielonego tłuszczu. Babka znów musi skroić słoninę. Dziewczynka nieśmiało staje na stanowisku przy maszynce i próbuje zakręcić korbą. Ciężka to praca, korba jest oporna, trzeba bardzo mocno napierać na zatłuszczoną drewnianą rączkę, aby nią poruszyć.

Babka zauważa te próby. Odwraca się ku ścianie, gdzie przy drzwiach do piwnicy wisi na gwoździu już nieco przybrudzony kuchenny fartuch. Zakłada go wnuczce przez głowę, zawiązuje na plecach troki. Dumna dziewczynka gładzi fartuch na brzuchu.

— Teraz się nie ubrudzę!

— Jeszcze umyj ręce — podpowiada babka, zadowolona, że ma dziecko na oku.

Dziewczynka z werwą przystępuje do pracy. Stara się kręcić szybko, żeby było widać rezultaty. Ale słonina jest oporna, mię́dli się w wąskim gardle tępej maszynki i wraca ku górze.

— Ona mi wypływa! — woła przerażone dziecko.

Babka rozkręca maszynkę, wydłubuje ze środka słoninę, rozkłada maszynkę na części. Dziewczynka widzi śrubę, noże i sitko. Te trzy metalowe przedmioty to cały mechanizm. Babka wyciera nóż o jakąś szmatę i wyjąwszy z szuflady kamienną osełkę, trze nim systematycznie raz za razem. Potem robi to samo z sitkiem. Przy każdej czynności tłumaczy dziecku, po co się to robi.

— Nóż i sitko się stępiły, dlatego słonina nie chce przez nie przechodzić.

Dziewczynka jest dumna z poważnego traktowania. Czuje się dzięki temu dorosła. Pragnie zasłużyć na uznanie, z zapałem zabiera się więc do pomocy. Teraz mielenie idzie trochę łatwiej, ale dziecko szybko się męczy i nudzi monotonną pracą. Tymczasem babka wrzuca kolejną miskę słoniny do garnka stojącego na ogniu i miesza. Tłuszcz topi się powoli, napełniając kuchnię zapachem obiadu. Babka podaje dziecku jakieś okrawki mięsa.

— Skręć i to, zrobimy kotlety! — mówi i schodzi do piwnicy.

Po powrocie siada na niskim zydelku z plecionym wiklinowym koszykiem ustawionym między nogami. Przeciera dłońmi twarz, a potem czoło.

— Co ci jest, babciu?

— Głowa mnie boli.

— Przynieść ci proszek z krzyżykiem?

— Nie, może samo przejdzie — odpowiada starsza pani i szybko, ale jakoś tak delikatnie, obiera ziemniaki. Spod noża wypadają gładkie, równe. Obierki też są równe.

— To pierwiosnki czy giewonty? — rzuca od niechcenia mała, a babka patrzy na nią z mieszaniną zdumienia i podziwu.

— Nie, inne. Zgaduj dalej.

— Almy? Amerykany?

— To są flisaki! — kobieta odpowiada z dumą, jakby obwieszczała jakąś ważną rzecz.

Co chwila trzeba wyciąć jakieś oczko. Ten gest stanowi kulminantę obierania. Wtedy bulwa trafia do miski z wodą. Babka płucze ziemniaki i z miską wychodzi na dwór. Tam energicznym ruchem wylewa wodę pod płot, nabiera pół wiaderka świeżej i myje bulwy po raz drugi. Za chwilę lądują w garnku, tuż obok topiącej się niemrawo słoniny.

Zmielone mięso czeka już w misce, babka soli kartofle, przykrywa garnek i wysyła wnuczkę po jajko. Dziewczynka nie wkłada kurtki, choć się zachmurzyło i znów mży drobny deszcz. Przebiegnięcie na ukos przez podwórko zajmuje chwilę. Już jest w zagrodzie dla drobiu. Teraz trzeba bardzo uważać, żeby nie wdepnąć w kurzą kupę. Stawiając ostrożne kroki i popatrując, czy gdzieś nie czai się ów zawadiacki kogut, mała uchyla drzwi do kurnika. W głębi znajdują się żerdzie, na których kury układają się do snu. Po bokach, w wyścielonych słomą gniazdach, znoszą jajka. Oczywiście zdarzają się ekscentryczki, które wolą świeże powietrze. Jajka znajduje się czasem pod kupą gałęzi, w stodole, od czasu do czasu za podkładami. Najczęściej jednak składane są po bożemu, w kurniku.

Dziewczynka przebiega oczyma kolejne klatki. Jest! W jednym z opuszczonych stanowisk leży jeszcze ciepłe jajko, a kura, która je zniosła, kręci się i pogdakuje, jakby opowiadała o bohaterskim czynie. Dziewczynka chwyta jajko i niemal biegnie do babki, zadowolona, że nie jest pobrudzone kupą ani krwią, bo wtedy brzydziłaby się je wziąć. Ciepłe, gładkie i miłe, ma piękną beżową skorupkę, właśnie takie powinno być! Za chwilę kobieta wymiesza mięso z jajkiem, a skorupkę, zgodnie z panującym w gospodarstwie zwyczajem, wnuczka wrzuci przez płot do zagrody kur.

— Złapała dropiata! — oświadcza triumfalnie. — Złapała i pobiegła, a inne kury za nią! Ale uciekała!

— Dropiata jest sprytna.

Obtoczone w tartej bułce kotlety mielone jeden po drugim lądują na patelni. Skwierczą smakowicie. Kobieta porusza pogrzebaczem węgiel w palenisku i co jakiś czas pociera dłonią czoło.

— Kiedy będzie obiad, bo muszę iść w pole?! — wpada z awanturą dziadek.

Dziewczynka kuli się mimowolnie, ale babce zdaje się nie przeszkadzać jego ostry ton.

— Ziemniaki dochodzą — tłumaczy, przekręcając kotlety.

— A co ty taka…? — Mężczyzna nie szuka słowa, niczego nie sugeruje, czeka, że żona sama wytłumaczy mu swój nienaturalny wygląd.

— Głowa mnie boli — babcia odpowiada spokojnie.

— Głowa! — dziadek powątpiewa. — A co w głowie może boleć? Rzeźnik już poszedł?

— Poszedł i Bóg z nim! — Babka przypomina sobie niedawne zajście i znów krew się w niej burzy.

— A co?

— Zapłaciłam mu, ile chciał, a on mi się tak odwdzięczył, że mnie okradł! Gdyby powiedział: „Pani Serwatkowa, pani mi da ten ogon!", tobym mu przecież po sąsiedzkiej zgodzie dała.

— Jaki ogon? — dziadek nie rozumie.

— Świński, a jaki?

— I na co mu on?

— Widać potrzebny, skoro zabrał. Może do bigosu? Poszłam akurat po pieniądze. Ile mnie nie było, no, chwilę przecież. A on już musiał go mieć w kieszeni. Nawet się nie zająknął, patrzył mi prosto w oczy i ani mu powieka nie zadrgała! Taki dobry rzeźnik! Szkoda…

Dziewczynka stoi jak na rozżarzonych węglach. Uszy ją pieką, ale sprawa za daleko zaszła, teraz nie można się już przyznać. Bo jak nagle powiedzieć, że psy głodomory ogon zeżarły? A kto im go dał? Rzeźnik byłby ocalony, ale ktoś inny musiałby zostać winowajcą. Ona nie jest na to gotowa. A rzeźnik przecież i tak nie wie, jak się tu na niego złorzeczy.

Babka odlewa ziemniaki i ubija aluminiowym tłuczkiem. Nakłada na talerz, dodaje kotlet i polewa smalcem z uprażoną bułką. Stawia posiłek przed mężem, który trzymając widelec niczym berło, już siedzi przy skrawku wolnego stołu. Niecierpliwi się, jest głodny i ma jeszcze dużo roboty, a już nadciąga wieczór. Kobieta schodzi do piwnicy po ogórki kiszone, zdejmuje sprężynę ze słoika, pociąga za języczek gumowej uszczelki. Słychać syk i już słoik jest otwarty. Babka nachyla nos nad ogórkami i z lubością wciąga w płuca zapach.

— Dawaj! Czasu nie ma! — niecierpliwi się dziadek. Zjadł już kotlet i prawie całe ziemniaki, ogórek zostawia sobie na deser.

Kobieta kładzie na talerzu jeden ogórek zdjęty z wierzchu i stawia na stole słoik pełen zmętniałej wody. Mężczyzna zatapia zęby w soczystym miąższu. Ogórek jest twardy i kwaśny. Dziadkowi to nie przeszkadza, ociera usta wierzchem dłoni i sięga po kolejny. Wciśnięte do słoja niemal na siłę ogórki trudno teraz wyjąć.

— Cholera jasna, co żeś je tak upchała! — piekli się.

— Nie marudź! — Babka podchodzi i wyjmuje ogórek palcami, po czym podaje go mężowi. — Proszę bardzo! A ty zjesz obiad? — pyta wnuczkę.

Małej się wcale nie śpieszy.

— Ale bez kotleta! — negocjuje.

— A ogórek?

— Może być — godzi się łaskawie.

Babka wzdycha i nakłada na talerz dwie skąpe łyżki ziemniaków. Jeśli zostaną zjedzone, uzna to za sukces. Dziewczynka siada na ławie obok kuchni, ale dziadek zwolnił miejsce przy stole, zajmuje więc ciepły jeszcze stołek. Ziemniaki parują, wyglądają przyjemnie, taki biały puch z małymi brązowymi kropkami omasty. Babka podaje jej widelec i mała zaczyna swoją ulubioną zabawę w grzebanie. Wie, że jeśli nie da rady czegoś zjeść, to nikt nie będzie robił z tego powodu awantury. Tu, w gospodarstwie, nic się nie zmarnuje.

— Co świnki lubią bardziej? Kartofelki czy ogórki? — pyta niewinnie, dla niepoznaki oblizując widelec, na który jeszcze niczego nie nabrała.

Babka udaje, że nie wie, o co jej chodzi.

— Myślę, że kartofelki.

Dziadek nagle poczuł, że coś go uwiera. Siada na ławce przy kuchni i wyjmuje z gumiaka stopę w przybrudzonej płóciennej onucy. Pod drelichowymi spodniami bieleje nogawka kalesonów. Mężczyzna przechyla kalosz, potrząsa nim i z buta wypada mały kamyk. Maca jeszcze ręką w środku, aby sprawdzić, czy to już wszystko. Potem poprawia onucę, owijając ją ściślej wokół stopy, i znów wkłada nogę do buta. Wstaje, zakłada zdjęty z gwoździa waciak i powłócząc nogami w wielkich kaloszach, bez słowa wychodzi.

— Dziadek nie podziękował! — tonem nagany kwituje jego zachowanie wnuczka.

— Ale przynajmniej wszystko zjadł! — odcina się babka, zamykając dziecku usta.

— Co będziemy jeszcze dziś robić? — Mała manipulatorka wie, jaki podjąć temat. Babka jest wciąż zabiegana, ciągle jej brakuje czasu, nigdy nie wie, w co włożyć ręce. Codzienna gonitwa kosztuje ją wiele nerwów. Dziecko wychowuje się niejako na boku, przy okazji innych czynności.

— Musimy się rozprawić z mięsem, a potem obrządek, dojenie, to co zwykle.

Dziewczynka jest już trochę znudzona jedzeniem, z tęsknotą myśli o zgniataniu motyką gorących, ugotowanych w skórce ziemniaków, wylanych do drewnianego koryta. Lubi zapach, który unosi się w szopie. Tu dziadkowie zainstalowali parnik, rodzaj kotła z własnym paleniskiem, gdzie można ugotować na parze znacznie więcej ziemniaków niż w największym nawet saganie. Kiedy tylko jest okazja, mała z zapałem tłucze kartofle, traktując to jak zabawę. Sprawia jej przyjemność widok ziemniaków, które ugniatane motyką, wyskakują z cienkiej skórki. Lubi ten zapach i lubi patrzeć, jak później zwierzęta łapczywie zjadają swój posiłek. Oczywiście ma jeszcze zbyt mało siły, babka musi po niej poprawić robotę. Tak jest zresztą ze wszystkimi pracami, do których wnuczka się garnie.

Pod wieczór znów się wypogadza. Wiatr przewiał gdzieś deszczowe chmury i na ostatnie godziny dnia, jeśli nie liczyć tych kilku jasnoróżowych baranków, niebo staje się niemal przezroczyste. To babce i wnuczce poprawia humor. Kończą topienie słoniny, zlewają smalec do kamiennych garnków, przykrywają je papierem, obwiązują sznurkiem i kładą na wierzch emaliowane i aluminiowe pokrywki. Garnki staną w piwnicy, bo jedyną lodówką dziadków jest sznurkowa siatka wpuszczona na linie do studni. Ale tam przechowuje się jedzenie wyłącznie latem. Zresztą ile produktów może się zmieścić w takiej siatce?

Kobieta i dziecko sprzątają kuchnię. Kręcą się po obejściu z jakąś nową energią. Dziewczynka podskakuje, nucąc fragmenty popularnego przeboju: „O mnie się nie martw, o mnie się nie martw, ja sobie radę dam". Babka uśmiecha się pod nosem i za pomocą garści piasku oraz drucianego zmywaka czyści przypalony garnek.

Zapada zmrok. Robi się coraz ciemniej. Kury i świnie już nakarmione, babka zabiera się do udoju. Przygotowuje wiadro, bierze stołek i kubek z czystą wodą oraz szmatkę. Wchodzi do obory. Przekręca kontakt. Mdłe światło słabej żarówki rozprasza nieco panujący tu mrok. Dziewczynka zostaje na szerokim progu i patrzy, jak babka w zawiązanej z tyłu głowy chustce, siedząc na niskim stołku, myje krowom wymiona, a potem to prawą, to lewą dłonią pociąga za cycki. Puste wiadro dźwięczy mleczną muzyką. Najpierw metaliczną i ostrą, potem coraz bardziej miękką. Wreszcie strumień dusi się, tonąc w wysokiej pianie. Krowa melancholijnie przeżuwa siano, nie zwracając uwagi na dojącą. Oddawszy kilka litrów mleka, jej pełne wymiona się zmniejszają. Babka wynosi wiadro do kuchni i tam przez złożoną we czworo gazę przelewa mleko do wyparzonej wcześniej bańki. Jutro z rana dziadek wyniesie mleko na drogę, skąd zostanie zabrane do mleczarni.

Dziewczynka nie zna się na gospodarstwie. Wie, że dziadkowie oddają mleko, może słyszała o obowiązkowych dostawach, zmorze rolników, ale nie do niej przecież kierują narzekania, nie jej się skarżą. Wykonują tylko swoje codzienne czynności, których ona nawet nie stara się zapamiętać. Może uważałaby bardziej, gdyby przypuszczała, jak istotne staną się dla niej kilkadziesiąt lat później.

V

Już wieczór. Siedzę przy biurku ze słuchawkami na uszach. Próbuję pracować, ale wciąż czuję tę nieznoś-ną pustkę. Chce mi się płakać, chociaż to nie ma sensu. Nic się przecież nie stało. Tak miało być od początku. Po to cię urodziłam. Ten dzień musiał kiedyś nadejść. To czysta teoria, że można się do tego przygotować. Niby wszystko jest w porządku, a tak bezgranicznie smutno. Niby żyję, jak żyłam, mam swoje obowiązki, przyjaciół-ki, piszę powieść, opiekuję się psami. Co jakiś czas na chwilę zapominam. Jest jesień. Robię zdjęcia, cieszę się pięknem przyrody. A potem smutek znów wraca, łapie za gardło, ściska, gniecie. Czy to początek końca? Coś we mnie mówi: „Nie bądź śmieszna!". Chcę nie być.

Słucham raz po raz walczyka, który skomponowałeś. Te czterdzieści sekund odtwarzam do znudzenia, ale to nie pomaga, nie koi. Smutny ten walczyk. Nie był taki, kiedy jeszcze z nami mieszkałeś. Teraz wyciska mi łzy.

Zbliża się północ. Zamykam laptop, kończę pracę na dziś. Niewiele napisałam. Zapalam światło przed do-mem. Sprawdzam wszystkie zamki. Nieczęsto sypiam sama, dziś ani tata, ani twój brat nie wrócą na noc. Do tej pory, kiedy zamierzaliście wrócić później, czasem w nocy zostawiałam dla was zapaloną lampę. Przecież wiecie, gdzie są kontakty, więc nie miało to sensu praktycznego, raczej symboliczny, uczuciowy. Zapalona lampa wyrażała moje oczekiwanie. Witała was w domu. Teraz też zostawiam włączoną, chociaż wiem, że żaden z was dziś nie wróci.

Ogarnia mnie coś na kształt lęku. Nie jest to histeria, nie boję się panicznie. To zaledwie nieprzyjemne uczucie. Dyskomfort. Muszę się przyzwyczaić, nie mogę się bać. Kiedy wy obaj już się wyprowadzicie, a tata znów będzie pracował poza domem, to będzie się zdarzało częściej. A przecież mam przy sobie dwa psy, sąsiedzi są blisko. Moja babka też miała psy, ale dookoła niej była pustka pól, a jej dom przez długi czas nie był nawet ogrodzony. Ja mam ogrodzenie i włączony alarm, mimo to ogarnia mnie strach. Czy ona czuła się w swoim domu bezpieczna? Niczego nie wiem o jej lękach... Nigdy mnie nimi nie obarczała. Musiała ich mieć niemało, ale nie byłam partnerką do rozmowy. Czy moja mama była?

Rodzice często zabierali mnie i Ulę do Barczącej, aby pomagać w pracach polowych: przy sianokosach, żniwach, zbiorze owoców, wykopkach. Nie wiem, czy mama i babcia ze sobą rozmawiały o innych sprawach niż to, co jest do zrobienia. Jaki miały kontakt? Prawdziwy czy tylko powierzchowny? Mamę ciągnęło na wieś, nigdy się od niej nie odwróciła. W głębi serca wciąż była ze wsi. Uprawiała niewielki kawałek ziemi podarowany jej przez matkę, abyśmy mieli własne warzywa. Nie poniechała tego do dziś, mimo że nie ma to ekonomicznego sensu. Jeździ tam i rozmawia z duchami. Może spotyka siebie młodą? Babcia i dziadek już odeszli. Nie żyje też jeden z braci mamy, inżynier z Warszawy. Drugi mieszka daleko, niemal na końcu Polski.

W tym skromniutkim obejściu, gdzie nie ma już żadnych zwierząt, gdzie jedynie przemknie czasem kot sąsiadów, budynki stoją puste, a podwórze porosło trawą, moja mama odnajduje spokój. To jej miejsce. Jej kawałek świata. Rozumiem to, od kiedy mamy dom. Działka jest maciupeńka, ale tylko nasza. Mając kawałek ziemi, można zapuścić korzenie. Poczuć się u siebie.

Dokonuję szybkiego bilansu mijającego dnia. Znowu zrobiłam za duże zakupy. Nie muszę już zapełniać dwóch lodówek. Powinnam rozważniej gotować, zmniejszyć porcje. Po co tyle makaronu, kto zje te wszystkie warzywa? Jutro znów ugotuję zbyt dużo zupy. Chociaż dyniowa rzadko zostawała, teraz będę ją pewnie jeść przez kilka dni. Usmażyłam konfitury z kilograma śliwek. Co za śmieszna ilość!

Znów zasypiam w pustym domu. Na szczęście nie cierpię na bezsenność. Czytam, póki rozumiem tekst, a kiedy powieki zaczynają mi się sklejać, odkładam książkę i szybko zasypiam. Czasem w nocy obudzi mnie pies, domagając się wypuszczenia na dwór. Nie lubię tego, boję się, że coś mu dolega. Staję wtedy w otwartych drzwiach wejściowych i czekam, aż wróci. Ponieważ na dworze panuje chłód, zostawiam jednak drzwi uchylone i idę do kuchni. Nieuważnie przeglądam rozłożone na stole gazety. To ich ostatnia szansa. Jutro trafią na makulaturę. Jest druga, może czwarta. Zimno. Ciemno. Trzeba by już włączyć ogrzewanie. Ale to przecież jeszcze wrzesień, nie za wcześnie?

Po kilku minutach, merdając wesoło ogonem, zadowolona, jakby pogoniła kota, Milka wraca. Zamykam drzwi wejściowe, gaszę światło w sieni. Wbiegamy na półpiętro i zakopujemy się każda w swojej norce. Sen nie każe na siebie długo czekać, nim zdążę o czymkolwiek pomyśleć, już się melduje. Ale wraz ze snem nie pojawia się ukojenie. Śpię źle, męczą mnie koszmary. Budzę się raz po raz, przerażona, osaczona, znękana. Czuję ulgę, że to tylko sny.

VI

Po kolacji, na którą z łaski zjadła maleńką kromkę chleba z masłem, dziewczynka przygląda się szyciu. Babka kupiła gdzieś kilka metrów tetry i teraz obszywa pieluchy dla drugiej wnuczki. Maszyna, stary singer, który pomógł wyżywić rodzinę podczas wojny, stoi w kącie kuchni, tuż przy wejściu do pokoju. Na metalowym, powyginanym ozdobnie stoliku, w drewnianym blacie, umieszczony jest mechanizm uruchamiany poprzez nacisk stopami na szeroki pedał. Ten zaś, sprzężony cienkim paskiem z kołem zamachowym, powoduje ruch igły w górę i w dół. Żeby zacząć szycie, wystarczy już tylko równo popychać tkaninę, która zresztą od dołu jest przesuwana przez małe ząbkowane prowadnice. Dziewczynka nie może się nadziwić, jak to wszystko ze sobą idealnie współgra!

Pod blatem znajduje się jeszcze długa i wąska szuflada, w której babka przechowuje nici i igły do maszyny. W zależności od koloru tkaniny używa się różnych nici. Najpierw trzeba nitkę w odpowiednim kolorze nawinąć na bębenek. Poruszana specjalnym mechanizmem maleńka metalowa szpuleczka momentalnie zaciąga białą nitkę ze szpulki. Babka wkłada ją następnie do otworu znajdującego się pod blatem. Wyciągnięty koniec trzeba ułożyć na blacie, a przez oczko igły przewlec drugą nić ze szpulki umieszczonej w bolcu na wierzchu maszyny. Nitka z igły będzie później łapała nitkę z bębenka. Zachodząc jedna na drugą, stworzą ścieg i zszyją dwa kawałki tkaniny. Gęstość ściegu reguluje się w zależności od rodzaju tkaniny. Dziś ścieg jest dość luźny.

Dziewczynka zna te wszystkie czynności. Uwielbia przyglądać się szyciu, owym zsynchronizowanym ruchom: najpierw dłoń babki porusza koło, a stopy zaczynają naciskać pedał, potem ręce odsuwają tkaninę i oto jeden bok jest już obrębiony! Babka przekręca pieluchę. Już drugi bok podszyty, a oto i trzeci, wreszcie dochodzi do końca. Zostawiając nieco nitki, ciężkimi nożycami krawieckimi odcina pieluchę od maszynowych nici i podaje ją wnuczce.

— Proszę! Pierwsza pielucha dla Urszulki obszyta!

— Chciałabym też tak umieć!

Dziewczynka klaszcze w dłonie i podaje drugi kawałek tetry. Postoi tak jeszcze kilka minut, po czym usiądzie na krześle, zmęczona. Z głową podpartą dłońmi będzie walczyła ze snem, ale ten moment nie umknie uwagi babki i natychmiast zagoni swą pomocnicę do mycia.

— Jutro ważny dzień! Musisz odpocząć! — przekonuje. — Słyszysz, jak dziadek chrapie?

Rzeczywiście, zza zasłonki dochodzi regularne pochrapywanie śpiącego już dziadka. Wnuczka też jest senna. Pozwala się rozebrać, a babka przeciera jej twarz mokrym ręcznikiem. To trochę ożywia dziecko. Kobieta nalewa wodę z czajnika do stojącej na podłodze miski, ochładza ją zimną wodą z wiadra.

— Kąpiel gotowa! — mówi, uśmiechając się.

Kładzie na stołku ręcznik i piżamkę, a potem wraca do szycia. Dziewczynka myje dłonie oraz twarz, po czym zdejmuje koszulkę i majtki. Wchodzi do miski, kuca i na chwilę zamiera w bezruchu. Babka, skończywszy obszywanie kolejnej pieluchy, odwraca ku niej głowę.

— A cóżeś się tak zamyśliła?

— Zastanawiam się, jak to jest mieć siostrę...

— Już jutro będziesz miała okazję sprawdzić.

Zachęcona tą perspektywą, mała podmywa się szybko, wyciera, zakłada piżamę. Miska zostaje na podłodze. Kłaczki mydła zwarzonego w twardej wodzie pływają po wierzchu, tworząc szary kożuch. Mydlin nie miesza się z pomyjami. Babka wynosi je i nie schodząc nawet ze schodków, wylewa w trawę. Wieczór jest mokry, ale jak na koniec października dość ciepły. Mgła gęstym woalem spowija śpiącą wieś. Kobieta wraca pośpiesznie do domu, przekręca zamek i siada przy maszynie.

Wnuczka leży już w łóżku. Pokój rozjaśnia jedynie pasek światła z kuchni. W odległych gospodarstwach poszczekują psy, lokomotywa zbliżająca się do przejazdu gwiżdże przeciągle. Przykryta kołdrą w brązową kratkę, ukołysana równomiernym stukotem babcinego singera, dotykając stopami ciepłej ściany, dziewczynka usypia.

Babka pracuje jeszcze przez jakiś czas, ale i ją wkrótce zaczyna morzyć sen. Jest zmęczona. Ma za sobą wiele godzin krzątaniny, kończy więc szycie i szykuje się do wieczornej toalety. Gdy przebiera się w koszulę nocną, słyszy niemal surowe pytanie:

— Psy spuszczone? — To wnuczka, przekręcając się z boku na bok, nie wiadomo: świadomie czy też przez sen, sprawdza wykonanie ostatniego z codziennych obowiązków.

W półmroku pokoju kobieta wstrzymuje oddech. Przygląda się dziecku odwróconemu twarzą do ściany, ale dziewczynka oddycha równo, lekko posapując. Nie odpowie więc, aby jej nie obudzić. Zastanowi się jednak, czy w pośpiechu wypełnionego po brzegi dnia nie zapomniała spuścić Reksa i Agresora z łańcuchów.

Ranek wstaje mglisty. Babka od dawna na nogach, bo przecież ktoś musiał zrobić obrządek, budzi ją wreszcie.

— Dzisiaj poznasz swoją siostrę!

— Ulę? — pyta mała jeszcze nie do końca przytomna.

— Tak. I od dziś powinnaś zachowywać się jak dorosła, a przede wszystkim pomagać mamie. Obiecujesz?

— Mhm... — pada odpowiedź, przechodząc w ziewnięcie.

Dziewczynka czuje się na siłach, aby podołać tym wszystkim obowiązkom. Wyskakuje z łóżka bez marudzenia, idzie się umyć i szybko ubiera. Jest bardzo precyzyjna, rajstopy naciąga wysoko na koszulkę, bluzkę wciska w spódnicę, aby żaden zimny podmuch nie lizał jej pleców. Czesze się jeszcze, zerkając w małe lusterko zawieszone byle jak na ścianie, i siada do stołu. Babka usmażyła jajecznicę, śniadanie nie wywołuje więc sprzeciwu. Zresztą dziewczynkę zaprzątają rozmaite ważne myśli, z którymi nie uporała się przed snem: właśnie przestaje być najmłodsza w rodzinie. Już sobie wyobraża, jak główną ulicą miasta prowadzi do miejskiego parku wózek z malutką siostrą. Jej obawy budzi tylko mgła. Chyba nie zostaną z tego powodu w domu?

Zjadła już swoją kanapkę z jajecznicą i szczypiorkiem, a bojąc się, że babka zaproponuje dokładkę, w pośpiechu zbiera ze stołu kubek i talerzyk. Starsza pani pakuje do torby uszyte wczoraj pieluchy, jakieś drobiazgi dla córki, wkłada buty, chustkę, płaszcz. Pogania wnuczkę, co znaczy, że nie zrezygnują z wcześniejszego planu. Zamykają obejście i w lepkiej mgle docierają do grobli. Po śliskiej desce przechodzą ponad źródełkiem. Bardziej nasłuchując, niż się rozglądając, bo widać zaledwie na dziesięć metrów, sprawdzają, czy można przejść przez tory. Nie liczą na żadnego sąsiada, bo mogłyby się nie doczekać. Ścieżką wzdłuż torów idą na pociąg. Dziewczynka obawia się, że nie zdążą, raz po raz odwraca głowę, ale semafor ukrywa się za zasłoną mgły i nie widać, czy droga dla pociągu jest zamknięta, czy otwarta. Nie słychać jednak gwizdu lokomotywy ani cykania torów, które na długo przed pojawieniem się pociągu obwieszczają jego nadejście. Może więc zdążą?

Babcia i wnuczka idą szybko, są zgrzane. Po niespełna kwadransie docierają wreszcie do stacji. W poczekalni kłaniają się kilkorgu sąsiadom i kupują bilety.

— Dwa do Mińska, proszę. Jeden dla dziecka — mówi babka, a wnuczka przykleja się do niej, aby przez półokrągły otwór w szybie zajrzeć do wnętrza kasy.

Stoi tam szafka z kartonikami w kolorze tektury i rozmiarze pudełka zapałek. Na każdym wydrukowano inną stację docelową i cenę za przejazd do tej stacji. Bilety nadziane są na gruby bolec, toteż po zdjęciu każdy ma w środku dziurkę. Kasjerka wkłada go do specjalnego urządzenia, które popchnięte, wybija datę podróży. Potem w pociągu konduktor sprawdzi, czy bilet ma aktualną datę i czy wykorzystywany jest zgodnie z przeznaczeniem. Jeśli tak, przebija kartonik metalowym dziurkaczem na znak, że podróż się odbyła. Dziewczynka wie to wszystko, bo wielokrotnie pytała o każdą z tych rzeczy. Babka płaci za bilety. Nim wyjdą na peron, wnuczka rzuci jeszcze okiem w głąb nastawni, którą widać, jeśli tylko drzwi do kasy są otwarte. To stąd, pociągając za różne wajchy, dyżurny ruchu ustawia semafory, by dać pociągom wolną drogę lub kazać im czekać.

Pociąg relacji Siedlce–Mińsk właśnie minął przejazd. Wielki czarny parowóz gwiżdże z oddali, jakby się chciał zapowiedzieć, i po krótkiej chwili wypływa z mgły niczym ogromny potwór. Ciągnie kilka wagonów w kolorze mundurowej zieleni i mimo że semafor na końcu stacji podniósł ramię, wyrażając zgodę na przejazd, grzecznie zwalnia. Lokomotywa mija dziewczynkę, mniejszą od jej wielkich stalowych kół, i ze strasznym sapaniem i zgrzytem staje dokładnie tam, gdzie powinna — na samym początku peronu. Peron jest niski, a do każdego przedziału wchodzi się osobnymi drzwiami po dwóch niebotycznie wysoko zawieszonych schodkach. Ojciec dziewczynki na ogół ją podsadza, a matka, która wchodzi pierwsza, podaje jej rękę. Tym razem jednak mała musi poradzić sobie sama. Widząc dziecko, ktoś usłużny otwiera drzwi i wyciąga do niej dłoń. Wskoczyła! Ogląda się na babkę, ale i ona jest już w przedziale. Konduktor, który ma na wszystko baczenie, zagwizdał. To znak, że wszyscy pasażerowie zdążyli wsiąść. Pociąg szarpnął lekko i ruszył.

Przedziały pociągu osobowego urządzone są w dwóch klasach: pierwsza tym się różni od drugiej, że ma wyściełane pluszem kanapy, druga zaś jedynie zbite z cienkich deszczułek drewniane ławki o charakterystycznym wygięciu na wysokości ludzkiego pasa. Ulga kolejarska dziadka i ojca dziewczynki dotyczy tylko drugiej klasy. W pociągu panuje tłok, stoją więc, złapawszy się byle czego. Na szczęście to krótka podróż, zaledwie jeden przystanek. Dziewczynka, przytulona do spódnicy babki, usiłuje dojrzeć cokolwiek przez zaparowane szyby, które migają jej pomiędzy stojącymi ciasno współpasażerami. Podnosi wzrok na pełne bagaży półki plecione z grubego sznurka i zawieszone na metalowych uchwytach. Boi się, że sznurek pęknie, a ciężkie torby i walizki spadną.

Mimo chłodu na dworze w przedziale panuje zaduch.

— Może by tak otworzyć okno? — pada skądś nieśmiałe pytanie.

Ktoś szamocze się z wadliwym mechanizmem, wreszcie udaje się zrobić szczelinę i do środka wpada odrobina świeżego powietrza. Jakiś damski głos natychmiast zaczyna narzekać na przeciąg, ale zanim kłótnia na dobre rozgorzeje, dojadą do Mińska. W przedziale wszystko się kotłuje, każdy chce wysiąść pierwszy, a zwłaszcza ci, którzy śpieszą się na dalsze połączenie do Warszawy. Przy innym wysokim peronie, nieco na lewo, stoi już żółto-niebieski pociąg elektryczny, który tu kończy bieg. Trzeba się szybko przemieścić, bo czasu jest niewiele. Niekiedy zagapieni podróżni z rozpędu wsiadają do składu, który robi im niespodziankę i zamiast do Warszawy, zjeżdża na tor postojowy. Trzeba wtedy szybko wyskoczyć i biec co tchu z powrotem na stację. Przydaje się znajomość obsługi mechanizmu otwierającego drzwi, który znajduje się ponad nimi. Należy popchnąć niewielką wajchę w bok, a wtedy z sykiem drzwi się uchylają.

Pasażerowie pociągu osobowego, dla których Mińsk Mazowiecki to stacja docelowa, również chcą wyjść z przedziału pierwsi. Dziewczynka w zaciśniętej garstce trzyma rąbek spódnicy, nie wie tylko, czy to na pewno babcina. Jakaś siła popycha ją w kierunku drzwi. Ludzie się tłoczą, pokrzykują, złorzeczą. Babcia odwraca się i już wiadomo, że jest! Nie zginęła, wysiada pierwsza i unosi ręce, aby jej pomóc. Mała, przytrzymując się metalowego uchwytu, ostrożnie stawia nogi na stopniach. Wysiadłszy z pociągu, wzdłuż bocznicy kolejowej kierują się w stronę ulicy Siennickiej. Do szpitala mają spory kawałek, ale są nawykłe do chodzenia, a taka odległość nikogo przecież nie przestraszy. Po mieście kursuje co prawda kilkanaście taksówek, mają nawet postój pod rachitycznym budynkiem dworca, starym barakiem, jedynym, który ocalał po wojennym bombardowaniu. Ale taksówka to luksus, a do szpitala jedzie się dwa razy dłuższą drogą, niż idzie pieszo. Dotrą więc bez problemu, zajmie im to dwadzieścia minut, najwyżej pół godziny.

Podniecona perspektywą poznania nowo narodzonej siostry dziewczynka przez całą drogę niezmordowanie paple. Babka ma już trochę dosyć, zajęta własnymi myślami odpowiada półgębkiem. Wnuczka, widząc jej zaaferowanie, też wkrótce milknie. Kobieta przyjmuje to z ulgą. Nareszcie może przemyśleć, co po kolei przyjdzie wykonać, jeśli córka, jak było zapowiedziane, zostanie dziś wypisana ze szpitala. Najpierw trzeba to sprawdzić, potem wszystko zorganizować. Zięć w pracy, nie pomoże. Serwatkowa skazana jest na siebie. Nie boi się, to w końcu nic takiego. Trzeba tylko przynieść z Warszawskiej przygotowany przez córkę becik, jej ubranie, wezwać taksówkę i tyle. Starsza wnuczka zostanie w domu sama. Cała nadzieja, że zięć rano napalił.

— Nie cieszysz się — głos wnuczki brzmi twardo, bardziej jakby stwierdzała, niż pytała.

Babka musi się tłumaczyć.

— Też wymyśliłaś! Oczywiście, że się cieszę. Jednak pewne rzeczy wymagają przemyślenia.

— Które? — wnuczka jest nieustępliwa.

— Chociażby to, czy mogę cię zostawić samą w domu.

— Babciu! — Dziewczynka prycha niemal z wyższością. — Oczywiście, że możesz! Przecież ja będę grzeczna! — podkreśla stanowczo, jakby sprawa była bezsporna i już zamknięta, przy czym zabawnie marszczy brwi i przygląda się babce z ukosa. Nie ma poczucia, że jest komiczna, raczej pragnie uchodzić za dorosłą.

— Naturalnie, że będziesz, jak zawsze. Zostaniesz w domu, a ja pojadę po mamę.

— Czy weźmiesz dla Urszulki te ubranka, które dla niej kupiłam?

Wchodzą na porodówkę. Mała zostaje w korytarzu. Niecierpliwi się. Chciałaby już wrócić do domu. Zaciska piąstki i przestępuje z nogi na nogę. Chce siku, a czekanie się wydłuża. Wreszcie uśmiechnięta babka wychodzi.

— Możesz wejść!

Dziewczynka nie jest na to przygotowana. Na drżących nogach wchodzi do sali. Widzi matkę, która trzyma przy piersi zawiniątko. Uniosła właśnie wzrok i patrzy na nią, oczekując akceptacji. Czy można do niej podejść w takiej chwili?

— Chodź, zobaczysz swoją siostrę — zachęca.

Na sztywnych nogach, nieśmiało, dziewczynka podchodzi krok za krokiem do łóżka matki. Wreszcie widzi. Z zawiniątka wychyla się główka nie większa niż lalki.

— Jaka malutka... — Ten nabożny szept mieści w sobie radość, zdumienie, ulgę i coś jeszcze, co już się urodziło w jej sercu, ale jeszcze nie zapuściło korzeni: poczucie odpowiedzialności.

Starsza siostra wyciąga rękę i leciutko, niemal nie dotykając, głaszcze główkę malucha.

— Pędzimy do domu. Muszę tu zaraz wrócić! — pogania babka, która nie ma czasu na sentymenty.

W drodze powrotnej nie rozmawiają. Chwila jest zbyt podniosła.

Szybko docierają na Warszawską. W mieszkaniu na szczęście jest ciepło. Nie trzeba rozpalać, to duża oszczędność czasu. Babka poprawia jedynie ogień pod płytą kuchenną, poruszając żar pogrzebaczem, i dosypuje trochę węgla. Przezornie odsuwa czajnik daleko od brzegu kuchni. Rozgląda się po pomieszczeniu i wychodzi do pokoju. Becik, ubranka dla dziecka i matki leżą przygotowane na stole. Starsza pani pakuje wyprawkę, puka do sąsiadów, ale nikt nie otwiera. Musi więc zaufać wnuczce.

— Co będziesz robić, dopóki nie wrócę? — pyta jeszcze mimochodem w przedpokoju, jednak trochę się niepokoi.

— Na pewno nic głupiego! — Oburzone dziecko wzrusza ramionami.

— I nikomu nie otwieraj, dobrze?

— Tak, wiem przecież.

Cóż, nie pozostaje nic innego, jak uwierzyć. Babka wychodzi, mocniej trzasnąwszy drzwiami, co powoduje samoistne zatrzaśnięcie zamka. Mała wraca do pokoju. Popatruje tu i tam, lustruje wszystkie kąty, zastanawiając się, jak spędzić czas. Siada na wersalce, obok kładzie stos książeczek z serii „Poczytaj mi mamo". Ogląda je powoli, zatrzymuje się przy każdym obrazku i przypomina sobie, jaki tekst mu towarzyszył, książeczki zna bowiem niemal na pamięć. Odkłada jedną po drugiej, aż wreszcie okazuje się, że wszystkie już „przeczytała". Zbiera więc stosik i umieszcza z powrotem w biblioteczce rodziców.

Słysząc jakieś krzyki za oknem, podchodzi, odchyla siatkową firankę i wygląda na podwórko Zombergów. Widzi ślepą szarą ścianę szczytową ich domu z jedynymi drewnianymi drzwiczkami pod samym dachem. Prowadzi do nich bardzo wysoka drabina. Na strychu Zombergowie przechowują siano, bo pan Zomberg, wysoki, ogorzały na twarzy, łysiejący mężczyzna, jest furmanem.

Ma wóz oraz pięknego jasnokasztanowego konia z płowym ogonem i jasną grzywą, który mieszka w stajni, w głębi podwórka.

W najbliższym sąsiedztwie przy Warszawskiej ani po stronie parzystej, przy której mieszkają rodzice dziewczynki, ani po przeciwnej, nie ma już chyba nikogo, kto trzymałby na podwórku konia. Małej obecność konia jednak nie dziwi, co dzień widzi w mieście furmanki. Poruszają się głównymi ulicami, po specjalnie dla nich wytyczonych poboczach, wożąc rozmaite towary, zwłaszcza węgiel, a dwa razy w tygodniu, w środy i piątki, przyjeżdżają z pobliskich wsi chłopi, ustawiają je na ogromnym placu targowym naprzeciwko kościoła i handlują tym, co przywieźli. Ale też coraz więcej pojawia się w mieście samochodów.

Kiedy dziewczynka sięga wzrokiem dalej, poza ogrodzenie Zombergów, widzi pyszniący się nowością jasnych cegieł i nietypową nowoczesną architekturą piętrowy dom Brudkowskich. Ogromne okna pierwszego piętra wzbudzają w niej coś w rodzaju zazdrości. Ale mimo że nowy, ten dom nie podoba się dziewczynce, gdyż od ulicy stoi szpecący widok warsztat samochodowy. Jest też co prawda kawałek ogrodu, ale nikt tam jej nigdy nie zapraszał, bo Gutowscy nie znają tych ludzi.

Podobnie jak Brudkowscy oraz gospodarz, u którego mieszkają jej rodzice, Zombergowie też mają ogródek warzywny odgrodzony wysokim płotem, a na nim grządki i inspekty. Spośród ich trzech córek najmłodsza Magda jest koleżanką dziewczynki. Bawią się w dom albo sklep na jednym lub drugim podwórku, często klapią po kocich łbach za dużymi szpilkami matek, drążą odpływy z kałuż, skaczą na skakance pod oknami Ptasińskich, rwą owoce rosnącej na podwórku białej morwy albo grają w gumę, jeśli przyjdzie też Marlena z czwartego podwórka. Czasem robią „sekrety" — kopią płytki dołek, wkładają tam kwiatki, kolorowe szkiełka, kamyki, przykładają taflą znalezionego gdzieś szkła i przysypują ziemią, żeby nigdy nie odkopać. Sekretem jest miejsce i chyba przesłanie, jakie w sobie owa kompozycja zawiera. Dziewczynki sądzą, że ktoś je kiedyś odkopie. Ekscytuje je ta myśl, wyobrażają sobie radość i zdumienie znalazcy, zupełnie jakby zakopały coś niezwykle cennego, jakiś skarb.

Magda w odróżnieniu od dziewczynki często bywa głodna. Mimo że mieszkają na parterze, zdarza się jej wołać do mamy o „kanapkie", którą niemal natychmiast dostaje przez otwarte okno. Ale dziś Magdy nie widać, zresztą dziewczynka i tak nie może teraz wyjść z domu. Pan Zomberg zaprzęga konia i otwiera bramę. Pewnie pojedzie po węgiel albo po kartofle, może będzie wiózł komuś meble albo drewno do porąbania? Dziewczynka z niepokojem przygląda się manewrowi. Wceluje w bramę czy nie wceluje? Jest! Udało się! Pan Zomberg zamyka bramę i wyjeżdża na ulicę, koń stuka podkowami o kocie łby i po chwili wóz ginie z pola widzenia.

Dziewczynka odchodzi od okna i sięga po Kasię. To przywieziona przez rodziców z wycieczki do Związku Radzieckiego duża lalka z prawdziwymi włosami, które można czesać. Kiedy się ją przechyli do przodu, kwili jak dziecko. Mówi coś, co przypomina słowo „mama", i zamyka oczy o twardych plastikowych rzęsach. Kasia ma szklane, zimne źrenice koloru niebieskiego i czerwone usta. Jej ręce i nogi wyginają się, można ją posadzić. Dziewczynka poprawia lalce fryzurę, zapina guziczek sukienki i sadza do plecionego wiklinowego wózka o chybotliwych metalowych kołach. Wózek ma również budkę chroniącą przed deszczem i słońcem, uszytą z zielonej tkaniny w dmuchawce, tej samej, która jako zasłonka wisi w przedpokoju, skrywając buty i okrycia. Kasia jest tak duża, że ledwie mieści się na siedząco w wózku. Kilka ruchów do przodu i tyłu wystarczy, żeby zamknęła oczy.

Lalka uśpiona, czym się tu teraz zająć? — myśli dziewczynka.

Jej wzrok pada na pudełko z klockami. Jedyny fragment wolnego miejsca w pokoju znajduje się tuż przy piecu, który od porannego palenia wciąż trzyma ciepło. Zawartość pudełka ląduje na szarym sznurkowym dywanie. Dziewczynka postanawia zbudować dom. Lubi to zajęcie prawie tak samo jak czytanie książek. Z najdłuższych klocków układa fundamenty. Budynek będzie szeroki na jeden klocek i długi na dwa. Klocki trzeba tak łączyć, żeby można było gotowy dom przenieść z podłogi na stół. Zatem krótszymi musi teraz połączyć dłuższe i wypełnić powstałe przestrzenie. W zestawie klocków znajdują się też drzwi i kilka okien. Dziewczynka wstawia otwory tam, gdzie powinny się znaleźć. Aby dom był bardziej kolorowy, dokłada biały pasek na czerwonej ścianie. Mury rosną coraz szybciej, długa belka spina już okna i drzwi ze ścianą, zaczyna się kładzenie sufitu i konstruowanie zwężającego się ku górze dachu.

Dom już zbudowany, zajął właśnie honorowe miejsce na środku okrągłego stołu z orzecha przykrytego szydełkową serwetą. Co teraz? Dziewczynka podnosi głowę i spostrzega nagle, że w pokoju nie jest sama. Stojąca w rogu toaletka z ogromnym lustrem, wąskimi skrzydłami i dwiema bocznymi szafkami ukazuje takie samo mieszkanie, identyczny stół, biały kaflowy piec oraz podobną do niej dziewczynkę uczesaną w koński ogon, która najwidoczniej bawi się z nią w chowanego. Obie odchylają się naraz w tę samą stronę i w lustrze pozostaje tylko puste mieszkanie. Dziewczynka chce przechytrzyć tę drugą. Na kolanach przechodzi pod stołem i nagle wyskakuje z lewej strony, ale najwidoczniej tamta wpadła dokładnie na ten sam pomysł, bo zaskoczenie się nie udaje.

Na znak zawartej znajomości dziewczynka podchodzi do lustra i z uwagą przygląda się tamtej. Jest ich już zresztą nie dwie, a cztery! Takie same dziewczynki ukazują się bowiem na każdym ze skrzydeł lustra. Nie wiadomo, która małpuje którą, dość że przekomarzanie staje się w końcu nudne. Mała wie przecież, że patrzy na siebie. Robi jeszcze kilka min, pochyla głowę, pokazuje sama sobie język, ale jej uwagę przyciąga wkrótce drewniane pudełko rzeźbione w góralskie motywy, do którego matka chowa biżuterię. Kościana broszka z syrenką, inna w kształcie muszli, koraliki z Jabloneksu, kawałki drewienek wypalone w proste wzory i połączone miedzianym drutem to niemal wszystkie jej skarby. Matka nie jest kokietką, ale dziewczynka nie zdaje sobie z tego sprawy, zaczyna przymierzać ozdoby. Nie przypuszcza też, że ten niewinny gest nieodwołalnie ją uzależnia.

Przed dzieckiem nie udało się ukryć, że w domu są jeszcze kupione pokątnie pierścionki z rosyjskiego złota ze sztucznym rubinem, koralem czy kamieniem księżycowym. Matka zapewne przezornie schowała je do bieliźniarki, tam gdzie trzyma nowiutkie brązowe pięćsetki z górnikiem. Dziewczynka wsuwa rękę pomiędzy gładko wyprasowaną pościel i uśmiecha się triumfalnie. Wyciąga maleńkie pudełeczko, zakłada na cienkie paluszki prawej dłoni wszystkie trzy pierścionki. Próbuje wcisnąć dwa palce w jedną obrączkę, ale to się nie udaje. Potem podpatrzonym nie wiadomo gdzie gestem zasłania sobie usta dłonią tak, aby zaprezentować lustru upierścienione palce. Nie wie, co jeszcze można by zrobić, zdejmuje więc złoto i upycha z powrotem do pudełka, które wsuwa na miejsce. Chcąc zatrzeć ślady przestępstwa, przekręca kluczyk w zamku szafy.

Ściąga z kucyka uciętą ze starej rowerowej dętki gumkę i rozpuszcza włosy. Czesze je wolno, dostojnie, z powagą. Potrząsa nimi, rozrzuca na ramiona i znów nie wie, co dalej. Zakłada gumkę z powrotem. Spostrzega, że trzeba jeszcze poprawić haftowany czerwonymi i zielonymi krzyżykami bieżnik, który chroni i ozdabia toaletkę, zamknąć na powrót drewniane pudełko z maminą biżuterią, przesunąć nieco w lewo flakon z rosyjskimi perfumami, w których pływa zobojętniały na wszystko narcyz, zetrzeć dłonią drobiny kurzu, które zdążyły osiąść na orzechowym drewnie blatu.

Znów robi się nudno. Dziewczynka idzie do kuchni. Wyjmuje z kredensu szklankę musztardówkę i naciskając na dźwigienkę, nalewa sobie z syfonu wody sodowej. Woda jest zimna i przyjemnie szczypie w język. Po upiciu kilku łyków dziecko niemal natychmiast biegnie na przylegający do kuchni stryszek, aby zrobić siku. Kuca nad wiadrem i rozgląda się uważnie. Czego tu nie ma! Przy maleńkim okienku tata urządził sobie warsztat z narzędziami, obok stoi pralka, są skrzynki z warzywami, wiklinowy kosz na brudną bieliznę. Na ścianie wisi nawet okolona szerokimi złotymi ramami wielka reprodukcja cudownego obrazu przedstawiająca Matkę Boską Częstochowską. Nie wiadomo, jak tu trafiła, czy jest pozostałością po poprzednich lokatorach? Nietrafionym prezentem ślubnym? Dziecko czuje w tym jakąś niestosowność, nigdy jednak nie poruszy tego tematu ze starszymi.

Tu, na przygórku, stoi też jej koń na biegunach, świeżo pomalowany na kolor kuchennej lamperii. Koń jest bajkowy, zielononiebieski. Przy szyi ma dwa kołki do trzymania się dłońmi. Aby wprawić go w ruch, należy pochylać się regularnie do przodu i do tyłu. Dziewczynka siada i zaczyna się bujać. Potem zobaczy u kogoś prawdziwe cacko: wypchaną włosiem miniaturę prawdziwego konia z grzywą, kopytami, siodełkiem, uprzężą, z dumnie łypiącym brązowym okiem ze szkła. Chętnie go dosiądzie, doceni nawet wygodę miękkich boków i strzemion, w które wkłada się nogi. Nigdy jednak żaden koń nie będzie jej tak bliski jak ten istniejący już tylko w pamięci, drewniany, twardy, zaginiony. Może pozostawiony na tym strychu? Może wyrzucony na śmietnik albo porąbany na rozpałkę?

Stryszek, czyli „przygórek", jak nie wiedzieć czemu nazywa go matka, to prawdziwy raj dla odkrywcy, ale dziewczynka robi się głodna. Babka, spiesząc się do szpitala, nie zrobiła jej kanapki. O tej porze w przedszkolu byłby już pewnie obiad, bo mała czuje ssanie w żołądku. Jedynym ratunkiem jest suchy chleb. Wraca do kuchni, wydłubuje dziurę w rozkrojonym bochenku i ulepiwszy z ośródki kulkę, wsadza ją sobie do ust. Gdyby była w przedszkolu, pewnie teraz by leżakowała. Nie cierpi tego. Na znak, jak bardzo tego nienawidzi, kładzie się na zimnej podłodze. Ktoś wbiega po schodach, może to już one? Chwila napięcia. Nie, to tylko jedna osoba, może listonosz albo któryś z chłopaków od sąsiadów. Słychać pukanie do ich drzwi, ale nikt nie odpowiada.

Dziewczynka zamiera. Co zrobić, jeśli do niej też ktoś spróbuje zapukać? Wstrzymuje oddech, przerażona. Na szczęście ten ktoś schodzi po schodach, słychać skrzypnięcie drzwi wejściowych, wyszedł. Leżąc na brzuchu, dziewczynka wodzi poślinionym palcem po żółtych wzorkach linoleum. Nagle uświadamia sobie, że może przecież narysować laurkę dla mamy i Urszulki! Ta myśl nagła, niemal olśnienie, rozbudza ją, każe wstać, wyjąć blok i kredki świecowe, usiąść przy stole w kuchni i zabrać się do pracy. Tak! To będzie niespodzianka! Najpierw wazon, w nim kilka tulipanów, czerwonych i żółtych, wazon zostanie ozdobiony szlaczkiem, a powietrze wokół niego wypełnią gorące serduszka, unoszące się frywolnie, jakby czekały na schwytanie. Wazon też się trochę unosi, dostanie więc brązową podstawę, a powietrze, aby było powietrzem, otrzyma słaby odcień błękitu. Zadanie jest trudne, kredki się łamią, trzeba podejmować wiele samodzielnych decyzji, nie można się obejść bez wysuniętego języka, który znamionuje najwyższy stopień skupienia.

Nagle słychać z podwórka jakieś podniesione głosy. Dziewczynka porzuca swe dzieło, wchodzi na taboret i wygląda przez lekko uchylony lufcik. Są! Nareszcie! W najwyższym podnieceniu, nie złożywszy kredek do pudełka, łapie laurkę, otwiera drzwi i wybiega z mieszkania, aby godnie powitać nowego członka rodziny. Zbiega do połowy schodów, niczym tarczę trzymając rysunek w wyciągniętych rękach. Kobiety zaczęły się właśnie wspinać. Matka, niosąca becik z noworodkiem, idzie pierwsza. Patrzy pod nogi, bo na schodach jest dość ciemno. Dziewczynka widzi, że wybrała zły moment, cofa się na górę, wciąż czekając, że matka zauważy i zachwyci się rysunkiem. Ona tymczasem zauważa jedynie, że drzwi do mieszkania się zatrzasnęły!

— Mamo, wzięłaś klucz? — z nadzieją pyta babkę.

— Nie, no przecież Małgosia została w mieszkaniu!

Matka kurczowo przytula niemowlaka i rozgląda się, jakby chciała znaleźć klucz pod swoimi stopami.

— Ale ona wyszła, a drzwi się zatrzasnęły! Włodek wróci dopiero przed trzecią, co będziemy robić tyle czasu na schodach?!

Babka, jakby nie wierzyła, podchodzi pod drzwi i porusza klamką tylko po to, aby stwierdzić naocznie, że są zatrzaśnięte.

— Można wejść przez okno! — rzuca śmiałą propozycję dziewczynka. — Lufcik jest otwarty!

Ten szalony pomysł nie uzyskuje akceptacji. Babka jest za stara, aby się wspinać po drabinie, dziewczynka zbyt mała, a matka ma lęk wysokości. Zatem odpada. Babka puka do sąsiadki.

— Nikogo tam nie ma — ponuro odpowiada mała. — Mamusiu, zimno mi! — pociera dłonią zmarznięte ramiona.

Matka podaje zawiniątko z dzieckiem babce, schodzi na parter i puka do drzwi gospodarza. Na szczęście Aleksander Włodarczyk jest w domu. Słucha relacji, ale wiadomo, że poza użyczeniem drabiny i otwarciem furtki do ogrodu rozciągającego się pod oknem Gutowskich niczego więcej nie zrobi. Jest stary, ciężki, niezgrabny. Często drapie się po łysej głowie, którą przykrywa czapką leninówką. Ma czerwone policzki poprzecinane fascynującymi fioletowymi żyłkami. Pod mięsistym, wiecznie zaczerwienionym nosem wyhodował sobie czarne wąsiska, które nadają jego twarzy groźny wygląd. Z nosa wystają mu kępki włosów. Dziewczynka się go trochę obawia, bo chodzi wiecznie nachmurzony i nie przegapi żadnej okazji, aby nakrzyczeć na dzieciaki. Dlatego nie lubią, kiedy zamiata podwórko zrobioną z witek miotłą i przeszkadza im w zabawie. Dwupokojowe mieszkanie gospodarza wydaje się dziewczynce ogromne niczym pałac. Króluje tu jego żona, Helena. Z wiecznie skrzywioną miną i skrzekliwym głosem łaja wszystkich dookoła. Często pokazuje się w kolorowym szlafroku i papilotach. Tym razem jednak gospodyni nie widać.

— No co ja pani poradzę... — marudzi gospodarz i szurając nogami, idzie do ogrodu.

Wspólnie ze zdenerwowaną matką zdejmują z haków drabinę wiszącą poziomo na ścianie domu i przystawiają do dachu. Sprawdzają razem jej stabilność, wreszcie matka próbuje wejść na pierwszy, drugi, trzeci szczebel. To już jest dla niej za wysoko. Rozgląda się bezradnie po podwórku. Tuż obok, po lewej stronie, w bliźniaczym parterowym drewniaku mieszkają Ptasińscy ze Staśkiem i Tokarscy. Ci ostatni, starsi państwo, nie pomogą. Stasiek Ptasińskich jest sprytny, ale pewnie nie wrócił jeszcze ze szkoły. Matka schodzi z drabiny i puka do sąsiadów, jednak nikt nie otwiera.

W maleńkim domku po drugiej stronie podwórka mieszka Edek z panią Romą, też starsi ludzie, Edek zresztą jest, zdaje się, znowu w więzieniu. Ma taki obyczaj, że jesienią kradnie coś z piwnic na osiedlu wojskowym, rower albo sanki, milicja go zgarnia i na zimę ląduje pod kluczem. Roma nie pomoże, bo ma jakąś tajemniczą chorobę, która powoduje, że śmiesznie potrząsa głową, jakby wszystkiemu przeczyła. W jej maciupkim mieszkaniu przyklejonym do komórek panuje zawsze idealny porządek. Zatem do nich matka nawet nie puka.

Mija piwnicę, małą murowaną komórkę, w której mieszkańcy mają boksy do przechowywania kartofli i gdzie pachnie jak u babci w kopcu, i kieruje się ku murowanemu domowi. Tu, w pokoju z kuchnią, najciemniejszym chyba na całym podwórku, mieszkają Tuszyńscy. On jest cholewkarzem, pracuje w domu, może zechce pomóc? Sąsiad jednak zapewne właśnie dziś odwiózł do spółdzielni uszyte cholewki, bo drzwi są zamknięte. Zdesperowana matka wychodzi na ulicę, gotowa poprosić o pomoc pierwszego napotkanego mężczyznę. Tymczasem trafia się żona kuzyna, Janka Kowalska. Chwilę później gramoli się już odważnie szczebel po szczeblu ku okienku na facjatce.

Niełatwe to zadanie. Drabina ma osiem stopni i wystaje ponad rynnę, a dach jest pochyły. Już samo wejście tak wysoko to bohaterstwo, jak tu jeszcze otworzyć okno? Żeby tego dokonać, należy włożyć rękę przez lufcik i przekręcić zamek znajdujący się wewnątrz. Co prawda gospodarz i mama trzymają drabinę, ale to ekwilibrystyka na wysokości pierwszego piętra! Na dole są inspekty ze szkłem. Upadek mógłby okazać się straszny w skutkach! Jednak kobieta w poczuciu misji pnie się w górę i już niemal sięga lufcika. Przezornie nie patrzy w dół. Teraz rzecz najtrudniejsza: musi wejść na najwyższy szczebel drabiny, inaczej nie przełoży ręki przez dubeltowe okno. Trzyma się już tylko okna. Pchnęła! Słychać trzask doniczki z kwiatkiem rozbijającej się na podłodze. Kobieta przesadziła nogę przez parapet. Usiadła okrakiem na parapecie. Wciągnęła drugą nogę. Jest w środku!

— Lecę otworzyć! — krzyknęła, znikając z pola widzenia, a pod matką dopiero teraz ugięły się nogi.

Pędzi jednak na górę, nawet nie podziękowała gospodarzowi za pomoc, zrobi to później, trzeba wejść do domu, zamknąć okno, zabrać dzieci, zmieść skorupy z podłogi. Stawia wielkie kroki, byle prędzej, co drugi schodek. Kuzynka i babka oraz obie córki są już w mieszkaniu. Weszły do pokoju, zdejmują z buzi niemowlęcia pieluszkę i patrzą na śliczną twarzyczkę.

— To jest twój dom, Urszulko! — mówi dobitnie starsza siostra, głaszcząc niemowlę po policzku.

— Ale przygoda! — Janka zaciera ręce.

— Musimy zmienić ten zamek! — postanawia matka.

— To ja wody na herbatę nastawię! — proponuje babka. Widzi jednak, że na młodej kuzynce ten pomysł nie robi wrażenia. — A może coś mocniejszego? — sugeruje i spostrzega, że trafiła. — I ja się napiję za zdrowie! — mówi bez entuzjazmu, przekonana jednak, że w zastępstwie córki powinna pełnić honory domu.

Przechodzą do kuchni. Na stole pojawiają się dwa kieliszki i wyjęta z barku w biblioteczce napoczęta butelka wódki. Starsza pani i kuzynka wychylają po męsku. Matka nie pije. Przynosi z przygórka koszyk z ziemniakami i na stojąco zaczyna je obierać. Chwilę później woda w czajniku wrze. Kobieta nastawia ziemniaki, nalewa esencję z imbryka do kubków i wszystkie trzy, usiadłszy na drewnianych taboretach, zawisają nad stołem w jakimś szczególnym skupieniu. Milczą, każda zaplątana we własne myśli.

— Co tam tak cicho?! — Matka podrywa się i pędzi do pokoju.

Zagląda jednak ostrożnie. Nieco schowane za kaflowym piecem, który zasłania widok, jej dwie córki właśnie nawiązują znajomość. Starsza delikatnie gładzi rączkę młodszej, która patrzy ku niej wielkimi granatowymi źrenicami.

— To jest teraz twoje łóżeczko, Urszulko. Będzie ci tu wygodnie. Nic się nie martw, ja będę spała na amerykance, o tam, pod oknem.

Matka po cichu wycofuje się do kuchni.

W niedzielny poranek Gutowscy przyjmują niespodziewanego gościa. Szwagierka Maryli, żona Jerzego, Zofia Serwatowska, przyjeżdża z Warszawy ze smutną nowiną. Tego samego dnia, kiedy urodziła się Urszulka, jej przyszły ojciec chrzestny, Teofil Serwatowski, miał wypadek. Kierowca samochodu, którym młody weterynarz jechał do pracy, wpadł w poślizg. Obaj mężczyźni w ciężkim stanie trafili do szpitala. Ponieważ nie wiadomo nawet dokładnie, w którym szpitalu leży poturbowany Tosiek, kobiety szeptem umawiają się, aby na razie nie informować o tym babci, taka też jest zresztą wola chorego. Przejęte sytuacją, nie zwracają uwagi na kręcącą się w kuchni dziewczynkę.

Tymczasem babcia, która znowu przyjechała, zajmuje się maleństwem. Starsza wnuczka przez szparę w na wpół przymkniętych drzwiach wślizguje się do pokoju i staje obok niej.

— Babciu, ty nic nie wiesz... — zaczyna konspiracyjnie.

— O czym?

— Że one tam knują! — Dziewczynka fuka z oburzeniem i niemal płaczliwie.

— Co robią?!

— Umawiają się, że nic ci nie powiedzą!

Wnuczka, przejęta niesprawiedliwością, która dotknęła babkę ze strony córki i synowej, postanawia jak najprędzej doprowadzić do naprawienia zła, jakie tu się dzieje. Bierze babkę delikatnie za rękę i ciągnie do kuchni.

— No, proszę, powiedzcie, coście tu uradziły! — rzuca oskarżycielskim tonem, biorąc się pod boki.

Kobiety patrzą zdziwione, nie rozumieją. Dziewczynka czuje, że nie przekona ich do dobrowolnego wyjawienia grzechu, bierze więc sprawę w swoje ręce.

— Wujek Tosiek miał straszny wypadek! Leży w szpitalu, cały w gipsie! — dodaje szlachetna obrończyni prawdy. — I co? Łyso wam teraz?!

Młode kobiety z minami winowajczyń patrzą w podłogę.

VII

Snuję się po domu, wielokrotnie przemierzając wszystkie piętra. Choć nęka mnie poczucie straconego czasu, jest w tym chyba jakiś sens, coś przecież robię. Może bardziej, żeby zająć ręce i głowę, uciec sprzed laptopa, mieć argumenty, że są rzeczy niecierpiące zwłoki, coś porządkuję, przestawiam, odkurzam. Sprzęty łagodnie poddają się mojej woli, obojętne, gdzie je przydzielę: tu czy tam. W pokoju czy w piwnicy czują się równie dobrze. Ale mnie to nie jest obojętne. Chcę nad wszystkim sprawować kontrolę. Wiedzieć, gdzie co się znajduje. Ta obsesja wiecznego porządku. Porządek ułatwia życie, ale ileż nam go zabiera! Ile czasu trzeba poświęcić, aby go ustanowić i utrzymać!

Chowam do pudełek letnie buty. Wielu znów ani razu nie założyłam. Zapadają w sen zimowy, który przeciągnie się na całe lato. Dotykam letnich sukienek, po które nie sięgnęłam. Wciąż ich przybywa, w szafach i na stojakach robi się coraz ciaśniej. Cały dzień poświęcam rzeczom. Z wiekiem coraz trudniej przychodzi mi się rozstawać z przedmiotami.

Ktoś inny wyrzuci je kiedyś bez sentymentu. Takie rozstania nie bolą. Czasem wyrastamy z rzeczy, wydają się już zbędne, sądzimy, że nieodwracalnie. Robimy porządki i bez zastanowienia wyrzucamy. A potem, po wielu latach, przypominamy sobie nagle tę zabawkę, tę zszywkę pisemek, pióro, kubek, sweter. Nagle stają się znowu ważne. Chcielibyśmy je odzyskać, szukamy w domu swoim i rodziców, nie dowierzając, że skończyły na śmietniku. Ileż byśmy dali, aby znów wziąć do ręki elementarz, pobawić się starym samochodzikiem, posłuchać, jak płacze tamta lalka, nalać jej herbaty do porcelanowego kompletu, który gdzieś przepadł. Dlaczego?!

Mój porcelanowy serwis... Pamiętam nawet, w jakim pudełku był przechowywany i kto mi go podarował! Z jaką czcią otwierałam ten karton, jak ostrożnie się bawiłam ślicznymi jasnoszarymi filiżankami! Pamiętam kształt dzbanka i mlecznika, nawet maleńkie kwiatki, jakimi je ozdobiono. Tak eleganckich naczyń nie było w naszym domu. Przez długie dziesięciolecia nieprzydatny, teraz mój serwis odzyskałby znaczenie. Stanąłby między miśnieńskimi filiżankami, na równych prawach sąsiadowałby z chińską porcelaną, dostałby osobną półeczkę. Ale nigdzie go nie ma. Nikt go nawet nie pamięta. Pożyczony? Oddany? Może wyrzucony z braku miejsca? Znów byłby skarbem, silną nicią wiążącą mnie z coraz bardziej oddalającym się dzieciństwem, beztroskim czasem, kiedy wszystko było jeszcze możliwe, a życie proste i oczywiste rozpościerało się wokół niczym ocean bez granic.

Nikt mnie nie przygotował na to, że rzeczy czasem odzyskują znaczenie. Zahibernowane w pamięci, zbędne przez wiele lat, znienacka na powrót stają się ważne. Ktoś powinien je dla nas przechować. Ktoś powinien wiedzieć, że za nimi zatęsknimy. Chciałoby się otworzyć pudełko wyniesione na strych i przeżyć wzruszenie ponownego spotkania.

Dlaczego wracamy do starych przedmiotów? Czerwony emaliowany kubek zamieniłam na porcelanową filiżankę, ale tęsknię do kubka. Do życia bez refleksji o przemijaniu, o nieuchronnym końcu, które stale mi towarzyszą. Czas, kiedyś tak ospały, teraz wciąż mnie pogania. Przychodzi taki dzień, jak dzisiejszy, i nie potrafię obronić się przed wyrzutami, że jestem zbyt hojna, zbyt rozrzutna, że nie umiem rozsądnie gospodarować tą resztką, która mi została.

Listopad dostosował się do jesieni. Pogodny, ciepły, leniwy. Prace w ogrodzie czekają, bo trawa wciąż zielona. Ciągle kwitną miniaturowe bratki i zimowity, a nawet jakaś zapóźniona rudbekia. Nadal codziennie włącza się nawadnianie, bo jest bardzo sucho. Co prawda chwilowy przymrozek ściął już niektóre byliny, inne samoistnie zasychają, ale wydaje się, że wegetacja wielu roślin trwa w najlepsze. Odważnie czekają na mróz i śnieg.

Wyjątkowo piękny weekend Wszystkich Świętych. Ciepło i sucho. Z mamą, Urszulą, jej mężem, córkami i moimi synami odwiedzamy miński cmentarz. Idziemy wolno, mamy bardzo dużo zniczy i nie planując tego wcześniej, odnajdujemy groby ludzi, o których śmierci nie wiedzieliśmy albo podejrzewaliśmy, że już nie żyją, jednak nie mieliśmy pojęcia, gdzie ich pochowano. Nasze oczy zatrzymują się na ich nagrobkach, jakby to oni sami, żywi, nagle przed nami stanęli. Wywołują falę wspomnień, które nie są ważne dla nikogo poza mną.

Mimo że wspomnienia przechowywałam dość niedbale, całe lata ich nie odkurzając, teraz stają się żywe i ostre. Nie potrafię oprzeć się chęci mówienia o tych ludziach. Młodzież słucha grzecznie, wiem jednak, że spotykam się sama ze sobą. Nikt już nie może zweryfikować mojej opowieści.

Powiadają, że śmierć nas wszystkich zrównuje, bo ten sam koniec pisany jest każdemu bez wyjątku. Ale to nieprawda, bo ani koniec nie jest jednakowy, ani śmierć równie skrupulatnie nie wybiera. Niektórym darowane jest długie, obfite życie i lekki koniec we śnie, a innym męki chorób. Jednych śmierć zabierze zbyt wcześnie, nim zdążą zrobić jakiekolwiek podsumowanie, bez oglądania się na rozsądek czy sprawiedliwość, o innych jakby zapomniała. Niektórzy zdążą posmakować życia, zachłysnąć się nim, a nawet nażreć, inni, ciągle głodni, dotrą do kresu, zapatrzeni w przyszłość, której nie doczekają. Stojąc nad grobami bliskich, nie myślę o moim własnym końcu. Nie zastanawiam się, jak i gdzie chciałabym spocząć. Temat śmierci nawet tu, nawet tego dnia, uważam za niewart podejmowania. Moje plany zakończą się za życia. Przeszywa mnie nagle przykra myśl, że nadejdzie czas, kiedy moi synowie będą tu stali przed tablicą z moim nazwiskiem.

Przechodzimy przez cały cmentarz, zaczynając na nowym i dochodząc w końcu do bramy głównej. Idę wspomóc znajomych kwestujących na odnowienie zabytkowych grobów, a młodzież wychodzi na ulicę. Wracają wszyscy czworo triumfalnie, nurkując nosami w olbrzymich kłębach waty cukrowej.

VIII

Oczekiwane narodziny siostry spowodowały wiele zmian w życiu dziewczynki. Oddała mamie zgromadzone oszczędności i razem wybrały w sklepie śpioszki i kaftaniki dla malucha. Dostała też swoje pierwsze dorosłe łóżko — rozkładany fotel zwany amerykanką. Obity zielonym pluszem, twardy i niewygodny, nie umywał się do dziecięcego żelaznego łóżeczka z siatkami po bokach. Jednak nie narzekała, czuła się już duża, a z amerykanki, jeśli tylko przełożyło się poduszkę w nogi, można było oglądać telewizję!

Czarno-biały telewizor Turkus, szczególny przedmiot dumy rodziców, włączało się dopiero wieczorem. Wcześniej nie było po co, ponieważ emisję programu zaczynano po południu. Co innego w niedzielę i święta, wtedy już od rana leciały amerykańskie kreskówki oraz filmy familijne, które szczególnie miło oglądało się późną jesienią i zimą, gdy na dworze lał deszcz lub ściskał mróz, a w pokoju huczał rozpalony kaflowy piec.

Tego roku w dzień Wszystkich Świętych na cmentarz dziewczynka szła tylko z tatą. Mama i Urszulka zostały w domu. Dziewczynka była szczęśliwa, że ma tatę wyłącznie dla siebie i na tak długo! Tata był rzadkim gościem w domu. Widywała go w zasadzie tylko w niedziele oraz podczas powrotu z przedszkola, bo potem, zjadłszy pośpiesznie obiad, pakował swoje zeszyty i książki i pędził do szkoły wieczorowej, gdzie cztery razy w tygodniu uczył się na technika elektryka. Zostało mu jeszcze dwa lata nauki. Potem będzie miał już wolny każdy wieczór. Muszą jakoś wytrzymać.

Szli i szli, przeciskając się przez zmierzający ku cmentarzowi tłum. Mijali kobiety ubrane w futra oraz mężczyzn w jesionkach z futrzanymi kołnierzami lub pelisach i w kapeluszach. Tego dnia wszyscy wyjmowali z szaf świąteczne, pachnące naftaliną zimowe okrycia. Na co dzień nie widywała ludzi tak elegancko ubranych. Często nosili nicowane płaszcze, uszyte z koca kurtki czy watowane kufajki, do nich berety z antenką, a kobiety chustki. Wyraźnie oddzielali dzień powszedni od niedzieli i święta.

Dzieci również ubierało się w futerka lub haftowane kożuszki. Ona właśnie miała na sobie taki wyszywany kolorowym kordonkiem kożuszek z barankiem. Zapinany na plecione skórzane guziki, był niezwykle atrakcyjny z jednego powodu. Pętelka pierwszego od góry, rzadko zapinanego guzika, sterczała tuż przy ustach i dziewczynka nabrała znienawidzonego przez matkę zwyczaju jej żucia. Co w niej było takiego smacznego?! Matka się denerwowała, dziewczynka żuła pętelkę skrycie, kiedy z przedszkola odbierał ją brat cioteczny, Władek. Ale najlepiej pętelka smakowała podczas jazdy na sankach, kiedy ten, kto ciągnął za sznur, odwrócony do niej plecami, nie dostrzegał grzechu dziewczynki, a i ona sama również o nim zapominając, żuła zapamiętale zapleciony w warkoczyk rzemyk i niczym księżniczka ze swej karety słała dumne spojrzenia mijanym przechodniom.

W tłumie tata nie zwracał na nią uwagi. Wypatrywał znajomych, szukał przejścia, ale trzymał ją mocno za rękę. Obydwoje, jakby się umówili, zdjęli rękawiczki. Dziewczynka wełniane, połączone sznurkiem i zwisające z rękawów kożucha, tata — skórzane, bo zawsze mu było gorąco. Ten dotyk, czasem lekkie uściśnięcie, wystarczał, aby dziewczynka czuła się spokojna i szczęśliwa.

Na cmentarz chodziło się w zasadzie raz do roku, we Wszystkich Świętych. Tego dnia od ulicy Budowlanej aż do samej bramy ciągnęły się tymczasowe kramiki ze zniczami, kwiatami, cukrową watą, różnymi odpustowymi świecidełkami. Już za dnia cmentarz wyglądał odświętnie. Przepiękne doniczkowe chryzantemy lub sztuczne kwiaty z kolorowych bibułek, a także zielone gałązki, jak okiem sięgnąć rozlewały się w kolorowe plamy. Jednak dopiero wieczorem robił naprawdę wielkie wrażenie. Widoczna z daleka pomarańczowa łuna zawisała nad grobami, wżerając się w granatowe niebo. Z górki przy grobie babci dziewczynka widziała przed sobą morze maleńkich ogników, pełgających w podmuchach wiatru. Żyli jeszcze wtedy dziadek Władysław, ciotka Halina i jej mąż, wujek Władek, stryjek Grzesiek, stryjek Poldek, ciotka Janina, oboje dziadkowie Tokarscy, sąsiedzi z Warszawskiej. Marek był młodym chłopakiem i nie wiedział, że kiedyś, po rozwodzie, przyjdzie mu dzielić grób z byłą żoną, Lucyną. Żyli jeszcze Lidzia i Władek.

Rodzina Czesławy i Władysława Gutowskich sprowadziła się do Mińska tuż przed wojną, matka dziewczynki po ukończeniu szkoły nauczycielskiej w Siennicy przed kilku laty, dlatego mieli tylko dwa groby do odwiedzenia. Jeśli do grobu babci Gutowskiej szło się wygodnie dość szeroką alejką, to aby dostać się do tego drugiego, grobu siostry taty, Joanny, trzeba było przedzierać się przez wąskie ścieżki, a niejednokrotnie nawet deptać cudze nagrobki, ponieważ w tej części cmentarza, bliżej muru od zachodniej strony, chowano ludzi bez żadnego planu, bez myśli o tym, że od czasu do czasu ktoś zechce tu przyjść, aby zapalić świeczkę czy pomodlić się za dusze swych bliskich.

Dziewczynka czuła dumę, kiedy wyjmowała z siatki znicz i podawała tacie, aby zapalił go na grobie babci, której nigdy nie poznała. Zgodnie z życzeniem wyrażonym przed śmiercią, babcię pochowano na samym końcu cmentarza. Ze wzniesienia widać tu fragment parku, rozlewisko rzeki Srebrnej, a na drugim brzegu nieodległy Zespół Szkół Budowlanych. Tam właśnie tata się uczy! Na lewo, ponad murem cmentarnym, wznoszą się zabudowania fabryczne, a z tyłu rozciąga się nierówny teren dawnej żwirowni. To koniec starego cmentarza, ale wkrótce ten teren zostanie oddany pod nowe groby.

Dziewczynkę głęboko poruszała magia cmentarza pełnego świateł i kwiatów. Ale jeszcze bardziej dumna była z tego nieczęstego sam na sam z ojcem. Był dla niej kimś wyjątkowym. Młody, przystojny, wiecznie uśmiechnięty, z falującymi lekko włosami. Mówili, że jest do niego podobna. Jak on miała niebieskoszare oczy i kręcone jasne włosy. Kochała go tak bardzo, że kiedy wrócił późną nocą z jakiegoś kilkudniowego kursu czy szkolenia, musiał skulony w kłębek położyć się obok niej w malutkim dziecięcym łóżeczku, bo inaczej nie chciała usnąć. Kochała jego dłonie, kiedy mył ją w przynoszonej ze stryszku małej cynkowanej wanience. Lubiła jeździć z nim na motorze, lubiła, kiedy odbierał ją z przedszkola. Idąc piechotą, obowiązkowo wskakiwała na wszystkie schodki, a jeśli schodków akurat nie było, podskakiwali razem, wyśpiewując jakąś piosenkę lub rymowankę. Ale teraz, skupiona, mocno trzymała jego dłoń. Czuła chłód i cieszyła się, że w domu czeka ich gorący obiad. Szli jednak nieśpiesznie, rozmawiając.

Kiedy wrócili, jeszcze na schodach poczuli zapach ciastek. Okazało się, że gdy Ula spała, mama zagniotła kruche ciasto ze skwarkami i wycisnąwszy przez maszynkę kilka różnych wzorów, upiekła je w elektrycznym piecyku, stojącym na małej jednokomorowej lodówce. Pięknie wypieczone, złociste ciastka były jeszcze gorące, zresztą i tak nikt by nie pozwolił ich tknąć przed obiadem. Pewnych zasad w tym domu się nie łamało. Ale co to będzie za uczta podczas podwieczorku! Jeśli mama zrobi też kisiel z torebki, będzie można oglądać telewizję i maczać ciastka w kisielu, a potem zlizywać go niczym lody i wysysać to, co zdążyło wsiąknąć w miąższ ciastka.

W ciepłej kuchni dziewczynka z zadziwiającą u niej żarłocznością jadła zupę pomidorową z makaronem, marząc o chwili, kiedy będzie mogła nałożyć sobie na talerzyk górkę ciastek, usiąść na wersalce i obejrzeć ulubiony film przyrodniczy. Tata włączył telewizor i pochłonięta

ciastkami oraz życiem afrykańskiej sawanny dziewczynka początkowo nie zauważyła, że mama przysiadła na
krześle obok i karmi Urszulkę. Kiedy to spostrzegła, podeszła do nich i głosem, który nieudolnie usiłował ukryć
delikatną nutę zazdrości, zapytała:

— Opowiesz mi o dniu, w którym się urodziłam?

Mama nie dała się długo prosić.

— To było lato. Wakacje. Koniec lipca. Porodówka
mieściła się wówczas przy ulicy Świerczewskiego, niedaleko stacji, w takim zwykłym domu jak nasz.

— Pokazywałaś mi kiedyś!

— Zbliżał się termin porodu, zgłosiłam się więc, dostałam łóżko i leżałam tam przez dwa dni, ale ty jeszcze
nie chciałaś się urodzić. Nudziło mi się. Tata, wracając
z pracy, zobaczył, co się dzieje, wezwał dorożkę i zabrał
mnie do domu.

— Dorożkę?...

— Taki pojazd, rodzaj powozu. Tata jechał na rowerze z tyłu. W domu zabrałam się do sprzątania i innych
czynności. Usłyszała mnie sąsiadka.

— Pani Czajkowa?

— Tak, pani Czajkowa. Doradzała, abym jednak wróciła do szpitala, bo kiedy zacznę rodzić w nocy, będzie
kłopot.

— Posłuchałaś jej?

— Tak. Zabrałam rzeczy i poszliśmy z tatą z powrotem na porodówkę.

— Taki kawał?

— Był piękny, ciepły lipcowy wieczór, dobrze się czułam. To był przyjemny spacer. Moje łóżko stało puste.

Niedługo potem poczułam, że zaczyna się poród. Urodziłaś się między drugą a trzecią w nocy.

— Czy byłam tak samo ładna jak Urszulka?

— Byłaś najpiękniejsza! Miałaś śliczne jasne włoski i niebieskie oczy. I w ogóle nie płakałaś.

— Z porodówki do domu też wracałyśmy dorożką?

— Tak! A wujek Władek specjalnie upiekł chałkę „dla królewny". Bo byłaś naszą królewną.

— Teraz Urszulka jest królewną.

— Nie, teraz mamy dwie królewny! — Mama widzi, że noworodek zasnął przy piersi. Delikatnie wyjmuje sutek z ust córeczki, rąbkiem pieluchy wyciera spływającą po buzi strużkę mleka. Trzyma dziecko, póki mu się nie odbije, i niesie becik do łóżeczka.

— Ja z babcią szyłam te pieluszki! — chwali się starsza córka.

— Dziękuję! Bardzo się przydają. — Mama głaszcze ją po głowie i podchodzi do telewizora, aby ściszyć dźwięk.

Dziewczynka nie jest już tak bardzo zainteresowana filmem. Wychodzą obie z pokoju, cicho zamykając za sobą drzwi.

W przedpokoju tata stoi na stołeczku i w pustej framudze drzwi kuchennych zawiesza grubą zasłonę z koca.

— Poczytasz mi, kiedy skończysz? — przymila się dziewczynka.

— Może później. Muszę jeszcze założyć rurę na fajerki.

— A po co?

— Żeby kuchnia dobrze się nagrzewała, kiedy was kąpiemy. I żeby w domu było ciepło. Idzie zima.

Mężczyzna przynosi ze stryszku metalową rurę wygiętą w kształt litery U i mocuje ją w dwóch tylnych fajerkach kuchni.

— Teraz ciepło z kuchni nie będzie uciekało do komina — mówi.

I rzeczywiście, po godzinie intensywnego palenia pod kuchnią rura, podobnie zresztą jak i płyta kuchenna, są aż czerwone z gorąca. Tata na chwilę gasi światło i patrzą wspólnie na ten dziw. Dziewczynka lubi siedzieć przy zgaszonym świetle i przyglądać się czerwieniejącej płycie, czuć się bezpiecznie przy rodzicach i czekać na kąpiel. W kuchni jest ciepło, przyjemnie. Dwa wielkie gary z wodą poczynają bulgotać. Za oknem już ciemności, czas zacząć przygotowania do kąpieli.

Wanienkę ustawia się na stole, tata zawija rękawy koszuli, wlewa wodę, zanurza łokieć, aby sprawdzić temperaturę. Potem kładzie sobie młodszą córkę na żylastej ręce i myje ją delikatnie, starając się nie nalać jej mydlin do oczu, a dziecko macha nóżkami z radości. Starsza siostra asystuje, będąc w pogotowiu, gdyby okazało się, że trzeba coś podać. Zawinięte w ręcznik maleństwo tata kładzie na stole. Teraz mama dokonuje reszty zabiegów. Wyciera główkę, czesze rzadkie włoski, obcina maleńkie paznokietki, osypuje grubiutkie nóżki talkiem. Te wszystkie rytuały kończą się dość szybko. Mama ubiera Ulę i idzie z nią do pokoju, gdzie karmi ją jeszcze przed snem i kładzie do łóżeczka.

Wtedy następuje kąpiel starszej córki, z końcowym akcentem — płukaniem głowy deszczówką z octem. Deszczówkę zbiera się do specjalnie podstawionego pod rynnę kotła, a przed kąpielą przynosi tyle, ile potrzeba. Włosy wypłukane w takiej wodzie są miękkie i jedwabiste. Wreszcie można rozpocząć to, co długo stanowiło o atrakcyjności kąpieli: bujanie na ręczniku! Bardzo duży ręcznik kąpielowy w wielkie róże rozrzucone na łososiowym tle pełni rolę domowej huśtawki. Rodzice biorą ręcznik i unosząc go odrobinę nad podłogą, huśtają nim w prawo i lewo. Tę część kąpieli obie córki lubiły najbardziej. Gdy tylko trochę podrosła, także młodsza brała udział w tym domowym rytuale.

Potem dziewczynka ubierała się w piżamkę i szła do pokoju, gdzie między kaflowym piecem a szafą stało jej żelazne łóżeczko z unoszonymi sznurkowymi ściankami. W pokoju było chłodniej niż w rozgrzanej kuchni i przyjemnie nurkowało się w pościeli. Czasami tata rozgrzewał dziecięcą kołderkę na piecu lub mama lała gorącą wodę do gumowego termofora. Zawinięty we flanelową szmatkę albo w ręcznik, dotykany z ostrożna, rozgrzewał wiecznie zziębnięte stopy małego Chudusia. Rodzice po cichu zamykali drzwi do pokoju, sami zaś szli do kuchni, pozwalając córce zasnąć.

Teraz jednak dziewczynka nie wskakiwała do żelaznego łóżeczka. Oddała je przecież młodszej siostrze. Kładła się grzecznie na twardej amerykance i czekała na sen. Tata starannie otulał ją kołderką, mówił „dobranoc" i wychodził z ciemnego pokoju, ze względu na malucha bowiem rodzice nie włączali światła.

— Nie zamykaj… — prosiła wtedy zazwyczaj starsza córka.

Zanim zaśnie, chciała jeszcze słyszeć ciche dźwięki dobiegające z kuchni, półgłosem prowadzoną rozmowę rodziców, stukanie sprzętów, wszystko stłumione przez uchyloną teraz lekko grubą zasłonę z koca. Ojciec pochylił się i wyszeptał jej do ucha:

— Śpij smacznie! Jutro wracasz do przedszkola.

Dziewczynka westchnęła. Nie wiedziała: cieszyć się czy smucić. Lubiła przedszkole, lubiła swoich kolegów, ale chciała też czuć się potrzebna mamie, stać przy Urszulce, kiedy ją o to proszono, i jej pilnować. Lubiła głaskać ją po policzku i patrzeć, jak nagle uśmiecha się przez sen. Polubiła nawet swój nowy obowiązek: chodzenie do sklepu.

Nie było to wcale takie proste. Aby zrobić zakupy, należało najpierw przejść przez ruchliwą ulicę Warszawską. Stare zdjęcia pokazują, że w tych czasach jezdnię tworzą trzy pasy. Pośrodku jest gładka, wyłożona bazaltowymi czarnymi kostkami, po bokach zaś ma dwa szerokie pobocza utwardzone kamieniami, które wtedy nazywano kocimi łbami. Tędy poruszają się furmanki, środek jest zarezerwowany dla samochodów i na zdjęciach niemal całkiem pusty. Jezdnia w odróżnieniu od kocich łbów jest idealnie równa, ale też straszliwie śliska. Kiedy popadał deszcz, dochodziło z tego powodu do wypadków i stłuczek.

Na Warszawskiej trzeba jednak uważać, czy zza zakrętu nie nadjeżdża przypadkiem jakieś auto lub furmanka. Czasami dziewczynka musi trochę poczekać na wolną drogę. W spożywczym kupuje przede wszystkim mleko do aluminiowej bańki.

— Dwa litry mleka! — prosiła zazwyczaj.

Ekspedientka w białym fartuchu i z obowiązkowym paskiem cienkiej koronkowej wstążeczki przypiętej dwiema wsuwkami do natapirowanych blond włosów wychodziła zza lady, otwierała bańkę i aluminiowym czerpakiem nalewała dwie litrowe miarki mleka. W tym sklepie, który należał zapewne do jednej z dwóch istniejących wtedy sieci: PSS (Powszechna Spółdzielnia Spożywców „Społem") lub MHD (Miejski Handel Detaliczny), dziewczynka kupowała też cukier, sól, mąkę czy śmietanę. Z fascynacją popatrywała na kontuar, gdzie stały dyżurne kilkukilogramowe kostki smalcu oraz brunatnej marmolady wieloowocowej. Sklepowa odcinała je wielkim nożem, zsuwała na trzymany w dłoni papier i kładła na szklany talerz wagi szalkowej. Ciężar do jednego kilograma pokazywała strzałka, wychylając się w prawo na podziałce, cięższe zakupy ważono za pomocą kilogramowych odważników, stawiając je na okrągłej, metalowej, zawsze nieco startej szalce, podczas gdy ta, na której kładziono towary, wykonana ze szkła, miała kształt kwadratu i była nieco większa.

Gutowscy też mieli w domu wagę, ale inną, obie jej szalki były identyczne i przypominały niewielkie talerze z podwiniętymi brzegami. Komplet z wagą stanowiły odważniki metalowe — pół-, jedno- i dwukilogramowy — oraz ceramiczne, zebrane w drewnianym stojaczku: dwudziesto-, dziesięcio-, pięcio-, dwu-, jedno- i półdekagramowe. Dziewczynka nawet bez towarzystwa lubiła bawić się w ważenie różnych przedmiotów i artykułów spożywczych. Miniaturowe plastikowe wagi dzieci dostawały też czasem jako prezent, ale waga zabawka nie umywała się do prawdziwej.

Obok wagi w sklepie leżał przygotowany zawczasu papier do pakowania towarów. Kiedy go zabrakło, sklepowa cięła nożem duży arkusz na mniejsze kawałki. Papier bywał grubszy i sztywniejszy, z widocznymi włókienkami, czasem cieńszy, niekiedy lekko połyskiwał, a na zewnętrznej stronie miał jakiś delikatny nadruk. I choć zawsze był w odcieniu brązu, nie wiedzieć czemu nazywano go szarym.

Teraz ekspedientka liczyła wartość zakupu. Elektrycznych kas nie spotykało się w każdym sklepie, musiała więc przemnożyć wagę przez cenę za kilogram, licząc na papierze. Jeśli zakupów było więcej, spisywała jeden pod drugim, na końcu dodając je do siebie. Czasami używała liczydeł, nierzadko zdarzało się, że robiła błąd w rachunku, co można było sprawdzić, gdy kupiony artykuł owinęła w papier z wyliczeniem.

Po tej samej, czyli nieparzystej stronie ulicy Warszawskiej, nieco w lewo, patrząc z bramy podwórka Gutowskich, stał kiosk RUCH-u. Biegało się tam po gazety, pastę do zębów Lechia w niebieskiej tubce i również niebieski szampon do włosów z dziwnym napisem „Shampoo”. Niektórzy nie potrafili przeczytać tego obcojęzycznego napisu i mówili „szajpon”, na co ci bardziej obeznani wydymali wargi. Wiedzieli przecież, że mówi się „szampion”. Tam tata kupował papierosy, zazwyczaj sporty, czasem giewonty. Sąsiadka paliła płaskie w twardym pudełku, wyłożone nie zwyczajnym papierkiem, ale sreberkiem, które nadawało papierosom ekskluzywny wygląd.

Kiedy w domu brakowało chleba, dziewczynka nie musiała przechodzić na drugą stronę ulicy, bo piekarnia Gańków znajdowała się zaledwie o trzy posesje dalej w kierunku kościoła. W malutkim sklepiku rozkosznie pachniało gorącym pieczywem, a wielkie, dwukilowe bochenki z rumianą skórką rozchodziły się błyskawicznie. Kupowało się tu też najlepszą maślaną chałkę posypaną kruszonką, murarki, duże blade bułki z jednym nacięciem pośrodku, nacięte gwiaździście chrupkie małe kajzerki oraz posypane makiem małgorzatki i obwarzanki.

Sen nie przychodzi. Pokój, początkowo ciemny, z wolna szarzeje, oczy rozróżniają coraz więcej kształtów. Noc z granatowej powoli robi się ciemnoniebieska. Bezlistne gałęzie ogromnego jesionu poruszają się. Leżąc głową w kierunku okna, dziewczynka widzi je teraz do góry nogami. Gałęzie machają do niej, jakby chciały porozmawiać. Przygląda im się zwinięta w kłębek.

Za piekarnią znajdował się sklep winno-cukierniczy, w którym królowała pani Kucharska. Matka dziewczynki uczyła jej syna, Marka, sympatycznego małego piegusa w okularach. Chodziło się tam, aby wymienić pusty syfon na wodę sodową, bo woda ze studni nasączana dwutlenkiem węgla w domowym syfonie nie była jednak tak smaczna. Tam kupowało się oranżadę, która stała w drewnianych skrzynkach tuż przy drzwiach sklepu. Szklane butelki, białe, zielone lub brązowe, z ceramicznym kapslem umocowanym na drucianym mechanizmie skrywały cudowną pokusę. Czerwona albo żółta oraz biała, ulubiona oranżada dziewczynki, wszystkie chyba miały jednakowy smak. Cena butelki — 1,60 zł — nie przekraczała możliwości dziecka. Tam kupowało się też podpiwek oraz soki (soki nazywały się Płynny owoc). Płynny owoc w wąskich butelkach 0,33 l. W rodzinie kupowało się te z czarnej porzeczki, jabłka i wiśni. Tam z pewnością przed uroczystościami domowymi rodzice dziewczynki chodzili po wino, naturalnie pośledniejszego gatunku, najpewniej węgierskie, bułgarskie lub jugosłowiańskie, a także po rzadko pojawiające się w ich domu piwo.

W sklepie były też oczywiście słodycze: czekolada, zwłaszcza dyżurna Jedyna Wedla, bombonierki, batony Krymskie, sezamki i pyszne wiewiórki, czyli kawałki orzechów laskowych sklejone zastygniętym syropem. Galaretki najczęściej sprzedawano na wagę, przeważnie obsypane cukrem zielone, żółte i czerwone półkola, a także krojone z bloku, gdzie smaki układały się poziomo jeden na drugim, tworząc apetyczny kolorowy pasiak. Na wagę kupowało się tu też blok: kakaową masę, w której zatopiono okruchy herbatników, oraz chałwę. Za dwadzieścia czy trzydzieści groszy kupowało się czerwone lizaki w kształcie zwierząt: koguta albo konia, a potem znacznie droższe, w kształcie koła z kwiatkiem w środku.

Tu się przychodziło, aby spełnić marzenie o różnych cukierkach w szeleszczących papierkach lub złotkach. Zapakowano je jeszcze w fabryce do małych celofanowych torebek albo sprzedawano na wagę wprost z przeszklonych półek. Szczytem wykwintu była Mieszanka

Wedlowska, z której dziewczynka nieodmiennie wyjmowała najpierw pierroty i bajeczne. Lubiła też landrynki, miętusy oraz wspaniałe, nasączane alkoholem kukułki. Smakowały jej ciągnące się krówki, raczki, irysy, zwłaszcza te z sezamem, a może jeszcze bardziej zapakowane w rulon dropsy, szczególnie miętowe. No i były też perełki, malutkie czarne cukiereczki pakowane w okrągłe plastikowe pudełko z dziurką. Wysypywało się je z tego pudełka wprost na język. Co za rozkosz!

Sklep oferował również ciastka. Od skromnych petit beurre'ów przez andruty — wafle przekładane nadzieniem cytrynowym lub kakaowym, niemiłosiernie oblepiające zęby pierniki Katarzynki i te w kształcie serca, oblewane czekoladą, które dziewczynka lubiła najbardziej, po obwarzanki na szarym papierowym sznurku, przechowywane w dużej foliowej torbie i sprzedawane na sztuki.

W plastikowych opakowaniach kupowało się też ryż preparowany i tu wreszcie można było dostać cudownie szczypiący w język specyfik, zwany oranżadą w proszku. Tak, ten sklep usytuowany na samym rogu Warszawskiej i Błoni był jedną wielką pokusą!

Jako trzylatka mała Ula pójdzie tam kiedyś, dźwigając płócienny woreczek pełen monet z utargu prowadzonego przez mamę sklepiku szkolnego. Z trudem podniesie ciężar na wysokość lady, rzuci go niczym trofeum i powie:

— Dużą cekolade poprose!

Zdumiona matka zauważy, że dziecko wymknęło się z podwórka dopiero wtedy, kiedy pani Kucharska każe Markowi odprowadzić Ulę do domu. Wejdzie triumfująca, z czekoladą w dłoni. Utarg sklepiku pozostanie nienaruszony.

Przy Warszawskiej, między ulicami Błonie i Siennicką, stało wtedy kilka starych drewnianych budynków, które wkrótce miały zostać wyburzone. Znajdowały się tam różne punkty usługowe i sklepiki. Na ich miejscu powstanie wkrótce długi blok mieszkalny w kształcie litery L z charakterystyczną zewnętrzną galerią i przestronnymi, nowoczesnymi sklepami na parterze. Wielkie szklane witryny będą przyciągały wzrok przechodniów. Rodzina będzie miała wreszcie blisko do apteki i na pocztę! Budynek połączy się z drugim, zbudowanym wcześniej, stojącym frontem do rynku. Pomiędzy nimi pozostanie plomba, stary murowany dwupiętrowy dom, który dotrwa do dziś. W tym starym właśnie są Delikatesy. Mama będzie coraz częściej posyłała tu starszą córkę na zakupy. W ciągu sklepów znajdą się również: sklep sportowy, odzieżowy ze stoiskiem kosmetycznym, obuwniczy, spożywczy, niewielka kwiaciarnia oraz RTV, nazywany wtedy ZURiT (Zakład Usług Radiotechnicznych i Telewizyjnych), ponieważ na zapleczu wykonywano także naprawy.

Wschodnia pierzeja mińskiego rynku ucywilizuje się dużo szybciej niż zachodnia, która całe lata przetrwa w swej pierwotnej drewnianej zabudowie, przypominającej żydowskie korzenie miasta. To tu mieszkańcy odwiedzać będą ostatnie prywatne sklepiki: szewski, papierniczy i galanteryjny pani Niemczakowej. Na myśl o tym sklepie dziewczynka aż uśmiechnęła się do siebie. Można tam było dostać wszystkie najbardziej rozpalające wyobraźnię ówczesne gadżety, choćby celofanową piłkę na gumce, niby-pudełko zapałek, z którego po wysunięciu wyskakiwały malutkie plastikowe myszki, biała z jednej, a czarna z drugiej strony. Chłopcy lubili nimi straszyć dziewczynki, podobnie jak gumową głową diabełka, który po naciśnięciu w okolicy uszu pokazywał czerwony język. Tam kupowało się również akcesoria do szycia i dziergania: suwaki, nici, gumę do majtek, sznurówki, szydełka i druty. Tam można się było zaopatrzyć we wsuwki, gumki z kolorowymi kulkami, przepaski i inne ozdoby oraz spinki do włosów.

Cieszyły oko i budziły tęsknotę wciskane w małe kartoniki pierścionki z kolorowymi oczkami, plastikowe zegarki, okulary słoneczne, bransoletki, broszki, plastikowe obrączki w różnych kolorach, wisiorki, hula-hoopy, skakanki, baloniki, akcesoria do chrztu i komunii. Chłopcy wydawali tu ostatnie grosze na metalowe imitacje pistoletów, kapiszony, drewniane kolby z korkiem do strzelania, łatki do przebitych dętek rowerowych. Gospodynie domowe kupowały farbki do tkanin, wilbrę — specyfik do odświeżania koloru butów, a także pułapki na myszy. Wszystko produkowane w warsztatach gnębionych przez skarbówkę rzemieślników, którzy nie chcieli pracować na państwowym. Tu za kilka lat dziewczynka kupi sobie czerwoną plastikową torebkę, która pojedzie z nią na pierwszą wyprawę do warszawskiego teatru.

Należący do niejakiego Matejaka sklep z trumnami, usytuowany nieco dalej na południe, pełnił ówcześnie funkcję skromnej agencji pogrzebowej. Dalej na południe, w wysokim murowanym budynku, działał należący do Gminnej Spółdzielni przestronny sklep z materiałami i dywanami, a tuż obok stał niewysoki pawilon z chemią, upajająco pachnący zmieszanymi woniami proszków do prania, mydeł i farb, gdzie przed Bożym Narodzeniem rodzice dziewczynki kupią zachowane po dziś dzień srebrne bombki w kształcie sosnowych i świerkowych szyszek.

Tuż za tym sklepem, w cofniętym nieco i stojącym szczytem do ulicy Nadrzecznej murowanym, jednopiętrowym domu, w pokoju z kuchnią i z toaletą na dworze, mieszkają wujostwo Władysław i Halina Kolasińscy. Mają całą gromadę dzieci: Romana z poprzedniego małżeństwa wujka oraz Lidzię, Leszka, Marka, Władka i Halinkę. Tędy, na skróty, skacząc po kamieniach leniwie sączącej się rzeczki Srebrnej, starszy od niej o kilka lat Władek czasem odprowadzał dziewczynkę do przedszkola.

Południową pierzeję mińskiego rynku już dawno zabudowano ogromnym czworokątnym blokiem usytuowanym między rynkiem, Siennicką, Miodową i Nadrzeczną. Od północy na parterze, w długiej galerii ozdobionej podcieniami, powstał ciąg sklepów. Od Siennickiej działa tam ekskluzywna jak na mińskie warunki restauracja Bachus z atrakcyjnym wystrojem wnętrza — miedzianą rzeźbą Bachusa trzymającego kieliszek wina w dłoni. Nieczęsto tam bywali, ale kiedy im się zdarzyło, dziewczynkę niezmiennie interesowała rubinowa zawartość tego kieliszka. Dalej Pod Filarami ciągną się sklepy: z materiałami, maciupeńki pasmanteryjny, ogromny sklep z gospodarstwem domowym, mięsny i wreszcie rybny. W rybnym strasznie śmierdziało. Dziewczynka nigdy nie mogła zdecydować, czy podoba jej się, czy też odrzuca ją ten zapach. Chodziło się „Pod Filary", kupowało „Pod

Filarami", wszyscy wiedzieli, gdzie znajdują się te sklepy, i chyba nadal tak ten ciąg się nazywa.

Północną pierzeję rynku zajmował oczywiście kościół pod wezwaniem Najświętszej Marii Panny, usytuowany nieco bokiem do ulicy Warszawskiej i ozdobiony dwiema wieżami o hełmach w kształcie dzwonu. Przypuszczalnie w czasach, kiedy go budowano, trakt z Warszawy przebiegał nieco bardziej na północ, co dziś może wydawać się dziwne, i to właśnie jest przyczyną owego odchylenia. Kościół nie od zawsze górował nad miastem. Pamiętnikarz z połowy XIX wieku, Agaton Giller*, wspomina go jako niski, wieże dobudowano bowiem już w XX wieku. Ojciec dziewczynki służył tam do mszy krótko po wojnie, jednak za wyrzucanie piskląt kawek z gniazd uwitych na wieży został karnie zwolniony z tej zaszczytnej funkcji.

Rynek, obecnie Stary Rynek, największy plac miasta, długo wykorzystywany jako miejsce cotygodniowego targu, też się powoli zmieniał. Dziewczynka chodziła tu z mamą na zakupy, a nawet do rozstawionego kiedyś cyrku. Wkrótce targowisko przeniesiono znacznie dalej na zachód, w okolice ulicy Kopernika, a plac przekształcono w skwer.

Tuż za kościołem, oddzielony jedynie ulicą Ogrodową, zaczynał się park. Ocienione przez wysokie drzewa, stały tu ławki, na których jednak rzadko kogo widywano. Przed ławkami założono reprezentacyjny klomb i dobrze utrzymane ścieżki spacerowe. Nikt nigdy dziewczynce nie powiedział, że w tym miejscu, podobnie jak na

---

* Agaton Giller, *Podróż więźnia etapami do Syberyi w roku 1854*, F.A. Brockhaus, Lipsk 1866.

wprost kościoła po przeciwnej stronie rynku, przed wojną stały liczne żydowskie domy.

Za plecami zachodniej pierzei rynku z północy na południe płynie niewielka rzeczka Srebrna. Tę piękną nazwę mieszkańcy nie bez pewnej racji zmieniali notorycznie na Śmierdzianka, widząc na raz po raz wyłaniającym się dnie rzeki to wszystko, co uprzednio tam wyrzucili. Właściwie dopiero za mostkiem na Warszawskiej Srebrna zmieniała się w cuchnący, brudny rynsztok. Wcześniej obok cmentarza tworzyła efektowne, porośnięte szuwarami rozlewisko, przyciągające wędkarzy i zakochane pary. Dalej płynęła przez ładny, choć trochę zaniedbany park miejski, dawniej posiadłość Dernałowiczów. Tu, pomiędzy klasycystycznym pałacem a kościołem, tworzyła piękny staw, pośrodku którego, na niewielkiej wyspie, w małym drewnianym domku czasami gniazdowały łabędzie. Przy samej ulicy staw kończył się groblą i właśnie to spiętrzenie powodowało pewnie wysuszenie rzeczki. Dalej na południe była już nieciekawa, brudna, zaniedbana.

Pałac, najcenniejszy zabytek miasta, był wtedy we władaniu instytucji oświatowych. Większość pomieszczeń zajmowało Technikum Chemiczne, część wydzielono na Żłobek Miejski, w którym dziewczynka, zostawiana codziennie przez pracujących rodziców, czuła się jak więzień.

Tuż przy grobli, frontem do ulicy Warszawskiej, stała budka z piwem. To tu, prawdopodobnie w drodze powrotnej z przedszkola, została kiedyś poczęstowana przez ojca tym męskim napojem. Przez otwierany kranik piwo lało się po brzegu kufla, tworząc obfitą pianę. Na ten widok napłynęła jej ślinka. Kiedy wreszcie mogła umoczyć usta w gęstej pianie, napój okazał się gorzki. Nie rozumiała, jak może komuś smakować. Nieco dalej za kioskiem znajdowała się brama do parku, przez którą przedszkolaki z jej grupy na ogół wchodziły podczas dłuższych spacerów. Droga prowadziła przez wygięty łukowato drewniany mostek nad strumykiem, łączącym duży staw z mniejszym, wykopanym przy głównej bramie wjazdowej.

Ten mostek nieodmiennie zachęcał małe stópki do głośnego tupania. Dzieci pod opieką przedszkolanek szły przeważnie do tylnej części parku, gdzie na dużej łące ustawiono huśtawki. Tuż obok zapraszała do harców ogromna, otoczona niewysokim murkiem piaskownica. Wracali przeważnie drugą stroną, obchodząc pałac kołem, i wychodzili obok bramy wjazdowej.

Plac przed pałacem, mniejszy niż rynek, jednak pusty i odgrodzony od ruchliwej ulicy Warszawskiej, służył różnym celom społecznym, między innymi zebraniu wszystkich uczestników pochodu pierwszomajowego. Nieco z boku stała wielka konstrukcja kina letniego z wąską sceną. Dziewczynkę przez wiele lat fascynowała ta budowla, chyba nigdy jednak nie udało jej się zobaczyć tu żadnego filmu, ale wiele lat później, z zapomnianej już okazji, wystąpi tu jako członkini chóru Szkoły Podstawowej nr 1 pod dyrekcją Stanisława Woźnicy.

Po tej stronie ulicy Warszawskiej, na wysokości kina, nieco później powstała kawiarnia Przyjaźń, która sąsiadowała przez lata z ceglasto-kremowym pomnikiem żołnierzy radzieckich, zwieńczonym pięcioramienną gwiazdą. Dziewczynka nie rozumiała jeszcze wtedy ironii losu, który sprawił, że postawiono go niemal na wprost dużej figury Matki Boskiej ze świecącą wieczorami aureolą. Była to chyba nadgorliwość jednego z miejskich funkcjonariuszy partyjnych.

Idąc Warszawską w kierunku przedszkola, po stronie placu Kilińskiego mijało się maleńką stację benzynową. Tata często podjeżdżał tu swoją wuefemką. Dziewczynka lubiła zapach benzyny tankowanej do zbiornika z blaszanego kanistra z długą szyjką i widok drżących oparów, unoszących się ponad bakiem motocykla.

Dalej mijało się sklep z butami, gdzie rodzice w próbach pełnych męki starali się kupować córce nowe buciki. Jedynym plusem tych katuszy wielokrotnego pytania, czy są dobre, czy odpowiednie, poruszania palcem raz po raz w nowo przyniesionym bucie było to, że podczas przymiarki siedziało się na wysokim krześle z drucianą ochroną i stopniem na nogi i miało się poczucie niezmiernej ważności. Reszta była koszmarem. W tym sklepie sprzedawano też buty dla dorosłych. Dziewczynka szczególnej ochoty nabrała kiedyś na białe damskie szpilki, wystawione nie wiedzieć czemu za pięć złotych. Takie piękne buty tak tanio? Ależ by się tupało po bruku tymi szpilkami! Nie znalazła w sobie jednak odwagi, aby poprosić mamę o tak absurdalny zakup. Znała ją, mama nie pochwalała wyrzucania pieniędzy w błoto, nawet pięciu złotych byłoby jej szkoda. Dziewczynka na długie lata pozostała więc bez własnych szpilek do wychodzenia na podwórko.

Po tej samej parzystej stronie ulicy Warszawskiej, idąc ku zachodowi, dochodziło się do mydlarni Osetowskiego, gdzie już z wystawy jaskrawe szminki Celii kusiły niejedną mińską elegantkę. Sprzedawano tu też kremy, lakiery do włosów i paznokci oraz perfumy, nieodmiennie o zapachu kwiatowym, na przykład maków czy hiacyntów, pewnie również nieśmiertelne Być może... W tym sklepie kupowało się także chemię gospodarczą, proszki do prania, szczotki ryżowe do szorowania podłóg, szczotki do zamiatania, farby i pędzle oraz gumowe wałki z gotowymi wzorami, jakie nanosiło się na pomalowaną tłem ścianę, uzyskując na przykład efekt białych chmurek na niebieskim niebie.

Do mydlarni przylegał ogród szczelnie zasłonięty przed wzrokiem wścibskich. Dziewczynka zawsze chciała tam zajrzeć i nigdy nie miała okazji. Ogród sąsiadował ze starą remizą Straży Pożarnej, która znajdowała się niemal naprzeciwko szarego dwupiętrowego budynku milicji. Dwa domy dalej, w zielonym budynku, była fascynująco pachnąca, sterylna apteka, do której wchodziło się po kilku stromych schodkach z poręczami. Tu pracowały dwie aptekarki, sąsiadki rodziców dziewczynki, czasem spotykała je podczas zakupów. Wyglądały wtedy jednak bardzo oficjalnie. Białe fartuchy czyniły je niedostępnymi boginiami zdrowia.

W następnym podwórzu za apteką działała kolejna piekarnia, do której, z racji odległości, rzadko się jednak zachodziło, chyba że wracając z przedszkola. Naprzeciwko piekarni znajdował się piękny, niedoceniany przez mieszkańców kompleks budynków poczty. Obok poczty, w skromnym drewnianym domku cofniętym w głąb podwórka, mieścił się magiel, dokąd nosiło się zawiniętą w gruby wałek, wykrochmaloną pościel. Odbierało się wyprasowaną jak list, sztywną i po obleczeniu początkowo bardzo nieprzyjemną. Każda gospodyni miała swój materiał, którym owijała pościel do magla. Tkanina mamy dziewczynki miała kolor wrzosowy. Przychodząc po odbiór, właśnie tej tkaniny szukało się wzrokiem. To po niej poznawało się w maglu swoje pranie.

Kto jeszcze pamięta, że po wielkim praniu, oprócz bielizny do magla, oddawało się także firany do naprężenia? Aby miękkie siatkowe firany ładnie wyglądały, wisząc na tle okna, powinny wyschnąć napięte na drewnianą ramę. Rama musiała być wielkości tkaniny, zatem prawie nikt nie mógł sobie przy szczupłości miejsca pozwolić na luksus jej posiadania. W tych czasach firany oddawało się do rozpięcia pewnej kobiecie, która mieszkając w służbówce na tyłach Komitetu Powiatowego PZPR, dorabiała sobie, prężąc firany na ramach rozłożonych w sali posiedzeń plenarnych. Odbierało się je z jej mieszkania, złożone na osiem, owinięte w szary papier, sztywne jak tektura, i niosło ostrożnie do domu, a potem wieszało z namaszczeniem.

Tymczasem jednak wróćmy na stronę parzystą ulicy Warszawskiej, w okolice starej poczty. Nieco za piekarnią i pustym placem, na którym kiedyś powstanie nowa remiza Straży Pożarnej, skręcało się w wąziutką uliczkę Górną, prowadzącą do przedszkola. Tu znajdował się zachodni *finis terrae*. Jednak tak daleko, zmęczona tą mentalną podróżą, dziewczynka nie dojdzie. Litościwy sen znacznie wcześniej sklei jej powieki.

IX

Schodzę po coś do piwnicy. Ogołocone ze sprzętów studio robi na mnie przygnębiające wrażenie. Zamykam drzwi, żeby nie patrzeć. Twój pokój jeszcze nieposprzątany, jakbyś miał za chwilę wrócić. Twój wiklinowy kosz z niepotrzebnymi ubraniami w pralni. Raz po raz biorę jakąś rzecz i dokładam do mojego prania.

A potem wpadasz na chwilę, bo czegoś potrzebujesz. To, co dla ciebie przygotowałam, zjadasz bardziej z grzeczności niż z głodu. Rozmowa przy stole nam się nie klei i wyraźnie widać, że nic cię już tu nie trzyma.

W domu zrobiło się cicho. Kiedyś też było cicho, ale jakoś inaczej. Tamta cisza czekała na zmącenie. Ta niczego się nie spodziewa. Jest realistką, jej oczekiwania są znikome. Czasem pies zaszczeka na przechodnia, zadzwoni telefon, włączy się pompa, karetka przemknie ulicą. Wasze pokoje stoją puste. Trzeba się do tego przyzwyczajać.

Kontakt z wami mam coraz rzadszy, coraz luźniejszy, dopuszczam do siebie absurdalne myśli, z których kiedyś pewnie bym się śmiała. Po raz pierwszy w życiu przychodzi mi do głowy pytanie, czy mnie jeszcze kochacie. Zastanawiam się nad istotą naszych więzi. Nigdy dotąd nie było mi to potrzebne.

Schodzę do kuchni. Jest posprzątana. Życie z niej wyciekło. Nic dziwnego: nie gotuję. Myśl o posiłku mnie zniechęca. Nie czuję głodu, a nawet jeśli, to otwierając lodówkę, nie znajduję tam niczego godnego uwagi. Biorę z tacy jabłko i wracam na górę. Zaledwie nadgryzione kładę obok laptopa. Chwilę później psy zaczynają o nie żebrać. Ugryzę raz czy drugi, wreszcie oddam im bez żalu. Z łokciami na biurku, głową wspartą na dłoniach i wzrokiem wbitym w wygaszacz ekranu przesiedzę kilkanaście minut. Potem otworzę plik i nim zdążę cokolwiek napisać, tekst rozpłynie się w plątaninie kolorowych nitek.

Jest gorąco. Dziwne, bo coraz chłodniej na dworze, a kaloryfery letnie. Zdejmuję sweter i za chwilę robi mi się zimno. Wkładam sweter i nadal jest mi zimno. Mam chłodne dłonie i rozpalone policzki. Dochodzi pierwsza, trzeba się zbierać.

W łóżku te same korowody: zimno i gorąco na przemian. Najpierw muszę założyć skarpetki, by stopy utrzymały ciepło po kąpieli. Z uśmiechem przypominam sobie, jak tata, wstrząsając się teatralnie, mówił o moich stopach: „Zimne jak lody!". Wyobrażałam sobie wtedy górę lodową.

Zakładam skarpetki, aby je zdjąć w nocy, kiedy już się rozgrzeję. Chyba zbyt wcześnie zmieniłam kołdrę na zimową. Dni są jeszcze całkiem ciepłe, kaloryfery już włączone. Nocą robi się gorąco, zrzucam z siebie przykrycie i czekam, kiedy znów poczuję ulgę chłodu.

X

Droga do przedszkola jest długa i męcząca. Męcząca, bo zanim się wyjdzie z domu, trzeba wstać wcześnie rano. Nie ma czasu na cackanie, przytulanie, głaskanie, marudzenie. Trzeba się szybko zbierać, żeby wszyscy mogli zdążyć. Tata przed wyjściem rozpalił już w piecu i pod kuchnią, ale pozostaje poranna toaleta, śniadanie, a czasem zakupy. Muszą wyjść około siódmej, bo mama idzie do pracy na ósmą. W mieście nie ma komunikacji publicznej, a do przedszkola jest półtora kilometra. Drugie tyle mama musi przejść, wracając do szkoły.

Dziewczynkę zniechęca już sama myśl o pośpiesznym truchcie za mamą w chłodzie i deszczu. Ileż kroków muszą zrobić małe nóżki, zanim przejdą te półtora kilometra? Dla dorosłego to dwadzieścia minut marszu, dla sześcioletniego dziecka dłużej, znacznie dłużej. A dłużej to jakby dalej. Poganiane, pociągane za rękę, upominane, że trzeba iść szybko, szybciej, jak najszybciej. Gdyby już była zima, wtedy co innego, siadłoby się na sankach, mama owinęłaby kocem. W grubych filcowych tatrzankach, kożuchu, czapce i rękawiczkach, żując pętelkę, siedziałoby się i patrzyło, jak ulica bezszelestnie przesuwa się do tyłu. Ale śnieg jeszcze nie spadł, trzeba iść pieszo. Sześciolatków nie wozi się w wózku. Dlatego dziewczynka marudzi przy śniadaniu, opiera się na dłoni i bezmyślnie gapi w ścianę. Z radością przyjęłaby jakieś objawy przeziębienia. Ale nie, jak na złość czuje się całkiem zdrowa.

Korzystając ze snu Urszulki, mama podprowadza starszą córkę na Nadrzeczną. Dalej dziewczynka pójdzie z bratem ciotecznym, a mama wróci do domu. Z Władkiem idzie się o wiele wolniej, zaczyna lekcje o dziesiątej, wloką się więc krok za krokiem. Chłopcu się nie śpieszy. Najchętniej, pod jakimś ważnym pretekstem, spóźniłby się do szkoły. Najpierw przeskakują po kamieniach rzekę Srebrną, co dziewczynkę napawa radosnym przerażeniem. Gdyby tak mama się dowiedziała... Między podwórkami podchodzą do ulicy Świerczewskiego, którą starzy ludzie wciąż z uporem nazywają Karczewską, pną się pod górę piaszczystą i stromą uliczką Wronią. Dziewczynce odpowiada taki spacer. Będzie ostatnia w przedszkolu, może się nawet spóźni? Ale radość! Ominie ją obrzydłe drugie śniadanie: kasza manna, zacierki albo ryż na mleku. To już niemal całe poranne menu przedszkolnej kuchni. Może też zdąży wywietrzeć przyprawiający o mdłości zapach przypalonego mleka?

Jedna radość, że przedszkole numer 3, oddane do użytku zaledwie cztery lata temu, jest najnowsze i najładniejsze w całym Mińsku! Ma cztery duże sale z ogromnymi oknami skierowanymi na południe: dwie na parterze, te zajmują Maluchy i Krasnale, oraz dwie na piętrze dla Sarenek i Zuchów. Na parapetach stoją doniczki z kwiatami, w tym kwitnące niemal przez cały rok, brzydko pachnące pelargonie. Okna wszystkich sal wychodzą na duży plac zabaw. Z parteru przez przeszklone drzwi można wyjść wprost na ogromny taras, a zbiegając po dwóch schodkach, natychmiast znaleźć się na placu zabaw. Są tu huśtawki, piaskownica, nawet górka do zjeżdżania na sankach! Druga pociecha, że to już ostatni rok w przedszkolu! Po wakacjach zacznie się szkoła, co oznacza skok w dorosłość, a zatem wiele wspaniałych rzeczy, na przykład naukę czytania i pisania. Jednak wielką, największą i najważniejszą jest ta, że w szkole się nie leżakuje!

W przedszkolu są co prawda dzieci, z którymi można się bawić, miłe panie, spacery i zabawy na ogrodzonym placu, zajęcia z rytmiki i opowiadanie baśni. Ale to wszystko liczy się dopiero wtedy, kiedy małe nóżki pokonają już przestrzeń dzielącą dom przy Warszawskiej od przedszkola przy Armii Ludowej. Wtedy znów zaczyna być ważne, że znajdują się tu również wspaniałe kukiełki, zamknięte w kantorku przy schodach. Dziewczynka zobaczyła je kiedyś przypadkiem, gdy odnosiła instrumenty używane do rytmiki: trójkąty, marakasy i bębenki. Lalki leżały tam poniechane bez przyczyny. Tak duże, piękne i wyraziste! Mogłyby opowiedzieć wiele wspaniałych historii. Rozpaliły jej wyobraźnię, ale były też przyczyną wielkiego rozczarowania, bo nigdy nie doczekała się przedstawienia z ich udziałem.

Po drugim śniadaniu i zajęciach z panią dzieci bawią się same. Budują domy z drewnianych klocków, na duże ciężarówki pakują fikcyjne towary i przewożą z jednego końca sali w drugi, oglądają książeczki, rysują, bawią się w sklep przy małym straganie, który wygląda zupełnie jak prawdziwy. Koleżanki wypytują o przyczynę jej kilkudniowej nieobecności.

— Byłaś chora?

— Nie, urodziła mi się siostra.

Niektóre dziewczynki już wiedzą, powiedziała im wcześniej. Bardzo czekała na malucha, chwaliła się, że zostanie starszą siostrą, czując z tego powodu szczególną dumę.

— Też mi coś! — Kasia wzrusza ramionami. — Ja mam starszego brata!

Na chwilę zapada milczenie. Starszy brat jest najwyżej punktowany w hierarchii. Potem następuje starsza siostra. Posiadanie młodszego rodzeństwa nie jest żadnym honorem, splendorem ani przywilejem.

— Wszystko popsuje, zniszczy, będzie chciała ci zabrać! — dzieli się swoimi doświadczeniami Ela. — Lalkom wydłubie oczy, książeczki podrze albo porysuje, zje twoją porcję tortu. Wszyscy ci będą mówić, że jesteś już duża i musisz się podzielić. A może ja nie chcę być ciągle duża?! — kończy oskarżycielsko, podpierając się pod boki i groźnie łypiąc na koleżanki.

Niektóre wiedziały, o co jej chodzi, ale dziewczynce jakoś nie chciało się w to wszystko wierzyć. Ona pragnęła być jak najszybciej duża, a pojawienie się malucha dobitnie pokazywało jej dojrzałość. Lubiła, gdy mama podkreślała jej starszy wiek, nie czuła w związku z tym żadnego zagrożenia, nie sądziła, że kiedyś to się może zmienić. Na razie była dumna z tego, że ma młodszą siostrę.

Nagle obok półki z zabawkami zrobiło się jakieś zamieszanie.

— Jaka wołga?! — zapytała z trwogą Basia.

— Czarna! — pełnym zgrozy szeptem wyjawił Paweł.

— A widziałaś kiedyś zieloną?! — Andrzej wykrzywił się pogardliwie.

— No! — potwierdził Jacek. — Czarna z czarnymi firankami!

— Jeździ po mieście i porywa dzieci! — dramatycznym tonem kontynuuje Paweł.

Wyobraźnia Basi pracuje na wysokich obrotach, niedowierzanie w panice wycofuje się przed ogarniającym ją lękiem.

— Po co? — Basia nie mówi, jedynie porusza ustami. Nim usłyszy odpowiedź, ze strachu zaschnie jej w gardle.

— Żeby wyssać KREF! — Paweł wznosi się na szczyty aktorstwa, usta Basi drżą, łzy pędzą w dół policzków na zatracenie, jakby chciały dokądś uciec.

Basia wpada w panikę. Oto siedzi w czarnej wołdze za czarnymi firankami, w swojej ostatniej podróży na cmentarz, czując, że jakiś straszny ktoś wysysa z niej... Nie! Boi się nawet pomyśleć to słowo. Stoi ze skrzywioną miną, broda jej się trzęsie, zaraz będzie beczeć.

Dziewczynka jest świadkiem tej zbrodni popełnianej przez kolegów. Nie wie, czy to działanie z premedytacją, czy też chłopcy, wierząc w opowieść zasłyszaną od starszych dzieci, w taki sposób oswajają własny lęk. Bo w przedszkolu wciąż coś się opowiada i na ogół są to krwawe historie, podobne do tej:

Był sobie czarny, czarny las. A w tym czarnym, czarnym lesie stał czarny, czarny dom. A w tym czarnym, czarnym domu był czarny, czarny loch. A w tym czarnym, czarnym lochu stała czarna, czarna trumna. A w tej czarnej, czarnej trumnie…

Dzieci uwielbiają się nawzajem straszyć i chyba lubią się bać. Ona też się boi. Widziała dziś czarną wołgę. Samochód przejeżdżał wolno, zupełnie jakby kierowca się rozglądał, szukając ofiary, aby zawieźć ją do czarnego, czarnego domu. Może to właśnie ona jest tą ofiarą? Zaciska uda, ale czuje, że dłużej nie wytrzyma. Biegnie do łazienki i w pełnym ulgi akcie pozbywa się na chwilę myśli o wszystkich czarnych wołgach świata, które wolno krążą ulicami miast właśnie po to, aby w czarnym, czarnym domu wyssać z niej KREF. Chciałaby w ogóle nie wychodzić z ubikacji, ale już dzieci na polecenie wydane przez panią wpadają do łazienki i ustawiają się w ogonku, aby umyć ręce przed obiadem. Chcąc nie chcąc dziewczynka staje na końcu kolejki. Nagle pojawia się przy niej Andrzej.

— Nie bój się! — Próbuje ją objąć i jednocześnie zajrzeć jej w oczy.

— Ja się wcale nie boję! — Dziewczynka wzrusza ramionami, starając się nadać drżącemu głosowi butny, zadziorny ton.

Za nic w świecie nie pokaże mu, że się boi bardzo, bardzo, bardzo! Wobec niego, akurat wobec niego, będzie zawsze udawać obojętną, twardą, niezdobytą. Będzie ukrywać swój wstyd, drżenie kolan, załamujący się głos. Będzie udawać jak nigdy wobec nikogo. Tak bardzo jej na nim zależy, że przez długie lata nie zdoła wyzwolić się z tego udawania. Andrzej jej się podoba. Jest wysokim blondynem o brązowych oczach. Ma sześć lat i bardzo męski dołek w brodzie. Kiedyś się przewrócił i leciała mu z brody krew, to pewnie dlatego zrobił mu się ten dołek. Bardzo się wtedy przestraszyła.

Dzieci widzą, że Andrzej się do niej przystawia. Już ktoś pokrzykuje:

— Panna z kawalerem pod siódmym numerem!

To chyba Jacek, zazdrośnik. Dziewczynka chce pokazać mu język, ale nim to zrobi, Andrzej podejdzie do Jacka i uciszy go inaczej. Jacek się o mało nie popłacze, długo pocierając dłonią obolały nos. Wreszcie nie wiadomo, czy jest czerwony od uderzenia, czy z kataru, a może z jeszcze innej przyczyny?

Umywszy ręce, Zuchy wychodzą z łazienki i zajmują swoje stałe miejsca. Siadają na niziutkich krzesełkach przy niskich stolikach i czekają na zupę. Dziewczynkę bardziej zajmuje wpatrywanie się w plecy Andrzeja niż myślenie o czarnej wołdze. Mimo że dziś jest krupnik, zje prawie wszystko, marząc w duchu, aby podczas rozstawiania leżaków jego i jej łóżko przypadkiem znalazły się obok siebie. Nie powie mu tego oczywiście za nic w świecie, Andrzej sam o to zadba, przekładając swoją pościel. Jak mu się to wciąż udaje?

Przedszkolaki, już w piżamkach, układają się do snu. To ulubiona pora pań. Wreszcie będą mogły sobie przez chwilę odpocząć. Kiedy na sali zalega cisza, wychowawczynie wychodzą. Muszą być gdzieś niedaleko, przezornie zostawiły uchylone drzwi na korytarz, ale niemal natychmiast rozpoczynają się pierwsze, najpierw nieśmiałe, potem coraz odważniejsze, rozmowy.

Leżak dziewczynki stoi między leżakami Andrzeja i Pawła, którzy ponad jej głową snują rozważania o technologii wysysania krwi. Trochę ją to denerwuje, bo nie ma na ten temat zdania, ale odczuwa również satysfakcję, jest niemal dumna, że towarzyszy jej dwóch najfajniejszych chłopaków z grupy. Gdzieś dalej Jacek próbuje nawiązać kolejną konwersację z Basią:

— Co byś wolała mieć: siedem dziur w głowie czy dom bez okien?

Basia bez wahania wybiera dom bez okien, a Jacek z wyższością wskazuje siedem dziur w swojej głowie: oczy, uszy, nos i usta. Basia prycha obrażona. Za dużo sobie żartują dziś jej kosztem. Odwraca się od Jacka i próbuje zasnąć.

Nie jest to łatwe, bo inne dzieci rozmawiają coraz głośniej, zaczynają się wstawanie, chichoty, przemarsze do toalety, rzucanie zabawkami. Może Basia zdoła usnąć w tym harmidrze, jeśli tak, to jej strata, bo ominie ją jedno z najweselszych leżakowań. Pań wciąż nie ma. Dzieci się łudzą, że do końca spania mają labę. Andrzej z Pawłem przechwalają się, co zrobią, jeśli zobaczą gdzieś czarną wołgę. W zasadzie już teraz należałoby współczuć kierowcy i pasażerom. Kiedy wreszcie cała trójka oswaja temat na tyle, że zaczynają się śmiać, do sali niczym furia wpada rozzłoszczona bałaganem i krzykami sprzątaczka Gęsicka. W fartuchu, chustce zawiązanej z tyłu głowy, chuda, czerwona na twarzy i uzbrojona w skakankę. Rozdziela razy, sieje spustoszenie i drze się chrypliwym głosem czarownicy.

Na sali robi się cicho. Trafione skakanką dzieci pochlipują. Dziewczynka trzyma w ustach wskazujący palec lewej ręki, który krwawi i na którym ślad sprawiedliwości wymierzanej przez Gęsicką pozostanie już na zawsze. Ma poczucie krzywdy i straszliwej niesprawiedliwości, ponieważ wydaje się jej, że nie rozmawiała, a tylko słuchała, co chłopaki mówili o czarnej wołdze. Może się śmiała? Nie pamięta. Zapomni tę rozmowę, zapomni strach przed czarną wołgą, zapomni większość kolegów z przedszkola, ale nigdy już nie zapomni brzydkiej sprzątaczki, próbującej krzykiem wymusić ciszę podczas leżakowania.

Gdyby dorośli zdawali sobie sprawę, jak wiele ich reakcji zostanie na zawsze zapisanych w chłonnej dziecięcej pamięci, byliby znacznie uważniejsi, a słowa dobieraliby z większą ostrożnością. Gdyby Gęsicka wzięła z półki książkę z bajkami i zaczęła czytać, prędzej czy później uśpiłaby wszystkie przedszkolaki i zasłużyła sobie na ich wdzięczną pamięć. Nie zrobiła tego, bo nikt od niej nie wymagał, aby pracując w przedszkolu, na dodatek lubiła dzieci.

Po leżakowaniu maluchy ubierają się, składają łóżeczka i odnoszą je, układając w małym kantorku przy toalecie, inne szykują stoły do podwieczorku. Dziewczynkę szczypie rozcięty palec. Nie pokazuje go jednak pani, stara się wytrzymać. Dzisiejszy podwieczorek to kubek rzadkiego kisielu owocowego i herbatnik. Od tego momentu rozpoczyna się oczekiwanie na dyżurnego, który w poczuciu ważności swej misji już zszedł na parter i za chwilę przybiegnie do sali, anonsując dumnym głosem:

— Basia Kopańska do domu!

— Andrzej Tomczak do domu!

— Paweł Cyrkiel do domu!

Wywołane dziecko szybko zbiera swoje rzeczy, chwyta ze stołu niedojedzony herbatnik, nadgryzione jabłko, w pośpiechu dopija kisiel, rzuca paniom nieuważne „do widzenia" i nie żegnając się z kolegami, pędzi ku drzwiom, szurając po podłodze szmacianymi kapciuszkami. Koledzy zawistnym wzrokiem odprowadzają szczęściarza, który już na złamanie karku zbiega po śliskich schodach. Jeszcze trzeba tylko zabrać z szafki kurtkę, buty w worku, czapkę z szalikiem wciśniętym do środka i już można podbiec do mamy, wyściskać ją, usiąść na ławeczce i zakładając buty, odpowiadać na pytania.

Nie zdarza się niemal, żeby przedszkolak, słysząc swoje nazwisko, nie poderwał się na równe nogi, żeby marudził, chciał jeszcze choć trochę zostać, przedłużyć zabawę. A najmilsze dni to te, kiedy niespodziewanie ktoś przyjdzie po niego wcześniej, najlepiej jeszcze przed leżakowaniem, gdy ni z tego, ni z owego pojawi się w drzwiach sali roześmiana twarz mamy albo taty, który natychmiast spostrzega pani, a jeszcze szybciej dziecko, zawiadomione przez zazdroszczących mu z całej duszy kolegów. Chodzenie po mieście w czasie zwyczajowo przeznaczonym na pobyt w przedszkolu to dopiero frajda! Człowiek sam sobie od razu wydaje się dorosły, widzi miasto z zupełnie innej, dziennej perspektywy. Tak mogą się czuć więźniowie na przedterminowym zwolnieniu.

Te wcześniejsze wyjścia z przedszkola są takie wspaniałe również dlatego, że zdarzają się niezwykle rzadko. I lepiej o nich zawczasu nie wiedzieć. Bo jeśli się wie, to dzień do południa ciągnie się, jakby chciał zrobić dziecku na złość. Udowodnić, że na przekór właśnie, mimo planów wyjścia tuż po obiedzie, a może nawet o dwunastej, te cztery godziny będą się wlokły jak cały długi dzień.

Dziewczynka wychodzi z przedszkola zazwyczaj około wpół do trzeciej. Najczęściej odbiera ją tata, ma tędy po drodze z ZNTK (Zakłady Naprawcze Taboru Kolejowego), gdzie pracuje. Oboje lubią te powroty. Tata jest zawsze uśmiechnięty, żartuje, rozmawia, słucha. Dziś ona nie zdecyduje się powiedzieć mu o rozciętym palcu. Tata mógłby pójść do kierowniczki, pani Wojdygowej, i wywołać awanturę. Dziewczynka boi się Gęsickiej i tego, co woźna gotowa byłaby zrobić, żeby uprzykrzyć jej życie. Jest sama przeciwko dorosłej, dlatego rezygnuje z konfrontacji. Zresztą może rzeczywiście się śmiała? I cóż to za skaleczenie? Zaledwie mała ranka na palcu. Dlatego kiedy tata zada pytanie:

— Co robiłaś dziś w przedszkolu?

Ona mu odpowie:

— Piliśmy tran!

— Naprawdę? I jak ci smakował?

— Nie taki straszny. Każdy dostał łyżkę tranu i kawałek chleba z solą. Stanęłam pierwsza! — doda, aby zasłużyć na pochwałę.

Lubi, kiedy tata jest z niej dumny. Ale nie dlatego staje pierwsza w szeregu. Najczęściej chce mieć z głowy to, co nieuniknione, a nie, jak inne dzieci, w nieskończoność przedłużać mękę strachu. Tak samo było podczas szczepienia. Pomyślała: „Przecież da się jakoś wytrzymać to ukłucie, od tego się nie umiera". Dziewczynka lubi też wyzwania: kiedy tata był chory i musiał pić gorzkie zioła, próbowała łyk, dwa, żeby mu dodać otuchy.

— Mieliśmy szczepienie! — odpowiedziała tamtego dnia na pytanie taty.

— I jak?

— Stanęłam pierwsza! Nic nie bolało! — Wzruszyła ramionami, gotowa do przyjmowania gratulacji.

— Zuch dziewczyna! — tata pochwalił ją całkiem poważnie. A wie, co to zuch, bo jest instruktorem harcerskim.

— Dziś się przechwalaliśmy, kto ma brata albo siostrę.

— To ty już też się mogłaś przechwalać! — uśmiecha się tata.

— A Ela powiedziała, że nie chce być duża, bo jej młodszy brat wszystko zabiera i psuje.

— Czasem tak bywa z młodszym rodzeństwem.

Przez chwilę milczą, zatopieni w myślach.

— Tatusiu…

— No, co tam?

Dziewczynka nie wie, jak zacząć temat, który ją dręczy. Trochę się boi, że tata wyśmieje jej lęk. Teraz, po wyjściu z przedszkola, ona sama nie bardzo już wierzy w to, co tam usłyszała. Choć na dworze zapada zmierzch, nigdzie nie widać czarnej wołgi.

— Bardzo cię kocham! — powie tylko i rzuci mu się na szyję, odkładając rozmowę na kiedy indziej.

W domu niespodzianka! Przyjechała siostra cioteczna mamy, dwudziestoletnia Ania Kąca. Dziewczynka bardzo lubi Anię, wesołą, pulchną, zawsze uśmiechniętą, czeszącą się w modny kok-kask. Natychmiast biegnie po jedną ze swych ulubionych książek, *Pinokia* Collodiego, i staje obok ciotki, robiąc błagalną minę. Ania wzdycha i idą razem do pokoju. Tymczasem w kuchni zbiera się na burzę.

— Ania u nas zostanie! — twardo informuje żona. Widać, że już postanowiła.

— Jak to: zostanie?!

— Jeszcze nie dziś, ale jutro lub pojutrze. Tu postawimy łóżko. — Żona wskazuje kąt w kuchni. — Tam, pod oknem, jej maszynę. Będzie mi pomagała w opiece nad dziećmi, a w wolnych chwilach szyła.

— Kiedy to wymyśliłaś?! — mąż krzyczy szeptem. — Sami mamy ciasno, a co do pieniędzy... — myśli oczywiście o czymś zupełnie innym.

— Ona nic nie chce, tylko się wyrwać z domu. Od jakiegoś chłopaka ucieka, co jej go swatają.

— A jeśli on tu przyjedzie z awanturą?

— Niech tylko spróbuje, to będzie miał ze mną do czynienia! — odgraża się młoda matka.

Mężczyzna wzdycha głęboko. Czuje, że żona już podjęła decyzję. Jak tu teraz podnosić kwestię utraconej na pół roku intymności? Tymczasem z pokoju przybiega dziewczynka:

— Ula się obudziła i słuchała razem ze mną!

Kobieta wstaje i idzie do niemowlęcia, które już zaczyna płakać. W pokoju kiwa głową do kuzynki. Niczym dwaj spiskowcy wymieniają porozumiewawcze uśmiechy.

Sprawa konkurenta do jej ręki szybko się wyjaśnia. To chłopak z drugiej wsi, z którym Anka zerwała jakiś czas temu.

— Ani on piękny, ani dobry, ani bogaty — mówi przy herbacie. — Zwyczajny taki. Poszłam z nim parę razy na zabawę, to mu się coś ubzdurało, że już od razu żoną zostanę. Ja nie chcę mieszkać na wsi. Praca na roli to wieczne umęczenie, zresztą sama wiesz — tłumaczy. — A mnie się marzy inne życie. Chciałabym zobaczyć kawałek świata, nie tylko krowy i świnie, żniwa i sianokosy, obrządek i gnój. Ja mam fach, z krawiectwa idzie wyżyć. Tylko jak rodziców przekonać? — zastanawia się głośno. Liczy na kuzynkę, bo się usamodzielniła i wybiła. Jest nauczycielką w mieście, przetarła ścieżkę, na którą ona właśnie zamierza wkroczyć. — Pomożesz mi? — pyta z nadzieją.

Młoda matka widzi dla siebie same korzyści. Tak, będzie ciasno, ale przecież urlop macierzyński trwa tylko trzy miesiące, musiałaby oddać dziecko do żłobka, a tu się trafia darmowa pomoc! Jak nie skorzystać?

— Aniu, proszę, nie skończyłyśmy bajki! — dziewczynka próbuje nakłonić ciotkę do czytania. To ulubiona rozrywka i w jej egzekwowaniu potrafi być naprawdę męcząca.

— Daj Ani spokój, poczyta ci kiedy indziej. Będzie teraz z nami mieszkała! — informuje matka, a dziewczynka robi zdumioną minę. Zastanawia się szybko i nagle na jej twarzy pojawia się smutek.

— Ale gdzie ona... Czy ja będę musiała... Gdzie ona będzie... spać? — przez zaciśnięte gardło wyjawia wreszcie swoje obawy.

— W kuchni — Anka pospiesza z wyjaśnieniami.

— Bo może byś chciała... Na amerykance?... — pyta dziewczynka. Widać, ile ją to kosztuje.

Jednocześnie trochę się wstydzi, bo oddałaby wszystko, by nie musieć wracać do żelaznego łóżeczka ze sznurkowymi bokami. Tam zresztą teraz śpi Ula, gdzie ona się podzieje? W ten mętlik uczuć dziecka zdecydowanie wkracza mama.

— Nie martw się, coś wymyślimy.

Tego dnia Anka nie nocuje jeszcze u kuzynki. Nie przywiozła przecież swoich rzeczy. Wraca ostatnim autobusem, ale jutro, najdalej pojutrze, przyjedzie z niewielką kartonową walizką i zostanie aż do wakacji.

Już na trzeci dzień okazuje się, że jej obecność rozwiązuje wiele podstawowych kwestii. Dziewczynka może pospać pół godziny dłużej. Do przedszkola nie musi truchtać w pośpiechu, może do woli przypatrywać się swemu miastu, które jest dla niej na razie całym światem. Teraz ten świat rozciąga się między leżącą na wschodzie Barczącą a przedszkolem i między cmentarzem na północy a Szkołą Podstawową nr 4, miejscem pracy mamy, na południu. Z każdym rokiem będzie się trochę powiększał, zagarnie czterdziestokilometrową połać ziemi przy pierwszej świadomej podróży do Warszawy. Rozciągnie się nieco na wschód podczas wyjazdów do dalszej rodziny, aż do Piaseczna czy Małej Wsi. Każda podróż, każda wycieczka będą jak wojenne podbijanie terytoriów i rozszerzą w głowie dziewczynki mapę jej małego świata.

A ona będzie mu się przyglądać i radośnie dzielić spostrzeżeniami. Niestety, ma ich mnóstwo. Właściwie nie zamyka buzi. W tej nieustającej aktywności jest dla dorosłych bardzo męcząca. Ania, nawet jeśli puszcza jej słowa mimo uszu, potrafi zgrabnie markować uwagę.

— A przyjdziesz po mnie wcześniej? — wdzięczy się mała.

— Nie mogę ci teraz obiecać. Rozumiesz, że muszę to ustalić z twoją mamą?

Lekkie skrzywienie noska i wszystko wiadomo.

— Powiesz, że dziś przedszkole zamykają wcześniej, bo jest malowanie. Pochodzimy sobie po mieście... — diablątko nie ustaje w kuszeniu. — Pójdziemy do cukierni na pączki. Ciocia da nam za darmo, gwarantuję!

Chcąc nie chcąc Anka uśmiecha się, co zostaje przyjęte za dobrą monetę.

— Sama widzisz, ze mną nie zginiesz!

Przekonana, że dziś jest jej dobry dzień, dziewczynka wchodzi do sali jako jedna z ostatnich. Przedszkolaki siedzą już po turecku, ciasnym pierścieniem otaczając panią, która czyta bajkę *O rybaku i złotej rybce*. Otwierające się drzwi powodują, że wszystkie głowy zwracają się w ich kierunku. Przytłoczona taką ilością spojrzeń dziewczynka schyla się mimo woli i siada z samego brzegu. Pani wraca do baśni.

A kiedy dziewczynka zasłuchana w historię posłusznego rybaka i jego pazernej żony liczy na szybki powrót młodej ciotki, choćby i przed pointą, Anka nadkłada drogi, idąc przez Świerczewskiego. Ma pewien plan, który chciałaby jak najszybciej zrealizować. Pod numerem 23 odnajduje swój cel, ale jest dopiero wpół do dziewiątej, a kartka przyklejona do okiennicy informuje, że firma działa od dziesiątej. Dziewczyna rozgląda się, aby dobrze zapamiętać miejsce, i z obawy, że ktoś ją tu na czymś przyłapie, podnosi kołnierz płaszcza, szybkim krokiem kierując się ku Warszawskiej.

Po głośnej lekturze przedszkolaki znów bawią się w grupach. Panie, zajęte wypełnianiem dziennika, nie zauważają, że dziś Zuchy jakoś dziwnie często biegają do toalety. Póki jest względnie cicho, nic nie wzbudza ich niepokoju. A w ubikacji trwa tymczasem zbiorowy seans całowania. Zaczęło się jakoś niewinnie, pewnie od rozmowy, może od zakładu, jak to zwykle bywa między chłopakami. Jacek chciał pokazać Hani, że mu się bardzo podoba, ale nie wiedział, jak się do tego zabrać. Paweł, który zawsze wszystko wie najlepiej, uznał, że uczyć się należy na przykładach. Zwabił zatem do ubikacji Kasię i bez żadnych ceregieli objął ją i pocałował w same usta, jak to podejrzał niedawno na filmie dla dorosłych. Kasia wybiegła z toalety, ocierając buzię rękawem. Oburzenie mieszało się w niej z zaciekawieniem i czymś przyjemnym, co poczuła całkiem nieoczekiwanie. Odprowadziła wzrokiem idącą w kierunku toalety Hanię i usiadłszy na niskim parapecie, czekała.

A tymczasem Paweł założył się z Jackiem, że ten nie odważy się pocałować Hani. Zakład stawiał sprawę w zupełnie innym świetle, teraz było to już męskie wyzwanie. Nawet jeśli Jacek trochę się w Hani podkochiwał, jakie to miało znaczenie wobec zakładu? Nagle zaczęło chodzić o honor. A w kwestii honoru mężczyźni, nawet sześcioletni, nie są skłonni do żartów.

Nie spodziewając się napaści, Hania weszła do toalety i rozejrzała się. Jacek odpowiadał jeszcze na jakąś zaczepkę ze strony Pawła, może by nawet doszło do bójki, gdyby jej nagle nie spostrzegli. Zamarli obaj w pół ruchu, a ona stała kilka kroków od nich z pytaniem w oczach. Jacek rzucił się ku niej, jakby chodziło o życie. Trochę ręce mu przeszkadzały, nie wiedział, czy prawa ma iść do góry, aby objąć szyję, czy lewa. Machnął tak jakoś niezgrabnie, ale w tym zamieszaniu trafił na szczęście ustami w usta Hani. Może trochę zbyt mocno, bo chyba uderzył ją zębami w wargę.

— Wariat! — wrzasnęła Hanka i krzywiąc się z odrazy, uciekła z łazienki.

Jej wzburzenie nie umknęło uwagi Kasi. Natychmiast podeszła do Hanki i coś tam jej poszeptała do ucha. Wziąwszy z półki bloki do rysowania i połamane w drobny mak kredki świecowe, usiadły przy stoliku, aby mocno się pochylając, opowiedzieć sobie, co właśnie zaszło i jak się w związku z tym czują.

Tego dnia doświadczenie pierwszego pocałunku miało się przydarzyć również dziewczynce. Przez cały czas

Andrzej przyglądał się łazienkowym eksperymentom i planował swój własny. Z jakiegoś powodu uznał, że miejsce jest nieodpowiednie. Pomieszane zapachy sików i chloru, którymi przesiąknięta była łazienka, nie pasowały mu do całowania. Wyszedł więc na salę, poszukał wzrokiem tej, którą chciał przez pocałunek uczynić swoją dziewczyną, podszedł od tyłu, kiedy na niby kupowała warzywa przy straganie, odwrócił ją lekko do siebie i w tym całym kolejkowym zamieszaniu pocałował.

Inne dzieci zaczęły się śmiać, skonsternowane jego dziwnym zachowaniem. Koleżanki może zazdrościły, może oburzały się na ten atak, zrobiło się jakoś dziwnie wszystkim, bo takich rzeczy się w przedszkolu na co dzień nie robiło. Dziewczynka niemal ze łzami pobiegła do łazienki. Tylko tam mogła umyć zbrukane usta i zanurzyć twarz w swój ręcznik, wycierając łzy upokorzenia i trąc wargi, dopóki nie zniknęła z nich ostatnia kropla śliny Andrzeja. Wstydziła się wrócić na salę, sądziła, że stanie się teraz pośmiewiskiem. Bała się również, że on tu zaraz wejdzie i znów będzie chciał jej TO zrobić. Dlaczego musiał wszystko zepsuć?!

Podczas leżakowania ich łóżka na szczęście stały daleko od siebie. Andrzej nie zaryzykował przenoszenia pościeli. Po wczorajszej awanturze dzieci zachowywały się bardzo cicho. Większość z nich tym razem zasnęła.

Dziewczynka obudziła się z poczuciem jakiejś nieprzyjemności. Otworzyła oczy i przypomniała sobie, co zaszło. Nie miała jednak czasu, aby rozważać nowe doświadczenie, bo dzieci już składały leżaki, ubierały się i szykowały do podwieczorku. Musiała się pośpieszyć, Ania mogła po nią przyjść w każdej chwili! Najlepiej by było, gdyby zjawiła się jeszcze przed podwieczorkiem. Wyjść stąd jak najprędzej i nie musieć wracać! Na szczęście nikt nie woła, nie przezywa, nie czepia się. Ale i tak dziewczynka nie ma humoru.

Przychodzi po nią, jak zwykle, tata. Od razu poznaje po minie, że coś się stało.

— A skąd ten smutek? — pyta z uśmiechem, jednak odpowiedź nie pada.

Dziewczynka ubiera się w milczeniu. Kiedy wreszcie jest gotowa, mówi przez zaciśnięte zęby:

— Chodźmy stąd!

Wiedząc, że córka do milczków nie należy, tata spokojnie czeka na wyjaśnienia. W ciszy idą ulicą, trzymając się za ręce. Minęli Górną i wciąż żadnych zwierzeń, małą najwyraźniej coś gnębi. Przez całą drogę zagryza policzki i uporczywie wpatruje się w chodnik. Dopiero na Warszawskiej, gdzieś w okolicy poczty, zatrzymuje się, staje naprzeciwko ojca i zadzierając głowę, dobitnie, a jednocześnie z nutą dramatycznego zawodu, rzuca mu prosto w twarz:

— Dlaczego ludzie się całują?!

Mężczyzna rozgląda się, jakby szukał pomocy. Nie jest przygotowany na takie pytanie. Wie, że nie powinien zbyt długo zwlekać, przecież zna odpowiedź, jest dorosły, ale nie chce też zawieść córki. Myśli w panice, czego ona może się po nim spodziewać.

— A co się właściwie stało? — wybiera najłatwiejsze wyjście z sytuacji.

Dziewczynka kręci głową i parska głęboko zniesmaczona.

— Coś się porobiło z chłopakami! Nie można z nimi wytrzymać. Nagle przestali być grzeczni, rzucają się na nas i całują!

Mężczyzny najwyraźniej to nie martwi. Pod powagą kryje nawet półuśmiech.

— Według mnie to, no wiesz...

— Co?! — dziewczynka pyta twardo.

— Bo ludzie się całują, kiedy się lubią.

— Oj tam! — Mała parska, jakby ktoś jej właśnie tłumaczył, że szpinak jest zdrowy.

— To jest... przyjemne... — ryzykuje tata. — Kiedy się kogoś bardzo lubi.

Córka patrzy na ojca, jakby z premedytacją oszukiwał. Nie zna powodu i czuje się zaniepokojona.

— Dlaczego tak mówisz?! — nie wytrzymuje.

Ma teraz podwójny kłopot: z Andrzejem i jego pocałunkami oraz z tatą, który nie wiadomo dlaczego kłamie. Bo przecież to, czego dziś doświadczyła, nijak nie da się nazwać przyjemnym! Ta lepka ślina! Ten język w ustach! Obrzydliwość! O co tu chodzi? Tata jej nigdy nie oszukiwał, mogła mu powiedzieć wszystko, zawsze znalazł radę, wytłumaczył, pocieszył. Czy od dziś to ma się zmienić?

Mężczyzna też czuje się zakłopotany. Widzi, że zawiódł. Jakiś czas idą w milczeniu. Dziewczynka nie wbiega na każdy schodek, jak zawsze, kiedy dopisuje jej humor. Teraz patrzy pod nogi, myśli. A może z tym całowaniem jest jak z kakao? Ona go nie znosi, ale są dzieci, którym kożuch nie przeszkadza.

— Przecież lubisz, kiedy ja albo mama całujemy cię na dobranoc — pogrąża się coraz bardziej tata.

— Ale to jest coś zupełnie innego!

Dziewczynka nie potrafi sobie wyobrazić, że kiedyś mogłaby polubić całowanie, czekać na to, jak teraz czeka na wieczorny całus. Nie, to niemożliwe! Nigdy i już!

Z tego zmartwienia snuje się po domu osowiała, nie może sobie znaleźć miejsca, na niczym się skupić, patrzy szklanym wzrokiem, nie chce jeść kolacji. Mama dotyka jej czoła.

— Chyba masz gorączkę! — mówi, wstrząsa wyjęty z apteczki szklany termometr i wkłada dziecku pod pachę.

Rzeczywiście, temperatura jest podniesiona. Zajrzenie do gardła utwierdza mamę w przekonaniu, że córka się przeziębiła. Niedobrze!

— Umyj się, zaraz cię tata nasmaruje olejkiem kamforowym i do łóżka!

Dziewczynka chętnie poddaje się tym zabiegom. Ma złe samopoczucie, ale jest zadowolona, bo choroba przynajmniej na razie rozwiązuje sprawę całowania. Może Andrzejowi wywietrzeją z głowy te głupoty? Dostaje na język żółtą tabletkę Acronu, mama ściele łóżko. Ania przygotowuje termofor, przygryzając policzek. Choroba dziewczynki nie jest jej na rękę. Myślała, że załatwi sprawę bez dodatkowego tłumaczenia się siostrze, tymczasem będzie musiała poczekać, aż mała wyzdrowieje.

Tata już jest gotów, aby posmarować plecy Chudusia olejkiem, który tak pięknie pachnie. Jeszcze gorąca herbata i tabletka witaminy C.

— Nie idziesz dziś do szkoły? — Dziewczynka patrzy na ojca spod wpółprzymkniętych powiek.

— Nie. Przecież dziś czwartek.

— A poczytasz mi? — pada sakramentalne pytanie.

Skupiając na sobie tyle uwagi dorosłych, dziewczynka jest szczęśliwa. Nie szkodzi, że ma kłopoty z przełykaniem i pewnie trzeba będzie płukać gardło tą wstrętną wodą z solą, po której zawsze zbiera jej się na wymioty. Może też mama każe wypić kubek mleka z masłem i miodem, co jest najgorsze w przeziębieniu. Ale za to jutro laba! I tak przez kilka dni! Co za szczęście!

Obłożona poduszkami, ląduje wygodnie na rozłożonej wersalce rodziców. Właśnie zaczął się *Ekran z bratkiem*, odkłada więc na później prośby o lekturę i z zapartym tchem czeka na kolejny raport z frontu dobrych uczynków. Za chwilę Niewidzialna Ręka oznajmi, kto gdzieś w Polsce anonimowo pomógł potrzebującemu, zostawiając na miejscu tylko znak odciśniętej białej dłoni.

Dziewczynkę bardzo ekscytują tajemnicze dokonania Niewidzialnej Ręki. Spogląda w ekran i zastanawia się, co też by mogła sama zrobić, aby zasłużyć na wzmiankę w telewizji. To musiałoby być coś naprawdę poważnego. Na razie jednak nic nie przychodzi jej do głowy. Zresztą kto miałby o tym napisać raport, skoro ona nie potrafi pisać? Ten dylemat zaprząta ją aż do dobranocki. Zmożona wysoką temperaturą, zasypia podczas dziennika. Wieczorne mierzenie temperatury pokazuje, że zaaplikowane środki nie działają, i rodzice decydują się na postawienie baniek. Mama przynosi szklane ampułeczki, tata przygotowuje watę na metalowym druciku, którą zanurza w denaturacie i podpala, a potem wkłada do każdej z baniek. Pozbawione w ten sposób powietrza bańki szybko stawia na plecach chorej, która na szczęście nie zobaczy, jak zasysają jej cienką skórę i tworzą niemal fioletowe krążki z krwi. Bańki nie powodują bólu, a rodzice są przekonani o ich skuteczności.

Następnego dnia dziewczynka budzi się z błogą świadomością, że nie musi wstawać! Chciałaby od razu wyskoczyć z łóżka, ale przecież nie może dać mamie do zrozumienia, że jest już całkiem zdrowa! Co to, to nie! Mama gotowa jeszcze wysłać ją do przedszkola! Zresztą na szczęście drapanie w gardle nie ustało, trzeba będzie płukać solą. Po śniadaniu temperatura znowu się podnosi i chcąc nie chcąc dziewczynka musi się położyć. Wodzi zasępionym wzrokiem za Anką, która czymś zajęta, na razie nie ma czasu, aby jej towarzyszyć, a choćby i porozmawiać.

Znudzona chorobą, przejrzała już obie bajki z rozkładającymi się jak w teatrzyku obrazkami, które tworzą złudzenie trójwymiarowości, przewertowała zszywkę pisemka „Miś", które zresztą zna niemal na pamięć. Gdyby umiała czytać, poprosiłaby o książeczkę i jak później będzie się wielokrotnie zdarzało podczas chorób, utonęła w fikcji, niepomna na to, co dzieje się dookoła. Teraz jednak wsłuchuje się w odgłosy dochodzące z kuchni, prowadzone półszeptem rozmowy, stukanie przekładanych fajerek, podśpiewywanie Anki, do której najwyraźniej przylepił się modny przebój:

Bo ja mam swój intymny mały świat
Hen za morzem smutków, za górami marzeń tam
Wiedzie doń zagubionych ścieżek ślad
Senne półksiężyce mogą wskazać drogę wam...

Naraz ktoś energicznie puka do drzwi. W kuchni rozmowy milkną, a dziewczynka widzi mamę w przedpokoju.

— Kto tam? — kobieta pyta stanowczym głosem.

— Heniek Pawelski, szukam Anki.

W otwartych drzwiach na klatkę schodową stoi młody, szczupły brunet o pociągłej twarzy i oliwkowej cerze.

— Dzień dobry, zastałem Ankę?

— Jaką Ankę?

— Kącę.

— Nie. A coś się stało?

— Wyjechała nagle, nie powiedziała dokąd.

— To skąd pan wie, gdzie jej szukać?

— Właśnie nie wiem.

— Przepraszam, że nie zapraszam do środka, ale mam chore dziecko. — Matka wskazuje starszą córkę, lekko unoszącą się na łokciu, aby obejrzeć amanta młodej ciotki.

W tej chwili, jakby chciała pomóc, zaczyna płakać Ula. Mężczyzna zagryza wargi, kiwa głową i bez pożegnania zbiega po schodach.

— Czy on ciebie pocałował? — zapyta później ciotkę konspiracyjnym szeptem dziewczynka. To by jakoś wyjaśniało sprawę. Pocałował, a teraz ona nie chce go znać, uciekła aż do miasta. Zdziwiona Anka patrzy na nią, nie wiedząc, co powiedzieć.

— Więc jednak... — domyśla się mała. — Czyli nie miałaś wyjścia.

Następnego dnia spada pierwszy śnieg. Dziewczynka, leżąc twarzą do okna, widzi, jak grube płatki wirują w powietrzu. Chciałaby natychmiast wyzdrowieć, wybiec na dwór, bo niewiele jest w życiu radości równych tej, kiedy z otwartymi ramionami, głową do góry i wywieszonym językiem wita się pierwszy śnieg. Nawet bez czapki, bez rękawiczek, w odróżnieniu od dorosłych dzieci się przecież nie boją zimy.

Kiedy dziewczynka przez siatkową firankę z tęsknotą przypatruje się zimie, jej matka biegnie do komórki po kolejne wiadro węgla. Zaplanowała na dziś pranie! Na kuchni stoi już wielki kocioł z wodą i płatkami mydlanymi, pieluchy po pierwszym praniu lądują we wrzątku. Płukanie, jako wymagające znacznie więcej wody, zawsze odbywa się przy studni, a jest dwa stopnie poniżej zera. Anka rwie się do tej niewdzięcznej pracy, nie dostanie jednak zgody. I tak dobrze, że ma kto przypilnować dzieci, na czas płukania musiałyby zostać same.

Wróciwszy z pierwszą partią wypłukanych pieluch, kobieta ma czerwone dłonie, jakby się poparzyła. Jest zadowolona. Zaraz pranie zawiśnie na strychu i będzie można zacząć przygotowania do obiadu. Bóg chyba zesłał tę Ankę!

W sobotę dziewczynka już się bardzo nudzi, ale mama ciągle nie pozwala jej wstawać. Nie daj Boże przeziębić bańki, wtedy zapalenie płuc murowane! I co robić tyle godzin w łóżku, kiedy nie ma nawet kogo poprosić, żeby przyszedł i się pobawił, porozmawiał albo poczytał? Dziewczynka dziwi się sama sobie, ale zaczyna z tęsknotą myśleć o przedszkolu. Prosi o kredki, pokoloruje jakieś obrazki w „Misiu" i rozwiąże nierozwiązane dotychczas zagadki. Dzień jednak będzie jej się dłużył jeszcze bardziej, niż gdyby była w przedszkolu.

Niedziela dzięki telewizji i obecności taty mija jakoś szybciej, ale też trzeba przyznać, że ból ciała powoli przeradza się w ból duszy. Dziewczynka czuje się lepiej i to ją bardzo martwi. Wiele niewypowiedzianych na głos lęków dotyczy jutra. Czy będzie musiała iść do przedszkola? Przy obiedzie, który dostaje do łóżka, zaczyna pokasływać. Wie, że jej to się nie udaje, trochę się obawia, że mama spostrzeże oszustwo, ale dorośli dają się nabrać, małe kłamstwo jakoś przechodzi, karą jest tylko dodatkowa łyżka syropu Pini. Cóż, może warto się pomęczyć? Syrop rośnie dziewczynce w ustach, w końcu jednak spływa do gardła. Szeleszczącym, zachrypniętym głosem, udając bardzo chorą, córka pyta mamy:

— Czy ja wyzdrowieję do jutra?

— No przecież jeszcze kaszlesz! A co, nudzisz się w łóżku?

Aby utwierdzić mamę w tym przekonaniu, dziewczynka robi bardzo nieszczęśliwą minę.

— Jeśli nie będziesz miała gorączki, jutro pozwolę ci wstać, ale do przedszkola jeszcze nie pójdziesz — słyszy i chce jej się skakać z radości. Te słowa działają ozdrowieńczo! Natychmiast podrywa się na łóżku, ale kiedy wstaje się załatwić, ma zawroty głowy.

W poniedziałek dostaje obiecaną dyspensę od leżenia. Przypatrując się codziennej krzątaninie matki, i ona postanawia zrobić coś pożytecznego. Wybór pada na kredki. Ma ich sporo, świecowych i ołówkowych, ale ołówkowe w większości wymagają zatemperowania, toteż z zapałem zabiera się do pracy. Specjalna temperówka na żyletkę jest znacznie ostrzejsza od temperówki z wbudowanym nożykiem i pojemnikiem na strużyny, jakie podczas temperowania powstają. Co prawda kręcąc kredką w takiej temperówce, można wyjąć długi pasek cieniutkiego drewna z kolorową obwódką, który przyklejony do papieru świetnie imituje płatki kwiatów i w związku z tym jest często wykorzystywany do robienia laurek. Ale teraz chodzi przede wszystkim o czas i skuteczność temperowania!

Początkowy zapał szybko mija, kiedy na kciuku powstaje bolesny odcisk. Na szczęście trochę kredek dziewczynka zatemperowała. Wyjmuje więc stemple z kwiatami, przykłada swoje ulubione wzory róży i narcyza, wreszcie pomagając sobie językiem, ostrożnie, aby nie wyjść poza linię, wypełnia je kolorami.

I to ją jednak szybko nudzi. Na szczęście mama wraca z zakupami i przynosi radosną nowinę:

— Przemek dostał na imieniny projektor! Babcia Tokarska zaprasza cię na bajki!

Mieszkanie państwa Tokarskich znajduje się w dwurodzinnej parterowej oficynie. To dwa pokoje z kuchnią, sienią i niewielkim stryszkiem. W porównaniu z mieszkaniem rodziców dziewczynki sprawia wrażenie ogromnego. W sypialni stoją dwa duże łóżka z zagłówkami, w drzwiach szafy jest lustro, które optycznie powiększa pokój. Stół również wydaje się znacznie większy i solidniejszy niż u nich na górze. Tokarscy mają też przeszkloną drobnymi szybkami werandę, coś jakby letni pokój, ze względu na porę roku chwilowo zamieniony w spiżarnię, z którego można wychodzić wprost na podwórko albo odbywać tam świąteczną sjestę. Nie, tego słowa dziewczynka jeszcze nie zna. Nie widziała też chyba nigdy, by Tokarscy odpoczywali na werandzie. No bo i na czym mieliby zatrzymać wzrok, tak sobie siedząc i odpoczywając? Na wybrukowanym podwórku? Na pełnej zużytych sprzętów rupieciarni gospodarza? Na komórkach? Dziewczynka zastanawia się przez chwilę i uświadamia sobie, że nigdy nie widziała nikogo z mieszkańców podwórka podczas odpoczynku. Tak więc również weranda Tokarskich służy jedynie jako składzik.

Przemek Wiśniewski, delikatny, inteligentny blondyn, jest półsierotą. O rok starszy od dziewczynki, chodzi już do pobliskiej szkoły podstawowej. Wychowuje go babcia, a jego mama i dwie starsze siostry mieszkają w stolicy. Jako warszawiak, Przemek ma na podwórku specjalne prawa. Jest zresztą najstarszy i najinteligentniejszy w grupie, do której należy jeszcze Tadek Tuszyński, rówieśnik dziewczynki.

Na dzisiejszą projekcję jednak Tadka nie zaproszono. Babcia Przemka, niska, pulchna pani o łagodnym spojrzeniu i pięknych siwych włosach, jak zwykle uczesanych w wysoki kok, pomaga rozstawić sprzęt oraz znaleźć gładkie miejsce na ścianie, które mogłoby pełnić funkcję ekranu. Mały przejściowy pokoik to jednocześnie gabinet i jadalnia. Jest tu fragment gołej ściany nad kredensem. Babcia wkłada sznur do gniazdka i już w metalowym rzutniku zapala się żarówka, podświetlając celuloidowy film, rozpięty na specjalnej ramce. Jedna klatka to jeden obrazek i jedna scena. Gdy na ścianie wyświetla się obrazek, Przemek odczytuje opisy i dialogi, po czym z poważną miną nawija klatkę filmu na rolkę, przechodząc do następnej sceny. Skończywszy oglądanie, należy film ciasno zwinąć i włożyć do plastikowego pudełeczka. Wtedy można rozpocząć następny seans.

W czasie zakładania nowej rolki filmu dziewczynka próbuje rozwiązać kłopotliwą kwestię:

— Nikt się nie całował.

Przemek podnosi na nią zdziwiony wzrok.

— Chciałabyś, żeby cię bazyliszek pocałował? — Ona wstrząsa się z obrzydzenia. — Jest tu gdzieś *Śpiąca królewna*, jeśli ci tak bardzo zależy. — Chłopiec grzebie wśród pudełeczek z bajkami.

— Mnie?! Nie, wcale!

— To co? *Bajka o rybaku i złotej rybce*?

— Niech będzie… — godzi się na odczepnego dziewczynka.

Myślała, że Przemek, który w każdej sprawie ma niebanalne przemyślenia, rozwiąże za nią problem pocałunku, rozwieje wątpliwości. Miała nadzieję, że ta kwestia nie stanowi już dla niego tabu. Tymczasem on albo nic nie wie, albo celowo to ukrywa. W tej chwili dziewczynka uświadamia sobie, że nigdy nie mówił, by podobała mu się jakaś koleżanka. Czuje się trochę zawiedziona, gdy zajęty nastawianiem kolejnego filmu, milczy, pomijając interesujący wątek. Już ją trochę męczą te podchody, zabawa nie trwa więc długo. Dziewczynka żegna się i przez ośnieżone podwórko biegnie do domu. Ciekawe, jaka dziś dobranocka? *Gąska Balbinka, Jacek i Agatka*, a może *Bolek i Lolek*?

Po kąpieli jest rześka i głodna rozmów lub czytania. Nie musiała dziś wcześnie wstawać, nie bawiła się z dziećmi, nie przeszła trzech kilometrów pieszo. Leży w łóżku z zamkniętymi oczyma. Rodzice siedzą z Anką w kuchni, rozmawiają półgłosem, śmieją się, cicho gra radio. W błogim poczuciu nieuświadomionego szczęścia dziewczynka wreszcie zasypia.

We wtorek przedszkolny kołowrót zaczyna się od nowa. Znów trzeba rano wstać, ale ponieważ śniegu jest całkiem sporo, mama decyduje, że córka, owinięta kocem, pojedzie do przedszkola na sankach. Anka ubiera się, podśpiewując. W porannym rozgardiaszu nikt nie pyta o jej doskonały humor. Od kiedy się do nich sprowadziła, Anka często podśpiewuje modne przeboje. Dziewczynka już włożyła buty, zapięła wszystkie pętelki kożucha poza najwyższą, mama zawiązała jej szalik i czapkę. Można ruszać! Anka, patrząc pod nogi, ostrożnie znosi sanki. Mama schodzi z kocem. Owija córkę i całuje ją, po czym wbiega na górę. Zawinięta niczym kiełbaska, usadzona na sankach dziewczynka jest gotowa do drogi. Anka rusza szybkim krokiem. Przekraczają bramę i skręciwszy w lewo, wyjeżdżają na Warszawską. Szybko dochodzą do Siennickiej, mijają kościół, docierają do rzeki. Dziewczynka zna na pamięć te widoki. Sanki mkną gładko po udeptanym śniegu. Nic nie zapowiada tego, co ma się za chwilę zdarzyć. Rozpędziwszy się zbyt mocno, Anka traci równowagę na wyślizganym przez dzieciaki chodniku. Szarpnięcie ręką, które jest próbą złapania równowagi, powoduje, że sanki wraz z zamyśloną dziewczynką przewracają się, a ona sama pada twarzą w śnieg.

Z boku wygląda to śmiesznie i niewinnie. Zupełnie jak celowa zabawa. Dziecko w mgnieniu oka dokonuje wyboru reakcji: zabawa to czy wypadek? Gdyby Anka hałaśliwie zapewniła ją, że nic się nie stało, roześmiała się, obróciła sprawę w żart, ona sama pewnie też nie roztkliwiłaby się nad sobą. Widząc zmartwienie, wręcz przerażenie młodej ciotki, która nie zlekceważyła upadku, tylko zaczęła ją pocieszać, mała wydarła się wniebogłosy.

— Co ty robisz?! Zwariowałaś?!

— Przepraszam. — Zasmucona Anka wyciera dziewczynce śnieg z twarzy. Coś ją powstrzymuje od odruchowego przytulenia dziecka. Może dlatego, że mała ryczy i nie zamierza przestać.

— Zobaczysz! Wszystko powiem mamie! Nie chcę, żebyś mnie więcej odprowadzała! Nigdy, rozumiesz?! Nigdy!

Anka, trochę obawiając się reakcji kuzynki, sadza jakimś cudem małego krzykacza z powrotem na sanki. Mają jeszcze przed sobą pół drogi do przedszkola. Teraz już idzie wolno, zjeżdża z każdego krawężnika tak ostrożnie, jakby wiozła nitroglicerynę. Gdy dochodzą do przedszkola, jest spocona i czuje ulgę. Zostawia sanki przed budynkiem, pomaga rozebrać się swojej podopiecznej i czym prędzej gna Wronią w dół, a potem Świerczewskiego w stronę stacji. Wreszcie jest na miejscu!

Patrzy na szyld, który informuje, że mieści się tu Studio Nagrań. Jest za kwadrans dziesiąta. Żeby nie stać jak paragraf, przechodzi na drugą stronę ulicy. Przez żelazną kratę może bezkarnie pogapić się na wystawę sklepu Jubilera. Oglądając damskie ozdoby, przez chwilę zapomina o przykrym zajściu. Nie martwi się, że będzie musiała o wszystkim powiedzieć kuzynce. Oczy uśmiechają się jej do bursztynu w srebrze, koralików z kamieni półszlachetnych czy broszek z Jabloneksu. Rozmarzona zastanawia się, co kupiłaby w pierwszej kolejności, gdyby przypadkiem znalazła na ulicy albo nieoczekiwanie zarobiła znaczną sumę pieniędzy. Wie, że to niedorzeczność, że długo jeszcze nie będzie sobie mogła pozwolić na swobodne wejście do sklepu i kupienie czegokolwiek, co nie jest niezbędne. Ale to nie problem. Nauczyła się czekać.

Byle zdrowie było — pociesza się w myśli i obiecuje sobie, że jeszcze tu wróci. Może nawet nie sama?

Przed dziesiątą jakaś kobieta podchodzi do kraty i zdejmuje z niej kłódkę. Uśmiecha się zapraszająco. Anka energicznie kręci głową i nieokreślonym ruchem wskazuje za siebie. Kobieta robi zawiedzioną minę i znika wewnątrz sklepu. Anka, nie rozglądając się, przebiega na drugą stronę ulicy. Ostrożnie naciska klamkę, jakby wciąż niepewna. Staje w progu małej sieni, jest jej strasznie gorąco. Trochę wstydzi się swego zamiaru, mylnie sądząc, że wywoła zdziwienie lub natarczywe pytania. Przez wąską szczelinę widzi, że wewnątrz nikogo nie ma, to ją jeszcze bardziej konfunduje. Drzwi skrzypią niemiłosiernie, dziewczyna przestępuje próg i zamyka je leciutko, jakby bała się kogoś obudzić. Z zaplecza wychyla się ręka, która nakazuje jej pozostanie w miejscu i zachowanie ciszy. Anka ma chwilę, aby rozejrzeć się i uspokoić przerażone serce. Po kilku minutach, które ciągną się niemiłosiernie, wychodzi ku niej mężczyzna w średnim wieku. Patrzy pytająco, a ona, stremowana, ledwie wydobywa z siebie chropowate:

— Przyszłam coś nagrać…

Mężczyzna kiwa głową. Pokazuje wzory pocztówek. Na chybił trafił Anka uderza palcem w róże herbaciane. Za chwilę do pocztówki jest już doklejona plastikowa folia, a Anka, stojąc przed mikrofonem, próbuje opanować drżenie głosu. Wie, co powiedzieć, ćwiczyła to wielokrotnie.

Pół godziny później z triumfalnym spojrzeniem opuszcza Studio Nagrań. Trzyma w dłoni pocztówkę, na którą naklei znaczek, a potem wyśle pod dobrze znany adres. Jest tak dumna z siebie, że nawet rozmowa w sprawie wypadnięcia dziecka z sanek już jej nie przeraża.

Tymczasem w przedszkolu, zgodnie z przyjętym zwyczajem, dzieci uczą się piosenki, która ma wyrażać ich radość z powodu nadejścia zimy:

Śnieg pada, śnieg pada, cieszą się dzieci,
Tu płatek, tam płatek, dużo ich leci.
A ten nasz kogucik zawadyjaka
Dziób podniósł do góry, skąd kaszka taka?
Niedobra, niesmaczna, sypie się z góry,
Ja jeść jej nie będę ni moje kury!

Dziewczynka nie zna jeszcze słowa „zawadyjaka".
Śpiewa więc: „za wady Janka", co też nie ma sensu, ale
przynajmniej każde ze słów wydaje jej się zrozumiałe.
Stara się nie patrzeć na Andrzeja, ale czuje na sobie jego
spojrzenie. Boi się, że on podejdzie i o coś zapyta, a wtedy ona będzie musiała znów przyjąć ten ton wyższości,
zmylić go, żeby się niczego nie domyślił. Nie wygarnie
mu przecież, że tym swoim głupim pocałunkiem wszystko zepsuł.

Bo może zepsuł, a może i nie. Ona sama na razie nie
potrafi zdecydować.

XI

Z pór dnia najbardziej lubię ranki. Choć czasem zdarza mi się marudzić podczas wstawania, to kiedy już się wygramolę i wyjdę z psami na spacer, niezmiennie i bez względu na to, jaka jest pogoda, cieszę się z poranka, który, jak młodość, jest obietnicą. W ciągu dnia może się zdarzyć wiele niespodzianek. Moje zadanie to napełnić go treścią. Ode mnie zależy, czy jutro wstanę radosna, czy też niezadowolona, że zajmując się błahostkami, pozwoliłam dniowi minąć.

Ale nawet jeśli jestem na siebie zła, że nigdy już go nie odzyskam, nie wypełnię tym, co mogłam i powinnam była zrobić, czasem usprawiedliwiam się w duchu, bo wszak spędziłam dzień na codziennej krzątaninie po domu lub biegałam po mieście, załatwiając sprawy niecierpiące zwłoki. Kto miał to za mnie zrobić?

Dom to nie tylko ściany i sufit. Dom to nie tylko meble. Dom to idea. Jako budynek dom służy członkom rodziny, chroniąc ich tak samo, jak kiedyś chroniły naszych przodków jaskinie. Ale jednocześnie dom to coś o wiele bardziej skomplikowanego. Coraz częściej mam wrażenie, że to nie dom jest dla mnie, ale ja dla domu. Te wszystkie zabiegi: ustawianie, sprzątanie, odnawianie. Mościmy się w nim na długie lata. Meble, obrazy na ścianach, zdjęcia, bibeloty. Dziś wiem to doskonale:

nie giną w pamięci. Zostają, tworząc ramy dla naszych wspomnień. Dom to atmosfera, to bezpieczeństwo, to historia rodziny. Ktoś musi ją pielęgnować.

Dom to miejsce, do którego wraca się we wspomnieniach. Tych najtrwalszych, z najwcześniejszego dzieciństwa. Kiedyś, w przyszłości, nie będziemy pamiętać, co stało się wczoraj, ale dom naszego dzieciństwa będzie wciąż pamiętany ze szczegółami, jakbyśmy dopiero co zamknęli za sobą drzwi. Będziemy do niego tęsknić, gdy poczujemy się źle. Błądząc po nim myślami, dotykając sprzętów, których już od dawna nie ma, wrócimy do najszczęśliwszego i najważniejszego okresu w życiu. O ile łatwiej byłoby umierać, gdyby nam ktoś zagwarantował, że po śmierci tam właśnie trafimy.

Tata sprząta piwnicę, bijąc się z myślami, czy może wejść do studia, które było twoje. Przez siedem lat ty tu rządziłeś. Sam obijałeś ściany dźwiękochłonnym materiałem, zapraszałeś kolegów muzyków, rozwijałeś swoje zainteresowania. Teraz ciągnie cię świat, ale wiem, że już na zawsze zostanie w tobie to miejsce.

Zastanawiam się, dlaczego idea domu wielopokoleniowego upadła? Bo młodych stać było na osobne mieszkanie i nie musieli już naginać swego życia do oczekiwań starych? Po co mieli wszystko o sobie wiedzieć?

Dom wymaga pracy, zabiera wiele czasu. Jego funkcjonowanie jest skomplikowane i ktoś musi się tym zająć, zarówno w sensie organizacyjnym, jak i porządkowym czy ideowym. Rodzina, jej dzieje, jej ważne postaci, nasi przodkowie, trzeba o nich pamiętać, bo wszak, chcąc nie chcąc nosimy ich w sobie, zawdzięczając im życie. Chcemy być wspominani przez naszych potomków, powinniśmy stwarzać im po temu warunki.

Patrzę na nasz dom i przypominam sobie stojącą wciąż chatkę z podkładów kolejowych nasączonych podobno rakotwórczym specyfikiem, w której mieszkali moi dziadkowie. Przywołuję w myśli ich postanowienie wybudowania dużego domu, ucieleśnione w stercie kamieni, które miały stać się jego fundamentem. Ale zbyt późno kupili to pole w Barczącej. Dzieci dorosły, wyfrunęły z gniazda i nie było dla kogo się trudzić. A dla siebie moi dziadkowie nie chcieli lub nie mogli.

Na starość nasze potrzeby i marzenia karleją. Żyjemy jeszcze z rozpędu, realizujemy pozaczynane przedsięwzięcia, ale coraz częściej zauważamy, że na nowe brakuje sił, a może i ochoty. Tak działa kurcząca się perspektywa. Coraz częściej zadajemy sobie pytania: „Po co?", „Dla kogo?". Jedynym lekarstwem na smutek starości są wnuki. To one sprawiają, że perspektywa w cudowny sposób się wydłuża, co prawda nie nasza własna, ale tych, którzy są nam często bliżsi niż własne dzieci. Znów nabieramy ochoty do życia, postanawiamy żyć dla nich. Kiedy myślę o moich przyszłych wnukach i tym, jak bardzo różni się mój dom od domu mojej babki, wzdycham z żalem. W dzieciństwie nie widziałam, nie wyczuwałam tam biedy. Przyjmowałam świat z dobrodziejstwem inwentarza. Byłam szczęśliwa, kochana, ważna. Akceptowałam otaczający mnie świat. Zresztą nie widziałam u nikogo znacząco innej sytuacji, nie było z czym porównać. Teraz dopiero wiem, w jak skromnych warunkach żyli moi dziadkowie.

Dlatego wam o tym dzisiaj mówię. Tak łatwo zapomnieliśmy te drewniane chałupy! Chlewiki, stodoły, nieocieplone psie budy, studnie na korbę, krowie placki na podwórku, zapach obornika. Dziś jesteśmy z miasta, a wieś to najwyżej nasze letnie domy. Dziś w naszych ogrodach mają prawo rosnąć wyłącznie kwiaty. Jak bardzo różnimy się od naszych dziadków! Wciąż patrzymy do przodu, wszystkiego nam mało, pędzimy bez wytchnienia. Oni też pędzili, jeden obowiązek gonił drugi, ale żyli w odwiecznym rytmie narzuconym przez przyrodę, wegetację roślin i cykl rozrodczy zwierząt. Wstawali i kładli się spać wcześnie, nie przeciągali dnia do północy. Zimą trochę odpoczywali, dziadek reperował sprzęty, babka tkała dywaniki ze szmatek i wielkie kilimy wielkości dywanu na ścianę, nieodmiennie zielone w tęczowe poprzeczne pasy.

Ile mogła mieć butów? Trzy pary? Na pewno miała jeden płaszcz. Żadnych kosmetyków poza mydłem. Może krem Nivea? Jeden dyżurny sznurek sztucznych pereł. Dziadkowie umeblowali się porządnie dopiero wtedy, kiedy moi rodzice oddali im część sprzętów, których nie chcieli zabierać do nowego mieszkania w bloku. Nigdy nie zaznali wygód, nie mieli bieżącej wody, toalety. Nie dla nich były wczasy FWP, zagraniczne wycieczki, sanatoria. Niemal wszystkiego potrafili sobie odmówić. Nie mieli długów, kredytów, nie żyli za pożyczone w ciągłym lęku o kurs franka. Obywali się tym, na co zdołali sami zapracować, i to wpoili mojej mamie.

Kiedy sobie przypominam ich dom, ze zdziwieniem stwierdzam, że wbrew tej mizerii kupowali jednak wiele czasopism! Gazetę „Zielony Sztandar", tygodniki „Gospodyni" i „Plon", miesięcznik „Agrochemia". Widać chcieli na tym swoim skrawku ziemi gospodarować racjonalnie. Czy im się udawało? Wątpię. Ale to przecież oni zbudowali podstawy naszego dzisiejszego dobrobytu! Wielu rodziców tego pokolenia, rezygnując z wygód, wykształciło swoje dzieci, wysłało je do miasta. I niestety, tak często przyszło im odejść zbyt wcześnie, nie skosztowawszy owoców swych starań!

XII

Niemal stuletni dom przy Warszawskiej oznaczony numerem 150 od ulicy wygląda na parterowy. Do dwóch wiecznie ciemnych mieszkań wynajmowanych przez Cejmanowskich i Padzików wchodzi się z przeszklonej werandy. Właściwy front znajduje się jednak od południa. Dopiero od podwórka widać dwa okna na facjatce, należące do dwóch bliźniaczych mieszkań wynajmowanych lokatorom: Kawkom z lewej i Gutowskim z prawej. Poza mieszkaniami na strychu znajduje się jeszcze ogromna, dostępna wszystkim suszarnia.

Zofia i Piotr Kawkowie mają dwóch starszych od dziewczynki synów: Marka i Andrzeja. Chłopcy chodzą już do szkół — pobliskiej „Dąbrówki", czyli Dwójki, i Liceum Ogólnokształcącego. Pani Kawkowej nie pomaga farbowanie włosów na blond. I tak wydaje się dziewczynce dużo starsza od jej mamy. Postarza ją mąż — pan Kawka już łysieje! Mimo wszystko to mili ludzie. Lepiej urządzeni od Gutowskich, mają na ścianie ogromny wełniany dywan, czego dziewczynka długo nie zrozumie. Na ścianie w jej domu wisi jedynie słomiana mata, zmieniana co jakiś czas a to na bardziej elegancką, wykonaną z wąziutkich deszczułek połączonych z materiałem, a to na plecioną z farbowanego sizalu. Dywan u Kawków nadaje ich mieszkaniu niezwykle nobliwy, wręcz zamożny charakter. Dziewczynka nazwałaby go mieszczańskim, gdyby znała to słowo i gdyby tak bardzo nie kłóciło się ono z duchem czasu. W pokoju Kawków zazwyczaj panuje półmrok, bo okno wychodzi na murowany budynek, stojący zaledwie o kilka metrów, ten, w którym od ulicy znajduje się sklep z materiałami, a od podwórka mieszkają Tuszyńscy.

Pan Piotr jest bardzo łagodnym człowiekiem. Nie ma córki i może z tego powodu pozwala dziewczynce na różne ekscesy. Sadzając ją sobie na kolanach, nie zwraca uwagi na to, że dziewczynka miesza mu herbatę palcem. Wypija ją potem bez obrzydzenia.

To u Kawków, za sprawą niejakiego Lee Harveya Oswalda, w życie dziewczynki mniej więcej rok wcześniej wtargnęła polityka. Najpierw zrobił się jakiś krzyk na klatce schodowej, może ktoś od nich przybiegł do Gutowskich, może tylko zaczęli wołać przez otwarte drzwi, dość że Gutowscy za chwilę stali u nich w pokoju i z niedowierzaniem wpatrywali się w mały ekran czarno-białego telewizora, pokazujący urywki relacji z zamachu na prezydenta Kennedy'ego, zanotowane przez kamery w Dallas. Nikt z dorosłych nie pomyślał, aby ochronić dzieci przed tym wstrząsającym widokiem. Na dziewczynce śmierć prezydenta Kennedy'ego zrobiła piorunujące wrażenie. Była to zapewne pierwsza ludzka śmierć, którą zobaczyła. Takie przeżycia trudno zapomnieć.

Pani Kawkowa zasadniczo różni się od mamy dziewczynki, bo nie pracuje i pali. Czasem krzyczy na chłopaków, co się nikomu nie podoba. Pewnego dnia z mieszkania Kawków dobiegają odgłosy awantury, którą pani domu robi któremuś z synów. Krzyk i płacz muszą być przejmujące, może słychać razy paskiem, jakie zdesperowana matka wymierza niesfornemu dziecku, dość że dziewczynka, nie tłumacząc się i nie prosząc nikogo o zgodę, wpada jak bomba do ich mieszkania i bez zastanowienia z całej siły wbija sąsiadce zęby w udo.

Nagle zapada cisza. Pełna złych przeczuć, przerażona matka dziewczynki biegnie za córką. W drzwiach mija się z uciekającym Markiem. Zatrzymuje się, zdziwiona niespodziewanym widokiem: sąsiadka tuli jej córkę.

— Papierosy znalazłam! — tłumaczy pani Kawkowa z mieszaniną wstydu i udręki. — W kieszeni, w kurtce.

Początkowa wściekłość powoli zmienia się w żal i zawód.

— Może to nie jego? — nieśmiało sugeruje matka dziewczynki.

— A czyje?! Mąż już dawno podejrzewał, że mu giną.

To znów ją nastawia bojowo. Zdejmuje z kolan dziewczynkę i dziarskim krokiem podchodzi do okna, uchyla lufcik i krzyczy tak głośno, że całe podwórko może, a nawet powinno usłyszeć:

— Ja ci dam papierosy, ty łobuzie jeden! Natychmiast do domu!

Po chwili słyszą, jak Marek, pochlipując z cicha, idzie noga za nogą po schodach. Powinien już wejść na górę, ale nie zjawia się w mieszkaniu. Z kornie schyloną głową stoi w przedpokoju, bojąc się ruszyć. Dziewczynka podbiega, bierze jego dłoń i prowadzi go do matki.

— Przeproś, mama ci na pewno wybaczy! — przekonuje.

Marek, nie podnosząc oczu, mamrocze coś pod nosem.

— Idź się umyć! — warczy wciąż rozeźlona Kawkowa.

Dumna z córki matka wycofuje się po cichu. Siniak na udzie pani Zofii to pieczęć dobrosąsiedzkich stosunków.

Nie trwały one jednak zbyt długo. Pani Kawkowa miała wybuchowy charakter i nie była łatwa we współżyciu. Doświadczali tego wszyscy naokoło, z matką dziewczynki na czele. Poróżniły się w końcu o bzdurę. Kawkowa weszła do domu, kiedy jej mąż rozmawiał z sąsiadką na schodach. Widocznie uznała ich rozmowę za zbyt intymną, bo kiedy mężczyzna wrócił do mieszkania, nie obyło się bez awantury i najgorszych dorożkarskich wyzwisk, które słychać było na klatce schodowej. To z kolei doprowadziło do furii matkę dziewczynki. Jak niegdyś jej córka, teraz ona bez pardonu wpadła do sąsiadów.

— Sądzi pani, że gdybym chciała rozmawiać na osobności z pani mężem, robiłabym to na schodach?! — fuknęła i wyszła, trzaskając drzwiami.

Na klatce uśmiechnęła się ironicznie, myśląc, że chyba musiałaby być głupia, żeby mając takiego przystojnego męża, uganiać się za starym i łysym Kawką! Ta błaha sprawa poróżniła je już na zawsze, bo żadna nie zniżyła się do przeprosin, a potem, cóż, potem jak zwykle było za późno...

Kawkowie, jako najbliżsi sąsiedzi, starsi i doświadczeni, mogliby może pomóc dziewczynce dojść do jakichś wniosków w kwestii pocałunków, jednak wyniosła obojętność, jaka zapanowała między panią Zofią a jej mamą, zapowiadała fiasko każdej próby.

Na parterze na lewo od wejścia mieszkają gospodarze, a na prawo dwie niezamężne aptekarki. Kama, ładna blondynka z krótkimi włosami, dynamiczna, zawsze z uśmiechem na twarzy, wiecznie czymś zaprzątnięta. Ciągle coś porządkuje, wietrzy pościel, biega z wiadrem brudnej wody do śmietnika. Jej przyjaciółka, brunetka Kalina, powolna i niezbyt pracowita, ma w mieszkaniu niewyobrażalny wręcz bałagan. Po powrocie z pracy blondynka sprząta mieszkanie, szoruje podłogę, trzepie narzuty, przynosi świeżą wodę ze studni. Brunetki w ogóle się nie widzi. Kiedyś ojciec dziewczynki, jako elektryk, został poproszony o pomoc przy jakiejś drobnej naprawie. Wrócił wstrząśnięty bałaganem. Brunetka długie godziny spędzała nad kartami.

— Stawiała pasjansa. Nawet nie odwróciła głowy, kiedy wszedłem. Pokazała mi ręką, gdzie jest kontakt.

— Pewnie pyta kart, czy ma posprzątać?

— U Kamy wszystko jak w pudełeczku, u Kaliny jakby tornado przeszło — relacjonował mąż.

— Najwyraźniej te pasjanse jej nie wychodzą.

— Jakim cudem tak różne kobiety się zgadzają? — zastanawiali się rodzice.

Z żadną z aptekarek nigdy nie połączyła dziewczynki bliższa więź. A przecież właśnie one, tak blisko związane z medycyną, również mogły rozwikłać trapiącą ją od dawna zagadkę pocałunku. Niewykluczone zresztą, że na własny użytek już to zrobiły, bo nie kręcił się wokół nich żaden mężczyzna. Nikt u nich nie bywał, nikt ich nie odprowadzał, nikt nie wpadał na towarzyskie pogawędki. Wyglądało na to, że wystarczają same sobie.

Tymczasem pocałunek wciąż pozostawał nieodgadniętą tajemnicą. Ta pogłębiła się jeszcze, kiedy dziewczynka, łypiąc jednym okiem spod kołdry, obejrzała do końca film fabularny, którego bohaterka ponad życie rodzinne przedłożyła dożywotnie zamknięcie w zakonie. Z małego serca wyrwało się wówczas pełne zawodu, ale równocześnie satysfakcji:

— A jednak poszła do klasztoru!

Zatem ktoś wolał dobrowolnie zrezygnować z normalnego życia, niż znosić pocałunki przystojnego narzeczonego? To dało dziewczynce bardzo dużo do myślenia. Kiedy po chorobie wróciła do przedszkola, Andrzej zachowywał się z dystansem. Nie próbował sztuczek, nie przekładał swojej pościeli tak, aby znaleźć się obok niej. Ta powściągliwość, początkowo pożądana, szybko jednak zaczęła ją męczyć, okazało się bowiem, że koleżanki zdążyły przywyknąć do nowych obyczajów panujących w łazience. Co więcej, zaakceptowały je! Widać warto zapłacić cenę pewnej przykrości za towarzyską atrakcyjność. Niby zawstydzone, w rzeczywistości znajdowały przyjemność w tej dziwnej zabawie.

Chłopcy przechwalali się między sobą liczbą zdobyczy, jakby to były kolejne kapsle do podwórkowej gry w Wyścig Pokoju. Wszystko się coraz bardziej komplikowało. Anka śpiewała pod nosem: „O mnie się nie martw, o mnie się nie martw, ja sobie radę dam", co natychmiast udzieliło się dziewczynce. Nuciła cicho, aby przekonać samą siebie, że nie pochwala tych nowych przedszkolnych obyczajów. Ale w grupie pozostawało już coraz mniej niepocałowanych dziewcząt. Być niepocałowaną równało się niemal odrzuceniu. Te brzydsze, chcąc sposobem zwalczyć swój brak atrakcyjności, umawiały się wręcz z umiarkowanie pociągającymi chłopakami, którzy również musieli odrabiać punkty. Szli się całować jak do boju, bez gry wstępnej, bez ukradkowych spojrzeń, bez miłych słówek, bez pociągania za fartuszki, warkocze, bez ganiania, podstawiania nóg. Szli, kierując się rozsądkiem, na zimno kalkulowali opłacalność tego kroku, brali sprawę w swoje ręce. Potem wychodzili z łazienki i gestem pełnym obrzydzenia ocierali usta. Nie patrzyli na siebie, ale kroczyli dumni, wyprostowani, zadowoleni, jakby wspięli się na wyższy poziom, wygrali w jakiejś grze, dzięki której ich życie od teraz będzie miało zupełnie inny wymiar.

Nie zwracając szczególnej uwagi wychowawczyń, ten obłęd trwał około tygodnia, aż wreszcie stracił impet i zgasł. Znudzone i syte doznań zarezerwowanych dla dorosłych dzieci natychmiast wymyśliły nową zabawę. Znów zaczęło się od rewelacji pokątnie szeptanych wprost do uszu, wtajemniczenie bowiem stanowi najważniejszą broń w walce o przywództwo w grupie.

— Biała Łapa? Ale... Jak?... — pytał strwożony Jacek, rzucając ukradkowe spojrzenia w okno, za którym wolno płynął zamglony co prawda, ale wciąż jasny listopadowy dzień.

— Normalnie, w oknie. A potem znika. Nie wiadomo kiedy. Rozpływa się. Kto ją zobaczy, ten na pewno umrze! — perorował przemądrzały Paweł, zadowolony, że jego opowieść robi wrażenie. Znów był o krok przed wszystkimi!

Jacek nie chce na razie umierać. Ledwie zdążył odetchnąć od zagrażającej mu na ulicy czarnej wołgi, pocałował Hanię, co też nie było jakoś wybitnie przyjemne, a teraz znowu to! W panice szuka sposobu na uniknięcie kolejnego niebezpieczeństwa. Co robić?!

— To ja zasłonię okno! — próbuje przechytrzyć siły nieczyste.

— A co to dla niej jakaś tam zasłona! — Paweł zażarcie broni swej przewagi. Biała Łapa należy do niego, jest jej dysponentem. Tylko on zna jej zwyczaje i tajemnice, tylko on może nimi manipulować. — Ona potrafi przenikać nawet przez ściany! — ze złowieszczo zmrużonymi oczyma podbija stawkę.

Jackowi robi się gorąco.

— Eeee, bujasz… — broni się słabiutko i naraz czuje, że ze strachu bardzo chce mu się sikać. Trzymając dłoń na kroczu i ściskając uda, chyboczącym krokiem pędzi do toalety. Wychodzi stamtąd nie tyle uspokojony, nie tyle pewny swego bezpieczeństwa, ile połączony lękiem z grupą równie struchlałych Zuchów, którym zdążył sprzedać opowieść o Białej Łapie.

Zaraza się rozprzestrzenia. Dzieci są tego dnia jakby grzeczniejsze. Przestraszone, popatrują w kierunku okna, za którym szarzeje smętne południe. Garną się do pani, siadając jak najbliżej. W skupieniu słuchają bajek. Nikt się nie śmieje, nie biega. Jedzą grzecznie, nie wariują podczas leżakowania, zasypiają z obawą, czy im się nie przyśni Biała Łapa. Tęsknie wyczekują na podwieczorek i rodziców, aby wtuliwszy się w mokre palta, zapomnieć o znienacka spadłym na ich barki koszmarze. Ale mimo prób strząśnięcia z siebie obawy, ta nie pozostaje w przedszkolu, zabiera się z nimi do domów, gdzie mości sobie wygodne posłanie w ciemnych pokojach, pod łóżkami, szafami, na stryszkach.

Dziewczynka przez całą drogę powrotną nie puszcza dłoni taty. Cieszy się, że śnieg w nocy stopniał. Siedząc na sankach byłaby zbyt daleko od taty i Biała Łapa mogłaby ją niezauważenie porwać. Mimo zmartwienia nie zdradza jego przyczyny, a tata nie domyśla się, że może należałoby pociągnąć córkę za język, aby dała upust obawie, która przez kilka kolejnych dni nie pozwoli jej bez lęku patrzeć w wieczorne okno.

— Tatusiu — mówi wreszcie. — A dlaczego my nie zasłaniamy okna na noc?

— Nasze okna są wysoko i nie wychodzą na ulicę. Nie musimy ich zasłaniać, bo nikt nie może do nas zajrzeć.

— A w nocy? Kiedy śpimy?

— Wtedy tym bardziej, bo światło jest zgaszone.

— To po co nam zasłony?! — dziewczynka niemal krzyczy, rozżalona.

Domyśla się, że tata niczego nie wie o Białej Łapie. Szuka sposobu, jak mu uświadomić grozę sytuacji, sprawa jest poważna, przecież chodzi o życie! Ale on nie rozumie, w jakim niebezpieczeństwie znalazła się rodzina, wzrusza obojętnie ramionami.

— Chyba dla ozdoby?

Dziewczynka, przybita ciążącą na niej odpowiedzialnością, ledwie się wlecze. Siedzi smutna przy stole w kuchni, boi się iść sama do ciemnego pokoju. Nie prosi, aby jej coś przeczytać. To najlepszy dowód złego samopoczucia. Jednak dorośli, zajęci maleństwem, niczego nie widzą. Wieczór mija w potwornej męce. Dziewczynka patrzy to na mamę, to na tatę, wreszcie na Ankę i na Ulę i myśli, jak ich uratować. Jest tylko jeden sposób: musi zobaczyć Białą Łapę pierwsza.

Kiedy tata przychodzi ucałować ją na dobranoc, ciężar tajemnicy jest już ponad siły. Dziewczynka nie wytrzymuje.

— Tatusiu, nie patrzcie dziś w okno. Ja się poświęcę — mówi stanowczo, choć cichutko i z lękiem.

— Co zrobisz?!

— Kiedy przyjdzie Biała Łapa, nie otwierajcie oczu — szepce mała.

— Biała Łapa?! Ta z *Ekranu z bratkiem*? Ale to jest chyba Niewidzialna Ręka?

— Nie, inna, całkiem inna. Ona zabiera... Na zawsze... — Małej trzęsie się broda i dwie łzy spływają po policzkach.

— Nie ma żadnej Białej Łapy! Kto ci naopowiadał takich bzdur?!

— Wszyscy! Wszyscy! I jeszcze o czarnym domu w czarnym lesie i o czarnej wołdze, co porywa dzieci! — mówi rozżalona, chcąc wyrzucić z siebie wszystko naraz.

Tata chwyta się za głowę, wzdycha ciężko i patrzy na córkę.

— Jesteś już duża, nie wierz w takie brednie. Kiedy wyrzucę śmieci, to ci poczytam, chcesz?

— Ale przy zasłoniętym oknie, dobrze?

Sobota jest dniem szczególnym. Tata pracuje tylko do trzynastej, odbiera córkę z przedszkola trzy kwadranse później. W sobotę nie ma leżakowania, tata nie idzie do szkoły wieczorowej, dzień jest długi i radosny. A po nim jeszcze przychodzi niedziela, kiedy można w ogóle nie wychodzić z domu! Najpierw rodzina zasiada do śniadania. Dziewczynka godzi się już nawet na kubek kakao, choć przeciwko zupie mlecznej, a zwłaszcza bułce rozmoczonej w mleku, żywiołowo protestuje. Przy stole rodzice przywołują różne wspomnienia ze swego dzieciństwa. Tak się składa, że przypadało ono na czas wojny i okupacji, dziecku starają się jednak opowiadać wyłącznie zabawne zdarzenia, jak chociażby to, kiedy czteroletni wujek Tosiek „tłumaczył" stacjonujących we wsi żołnierzy niemieckich, twierdząc, że tylko on ich rozumie.

Ani mama, ani tata dziewczynki nie doświadczyli grozy wojny w jej najstraszniejszym wydaniu. Choć mama i siostra taty zmarły podczas okupacji, były to zgony spowodowane chorobami. Wujek mamy w wieku dwudziestu dwóch lat zginął podczas forsowania Odry, jednak mówi się tylko o tym, co robił, nim wstąpił do wojska. Brat taty, Poldek, walczył w AK i po wojnie był przez siedemnaście miesięcy więziony gdzieś w głębi Związku Radzieckiego, pracując na Ukrainie przy wyrębie lasu. Na szczęście zdążył już wrócić.

Wojna nie naznaczyła rodziców dziewczynki cierpieniem ponad ich siły. Bywali głodni, zmarznięci w niedogrzanych domach, przez których okna zimą nie dało się wyjrzeć, bo mróz siedział na szybach aż do wiosny. Mama z bratem uczyli się na tajnych kompletach, a babcia działała w AK. Czasem posyłana do sklepu w Cegłowie, mama dziewczynki zostawiała w umówionym miejscu chleb lub mleko. Kiedyś wyszedł po nie straszliwie zarośnięty człowiek, prawdopodobnie Żyd. Innym razem w paśniku dla krów mama znalazła butelki wypełnione zapisanym drobno papierem. W domu babci Serwatkowej zdarzały się tajne spotkania, jednak nikt z powodu konspiracji nie został aresztowany ani nie stracił życia. Nikt na oczach dzieci nie został rozstrzelany, nikt nie trafił do obozu. Z całej wsi podczas wojny zginęła tylko jedna osoba, ciotka, zastrzelona z przelatującego nisko niemieckiego samolotu. Zatem i wojenne opowieści rodziców dziewczynki są opowieściami o zwykłym życiu, jakie wiedli pomimo tego strasznego czasu. Być może brzmią dziwacznie, nieprawdopodobnie, bo przyzwyczailiśmy się, że powinny budzić grozę, ale są prawdziwe i na tym polega ich wartość.

Mama wspomina młodego człowieka, może Żyda, który, już nieżywy, siedział w lesie oparty o drzewo. Znaleźli go z bratem podczas zbierania grzybów, a ludzie ze wsi pochowali. Nie było widać żadnych obrażeń, czyżby zmarł z głodu? Tata opowiada, jakim strasznym widokiem był dla niego mały żydowski chłopiec jedzący podczas okupacji ugotowane obierki ziemniaków. On też czasem bywał głodny, ale nigdy aż tak. Jako dziesięciolatek tata z chłopakami z podwórka wrzucał chleb i jabłka na teren obozu jenieckiego, który znajdował się gdzieś przy Tartacznej. Jednak nigdy żaden ze strażników czuwających w wysokich budkach nie otworzył ognia w kierunku dzieci. Ale najsmutniejszą wojenną historią jest opowieść mamy o nadzwyczajnej suczce.

— We wrześniu trzydziestego dziewiątego, kiedy trwały niemieckie naloty, wielu ludzi uciekało z Warszawy, aby gdzieś na wsi przetrzymać najgorsze. Niedaleko nas w jednym z gospodarstw osiadła taka rodzina. Mieli małą suczkę, która niedługo potem urodziła troje szczeniąt. Kiedy Warszawa się poddała, gdzieś w październiku, ci ludzie postanowili wrócić do swojego domu. Jednocześnie, nie wiedząc, co zastaną na miejscu, zdecydowali się zostawić suczkę na wsi. Kilka dni później zobaczyli ją na swym progu ze szczeniakiem w zębach. Przeniosła go czterdzieści kilometrów! Powtórzyła tę drogę trzykrotnie, a kiedy trzecie szczenię znalazło się już bezpiecznie w domu właścicieli, bohaterska suczka zdechła z wyczerpania.

— Nie mówi się zdechła, tylko umarła! — krzyczy dziewczynka, wstrząśnięta opowiedzianą historią, głupotą ludzi, którzy własnego psa po prostu zostawili u obcych, przerażona wizją, którą jej podpowiada usłużna wyobraźnia. — A co ona jadła po drodze? — chlipie. — Co piła? Co robiły jej dzieci, kiedy jej nie było? Dlaczego ona musiała umrzeeeć?! — płacze rozżalona niesprawiedliwością świata.

Opowieść o suczce rodzice starają się więc łagodzić innymi, mniej smutnymi. Dziewczynka słucha pilnie i uczy się ich historii. Nie wie jeszcze, że wspominają, aby móc cieszyć się z tego, co przez minione dwadzieścia lat osiągnęli. Oczywiście wciąż są na dorobku, w domu jednak nie bywa ani zimno, ani głodno. Komórka jest pełna węgla i drewna, maleńka lodówka nigdy nie świeci pustkami. Mimo że tuż obok znajduje się punkt ORS-u (Obsługa Ratalnej Sprzedaży), żyją skromnie. Nie zaciągają długów, pozwalając sobie tylko na to, na co ich stać. Będą tak gospodarować zawsze, ale nigdy nie wyrwie im się słowo skargi, a ich skromne oszczędności będą wspomagać znajdujących się w potrzebie członków rodziny.

Dziewczynka lubi niedziele. Po śniadaniu kokosi się przed telewizorem i ogląda filmy, w tym najulubieńsze amerykańskie komedie: *Ed, koń, który mówi* i *Ożeniłem się z czarownicą*, rozpoczynający się zabawną kreskówką. Potem jest nigdy nieprzegapiony teatrzyk dla dzieci lub film Disneya. Czasem rodzice jej towarzyszą, chociaż częściej tata. A po obiedzie wszyscy idą na spacer. Do parku mają bardzo blisko i z wózkiem lub sankami ruszają na długą przechadzkę. Dziewczynka zabiera swoją spacerówkę z lalką lub prosi mamę, aby dała jej poprowadzić wózek siostry. Jest bardzo dumna, kiedy dostępuje tego zaszczytu. Przejęta odpowiedzialnością, sądzi, że wszyscy patrzą na nią z podziwem. Ale też nigdy nie wychodzi i nigdy już nie wyjdzie ze swej roli. Poczęstowana cukierkiem, prosi o drugi „dla siostry". Czy zawsze go jej oddaje? Miejmy nadzieję, że tak, jest bardzo obowiązkowa. I z tego miejsca chciałaby przeprosić za pewien poranek kilka lat później, kiedy zostawi ją chorą, samą w domu i wyjdzie, żeby się nie spóźnić do szkoły. Nie usprawiedliwia jej to, że nie wytrzyma w ławce, zwolni się i przybiegnie zdyszana, zderzając się przed drzwiami z mamą. Wybacz mi, Ulu.

Ale teraz nie przypuszcza, że będzie zdolna tak bardzo ją kiedyś zawieść. Idzie dumna, chętnie się zatrzymując, kiedy znajomi mamy zaglądają do wózka, aby popatrzeć na niemowlę. Miasto jest niewielkie, miejsc do spacerowania mało, wszyscy spotykają się na Warszawskiej, Świerczewskiego i w parku.

To miasto jest dla dziewczynki całym jej światem. Jako sześciolatka niemal nigdzie jeszcze nie była. Nie wie, że są miasta większe, piękniejsze, bardziej zadbane. Nie wie, że widoki, które zapiszą się w jej pamięci, będzie odnosić do wszystkich innych miast i niewiele zdoła im sprostać. Jednak to nie wyjątkowość miasta jest tego przyczyną, tylko czułość i opieka rodziców. Dziewczynka jest szczęśliwa. Szczęśliwe dzieciństwo to najlepsze wiano na dorosłe życie. Wyposaża w ufność, odwagę, ciekawość świata, pewność, że ludzie są z natury dobrzy, i przekonanie, że warto im pomagać, niczego nie żądając w zamian. Chciałaby, aby jej dzieci mogły to kiedyś powiedzieć o swoim domu rodzinnym.

Anka wraca w niedzielę wieczorem. Jest jakaś inna, jakby nagle zhardziała. Robi dziwne miny, kryguje się, wreszcie mama nie wytrzymuje:

— Co tam się stało?

Anka udaje, że nie rozumie.

— Gdzie?

— Na wsi. Poznałaś kogoś? Ktoś ci się oświadczył? A może wręcz odwrotnie?

— A nic… Zobaczymy… — Zadowolona Anka uśmiecha się do siebie.

Zobaczyli już niebawem, bo trzy dni później. Jak na złość znowu były same. Ktoś zapukał koło czwartej. Anka jakby na to czekała. Wyraźnie zgrzany młody człowiek stał w drzwiach i jakby się zdziwił, kiedy mu otworzyła.

— Więc jednak! — powiedział oskarżycielsko.

— Jednak co? — ofuknęła go obojętnie.

Na tę wymianę zdań, z lnianą ścierką w rękach, do przedpokoju wyszła mama.

— Może pan wejdzie? — zaproponowała, nie chcąc, aby przewidywana kłótnia rozniosła się po całym domu.

Młody człowiek, nie spuszczając wzroku z Anki, starannie wytarł nogi i wszedł do środka. Dziewczynka przyglądała mu się zaciekawiona.

— Proszę zdjąć kurtkę i wejść do kuchni, Ania poczęstuje pana herbatą — zakomenderowała mama, złapała córkę za rękę i weszła do pokoju, po czym zamknęła za sobą drzwi. — Poczytamy? — spytała.

Dziewczynka nie wygląda na zadowoloną

— Ale mi się chce pić… — kłamie na poczekaniu. — Pójdę wziąć sobie wody.

— Teraz nigdzie nie pójdziesz. Którą ci przeczytać?

— Jakoś dziś nie mam ochoty na czytanie. — Mała chyłkiem sunie w stronę drzwi. — W gardle mi zaschło! — chrypi teatralnie.

— Oni chcą być sami — mówi szeptem mama.

— Skąd wiesz?

— Domyśliłam się.

Nagle z kuchni dobiegają podniesione głosy:

— Co to jest?! Co to ma znaczyć?! Po całej wsi biegałem, żeby mi ktoś to puścił na adapterze! Myślisz, że tak łatwo znaleźć na wsi adapter?!

— Widzisz?! Kłócą się! Trzeba ratować Anię, bo będzie nieszczęście! Prędzej! — Mała ciągnie matkę za rękę.

— Nie możemy im teraz przeszkadzać.

— Nie, musimy im pomóc! Zanim będzie za późno!

Podniesione głosy milkną. Mama i córka czekają w napięciu, ale nic się nie dzieje. W kuchni panuje cisza. Dziewczynka, pewna, że stało się coś strasznego, zasłania usta.

— A widzisz! — szepce. — Mówiłam ci! Natychmiast idź i zobacz! — Robi trzy kroki w kierunku drzwi. Mama jednak uśmiecha się i kręci głową przecząco.

— Teraz nie wolno.

— Jak to nie wolno?! Może oni się tam całują?! — mała sięga po argumenty najcięższego kalibru.

— To chyba dobrze?

Dziewczynka patrzy na matkę ze zdumieniem.

— Chcesz, żeby Anka poszła do klasztoru?! — W głowie jej się nie mieści.

Mama ściąga brwi. Nie rozumie. Już otwiera usta, żeby odpowiedzieć, ale właśnie zaczyna kwilić niemowlę.

— No i mamy zajęcie! Musimy nakarmić i przewinąć naszą dzidzię. — Mama oddycha z ulgą.

Wyjmuje dziecko z łóżeczka, siada na wersalce i rozpina guziki bluzki. Wyłuskuje ze stanika pierś. Zgłodniała Ula ssie chciwie. W kuchni nadal trwa cisza.

Dziewczynka wzdycha ciężko, jakby to było dla niej wielkie poświęcenie, bez słowa siada jednak na krześle. Czeka w napięciu.

— Tu cicho i tu cicho, jakby się zmówili! — jęczy zawiedziona.

Karmienie trwa długo. Z kuchni znów dochodzą głosy, ale już cichsze. Ula też się najadła. Mama chowa pierś i bierze malucha na ręce. W tej chwili ktoś ostrożnie otwiera drzwi. Anka jest zaróżowiona, promienieje, za nią wychyla się też chyba zadowolony Heniek. Oboje uśmiechają się lekko.

— Wyjdę na chwilę, dobrze? — Anka rzuca w przestrzeń. — Odprowadzę go na przystanek.

Mama kiwa głową, zabierając się do przewijania. Starsza córka podaje jej złożoną pieluchę, których zapas leży na szafce nocnej między piecem a łóżeczkiem niemowlaka. Anka już się ubrała, zawiązuje jeszcze chustkę. Pozwala Heńkowi wyjść pierwszemu. Zagląda do pokoju z uśmiechem, mruga porozumiewawczo, a dziewczynka, założywszy ręce, wychodzi za nią do przedpokoju i tonem starszej siostry upomina:

— Tylko tam uważaj na siebie!

XIII

Listopad niczym wczesny październik. Od dwóch dni mżawka, jednak nadal ciepło. Osiedle rozbrzmiewa hukiem dmuchaw ogrodowych. Latem sobotnie koszenie nie dawało odpocząć, dziś, jakby się umówili, gospodarze dmuchają na liście. Zastanawiam się, dlaczego porzucili grabie? Nie jest to mniej skuteczny sposób dyscyplinowania liści, a przecież o wiele łatwiejszy i bardziej naturalny! Ale może to zbratanie z techniką jest bardziej męskie? Mężczyzna ze swoim odkurzaczem walczy z liśćmi. Jakoś nigdzie nie widziałam przy tej pracy kobiety. Odkurzacze są podobno dość ciężkie, ale myślę, że nie tylko o to chodzi. Kobieta nie wstydzi się grabić ani zamiatać chodnika, robi to od setek lat. Mężczyzna czułby się pewnie jak dozorca. A odkurzacz to gadżet, coś jak świetlny miecz. Daje poczucie, że jest się na bieżąco z osiągnięciami techniki, że jest się zakotwiczonym w swoim czasie, a nawet o krok przed nim.

Latami zamiatałam liście na chodniku, posługując się miotłą. Jest cicha i przyjazna. Sprzątać miotłą to jak jeździć na rowerze. Można osiągnąć to samo taniej i robiąc wokół siebie mniej hałasu. Chciałabym, żeby ludzie czasem pomyśleli o innych. Żeby nie palili liści i innych śmieci, a zwłaszcza plastików w domach, bo tym powietrzem muszą później oddychać wszyscy sąsiedzi. Żeby nie wyrzucali śmieci gdzie popadnie, bo śmieci psują wizerunek osiedla. Żeby sprzątali po swoich psach, zadbali o czystość na ulicy przed domami, a nie czekali na ekipę w zielonych kamizelkach, która odwali za nich ten przykry obowiązek. Niemal nigdzie nie widzę przy porządkowaniu ogrodów i ulic młodych ludzi i dzieci. Czyżby ich hańbiła praca we własnym obejściu? Czy rodzice nie mają argumentów, żeby im wcisnąć miotły do rąk?

Chyba wraz z upływem czasu robię się coraz mniej tolerancyjna. A może coraz więcej zauważam? Czy to objaw starości? Ja i starość wpadamy zresztą na siebie coraz częściej. To tu, to tam. Popatrujemy zdziwionym wzrokiem, jeszcze przepraszamy, zakładając z góry, że to pomyłka, ale przecież nie. Symptomy pojawiają się na długo przed właściwą diagnozą. Więdnąca skóra twarzy. Drobne plamki na dłoniach. Coraz słabszy wzrok. Sen płytki jak u ptaka. Rozum w terrorze młodości nie dopuszcza jeszcze myśli o zmianie, jednak fizjologia nie daje zapomnieć. Dzień po dniu, miesiąc po miesiącu, niby ta sama, ale przecież nie jestem taka sama. Najgorsza w starzeniu jest chyba nieodwołalna utrata poczucia nieśmiertelności. To całkiem realny ból, który dodatkowo powoduje popadanie w stany depresyjne. Nagle zaczynamy się przejmować na zapas, przewidywać kłopoty, stajemy się zachowawczy, czujemy irracjonalne lęki, starając się uchronić bliskich przed wszelkimi, prawdziwymi i urojonymi, zagrożeniami.

Wyjątkowa w swym pięknie jest tegoroczna jesień. Już niemal połowa listopada, a wciąż ciepło, pogodnie.

Z brzóz spływają złote girlandy. Kolorowe dywany ścielą się pod klonami. Niczym przedszkolak brodzę w opadłych liściach. Wciąż jeszcze wiele trzyma się gałęzi. Przy silniejszym wietrze sfruną z gracją, kręcąc w powietrzu piruety. Kończą swój żywot z godnością, nie podnoszą larum, nie trzymają się kurczowo życia.

Ich kolor jest znakiem odejścia. Dopiero teraz, kiedy stały się purpurowe, widzę na placu koło kościoła mnóstwo maleńkich dębów czerwonych. Latem jakoś nie zwracałam na nie uwagi. Chciałoby się wykopać choć jeden i posadzić gdzieś na pamiątkę. Patrzeć, jak rośnie, zostawić pod opiekę wam i waszym dzieciom. Mieć nadzieję, że kiedy będziecie go dotykać, to jakbyśmy trzymali się za ręce. Oszukać w ten sposób bezlitosny czas, który każe liściom spadać z drzewa. Jak inaczej wyglądałyby cmentarze, gdyby ludzie, zamiast czcić pamięć swoich bliskich kamiennymi nagrobkami, sadzili w to miejsce drzewa! Kamień to symbol zamknięcia ciała zmarłego raz na zawsze pod ziemią. Symbol unicestwienia.

Na nagrobkach ludzie coraz częściej kładą wiązanki ze sztucznych kwiatów, jakby liczyli na to, że kamień i plastik mają moc oszukania czasu. Że dają rękojmię wieczności. Nie dają. Plastikowe wiązanki stracą kolor, kamień się rozpadnie. Parki zamiast cmentarzy, przyjazne ludziom i przyrodzie, zachęcałyby do spaceru, a nawet relaksu. Kamienne nagrobki nas straszą, są pokraczne, przesadzone, zaprojektowane przez kamieniarzy bez gustu dla klientów bez gustu. Drzewo to lepszy symbol życia, piękniejszy niż najpiękniejszy marmur czy piaskowiec, bo drzewo żyje, a kamień jest martwy.

W Barczącej rosną już dwa dęby posadzone przez dziadka tuż po waszych narodzinach. Dawno nie sprawdzałam, jak są wysokie. Zabawne, bo mój, posadzony teraz, byłby znacznie mniejszy. Dąb potrzebuje bardzo dużo miejsca, należy liczyć się z tym, jak wielki może kiedyś urosnąć. Tymczasem zadowolę się marzeniem o własnym dębie. Na moim osiedlu rośnie wiele dębów, nie wiem, ile mają lat, ale wyglądają imponująco. Natomiast jesienią stają się utrapieniem właścicieli działek, zmuszonych do zapakowania w worki ich opadłych liści.

Nagle podczas spaceru słyszę pianie koguta. Jest tak nierealne w mieście, skąd resztki wsi cywilizacja wygnała pół wieku temu, że zafascynowana idę za tym dźwiękiem, prosząc ptaka w duchu, aby zapiał raz jeszcze, dając mi znak. Wreszcie widzę! Jest! Na jednej z niezamieszkanych działek chodzi sobie stadko sześciu kur i kogut. Grzebią, poszukując jedzenia, i nie zwracają uwagi ani na mnie, ani na zdumione ich widokiem psy. Stoję dłuższą chwilę, patrząc na nie z jakąś dziecięcą radością. Im bardziej jesteśmy zabetonowani, uniezależnieni od natury, tym bardziej za nią tęsknimy. Im większy dystans nas od niej dzieli, tym bardziej ludzcy stajemy się dla zwierząt.

XIV

Od kiedy Heniek znów wkroczył w życie Anki, dziewczynka nie ustawała w czynieniu dyskretnych obserwacji. Czasem bywały one mniej dyskretne, niż jej się wydawało. Podejrzała ich raz czy dwa, widziała, że się całują, zdziwiona, że żadne nie wyciera ust, najmniejszym gestem nie sygnalizuje obrzydzenia. Kiedy więc podczas drogi do przedszkola znalazły się sam na sam, zapytała Ankę z nieukrywanym rozdrażnieniem:

— Dlaczego wy się tak ciągle całujecie?!

— To nie ja, to Heniek! — zrzucając winę na chłopaka, młoda ciotka broniła się przed niewygodnym pytaniem.

— U nas w przedszkolu chłopaki już dawno przestali! Kiedy Jacek się za bardzo podwalał do Hani, to dostał workiem, aż mu krew z nosa poleciała! — zapaliła się dziewczynka. — Ale może to nie jest najlepszy sposób... — zreflektowała się po chwili i popadła w zamyślenie, które znów pozwoliło Ance uniknąć odpowiedzi.

Wreszcie przyszła prawdziwa zima! Choinka rosnąca przed przedszkolem ustrojona została w lampki, które były tak duże, że mogły również pełnić funkcję monstrualnych bombek. Dzieciom to jednak nie przeszkadzało. Dwa takie drzewka, może trzy, musiały wystarczyć na całe miasto. Jedno tradycyjnie stało na placu naprzeciwko kościoła. Nikt jeszcze wtedy nie wychodził ze świątecznymi dekoracjami na zewnątrz. Sklepy nie szukały klientów, miasto nie miało funduszy. Trwała powojenna bieda, a i specjalnych lampek, które wytrzymywałyby niskie temperatury i zimowe ulewy, również nie było w sprzedaży. W tych czasach niedoboru nie tracono dolarów na błahe zakupy konsumpcyjne. Zresztą importem sterowano odgórnie, a handel miał zgoła inne cele niż zaspokajanie wydumanych potrzeb. Przez wszystkie te lata braki w sklepach dawały się bardzo boleśnie odczuć. Brakowało ładnych rzeczy, zarówno odzieży, jak i butów czy mebli. Wzornictwo było toporne, a produkcja niska. Niemal o wszystko się walczyło, niemal wszystko trzeba było załatwiać. Nie mówiło się „kupiłam coś", tylko „dostałam". „Dostałam szynkę", „dostałam buty" — tak jakby w sklepach nie trzeba było płacić. Ale owo „dostałam" rozumiano jak: „wystarczyło dla mnie", bo każda dostawa kiedyś się kończyła i mimo zajęcia miejsca w kolejce równie dobrze można było „nie dostać". Gdy czegoś w sklepie zabrakło, mówiono: „nie doszło do mnie".

— Była w Delikatesach szynka, ale nie doszła do mnie.

Wraz z pierwszym śniegiem świat wkraczał w magiczny czas, o czym przypominały również dziesiątki sanek, które mimo że ustawione na sztorc, ledwie mieściły się przed budynkiem przedszkola. W pogodne dni dzieci wychodziły do ogrodu i lepiły tam bałwana, rzucały śnieżkami, zjeżdżały z niewysokiej górki. Odbierane przez rodziców, nie musiały już dreptać przez pół miasta, brnąc w śniegu. Jechały wygodnie, otulone kocykami, wydychając parę, która wyglądała jak dym z papierosa.

A zimy bywały śnieżne! Pierwszego dnia od razu lepiło się bałwana, który pilnował podwórka aż do roztopów, robiło znak orła, kładąc się na puchowej pierzynce i poruszając rękoma i nogami, lepiło się piguły i celowało w kolegów. Zabawa w śnieżki odżywała rokrocznie pierwszego śnieżnego dnia.

Często śnieg oznaczał również bliskość świąt. Mama już wcześniej robiła systematyczne zakupy i zabierała się do sprzątania. Trwało to kilka dni, bo musiała zajrzeć do każdego kąta, umyć każdy talerz, bibelot, odkurzyć każdą półkę. Nie miała tego zbyt wiele: pokój, kuchnia, przedpokój i stryszek, ale każde wiadro wody należało przynieść i wynieść, dywan trzepało się na śniegu, a na koniec szczotką ryżową szorowało się schody. Przed świętami musiały lśnić czystym kolorem drewna!

Kiedy już wszystko pachniało świeżością, w Wigilię rano zmieniało się pościel. Dopiero wtedy tata mógł przynieść do domu choinkę. Kupił ją zapewne kilka dni przed świętami, wracając z pracy, gdzieś niedaleko domu. Może mu nawet towarzyszyła córka? Wybrali niewysokie drzewko, gdzieś na rynku koło kościoła, obwiązane sznurkami ułożyli na sankach. Od tej pory dziewczynka z niecierpliwością czekała, kiedy tata obsadzi drzewko w stojaku i wyniesie ze stryszku stare kartony z bombkami i lampkami. Włos anielski oraz cukierki należało każdorazowo dokupić.

Ubieranie choinki było ich wspólnym rytuałem. Poza światłami i bombkami, wśród których ginęła gdzieś

ta najładniejsza, pamiątkowa stara czerwona bombecz-
ka wielkości orzecha włoskiego, drzewko, zazwyczaj
świerk, obwieszali zawsze długimi cukierkami — so-
plami. Czasem, jeśli tylko udało się dostać je w sklepie
pani Kucharskiej lub Delikatesach, soplom towarzyszyły
pękate trufle, po które się tak miło nurkowało i których
nigdy nie było dość. Ostatnimi akcentami zdobienia
choinki było powieszenie celofanowych włosów aniel-
skich, z których dziewczynka czasem robiła sobie dla
żartu fryzurę, oraz upstrzenie gałązek kawałkami waty
imitującymi śnieg. W tym roku czekał na zawieszenie
przygotowany w przedszkolu i przedłużony w domu
kilkumetrowy łańcuch z cienkich pasków papieru kolorowego — w sam raz, by owinąć drzewko od góry do
dołu. Choinka stała w rogu mieszkania, tam gdzie zazwyczaj było miejsce telewizora, wtedy odsuwano go nieco
w prawo. Na szczycie choinki lśnił efektowny czub, czyli
specjalna bombka ze szpicem, zakładana na wierzchołek
drzewka.

Kiedy tata ubierał choinkę, mama przygotowała kolację: zupę grzybową z domowym makaronem, śledzia
w śmietanie i z cebulką, a także smażonego w cieście
naleśnikowym, kompot z suszu, barszcz czerwony, gotowała ziemniaki do śledzia, piekła ciasto drożdżo-
we. W lepieniu pierogów pomagał jej mąż. Osierocony
w dzieciństwie, wcześnie nauczył się gotować i zawsze
chętnie kucharzył. Wigilie bywały skromne, ale smacz-
ne. Na święta przygotowywało się wędliny i szynkę oraz
baleron własnej produkcji, z czym było dużo zachodu,
a wędzić jeździło się na wieś.

Do kolacji zasiadali w pokoju, dzielili się opłatkiem i jedli przygotowane potrawy, z których najulubieńszymi była zupa grzybowa i pierogi z kapustą. Tuż po wieczerzy centrum świątecznej rozrywki stawał się telewizor. Mały, o czternastocalowym czarno-białym ekranie, z jedynym programem, całkowicie spełniał oczekiwania. Nie mając wielkiego wyboru, nikt jakoś nie narzekał. Oglądali, póki nie zmorzył ich sen. Wspólne oglądanie telewizji, a potem układanie się do snu w szeleszczącej krochmalem, twardej i pachnącej pościeli, było dopełnieniem rytuału Wigilii. W tych krótkich momentach, kiedy za oknem panowała pochmurna zimowa noc, hulał wiatr i trzeszczał mróz, mając obok siebie rodziców i siostrę, dziewczynka doznawała najgłębszego uczucia spokoju i szczęścia, niezmąconego przez żaden lęk, troskę czy obawę.

Zasypiała błogo, marząc o tym, co jutro znajdzie pod choinką, bo Mikołaj zostawiał swe dary głęboką nocą, kiedy wszyscy, również rodzice, już dawno spali. Raz tylko zrobił wyjątek i przysłał paczkę tuż przed świętami. W środku były puszka szynki Krakus, proszek do prania OMO, migdały, rodzynki, cudowny sweter w norweskie wzory dla starszej córki, czekolady Wedla. Paczka opłacona za granicą przez przyjaciela taty, Niemca Helmuta, zwanego w domu dziewczynki Józkiem, została przesłana przez PeKaO, bank, który prowadził sklepy dewizowe, gdzie kupowało się niemożliwe do dostania w normalnych sklepach towary luksusowe.

Święta Bożego Narodzenia były jakby większą niedzielą. Tego roku, kiedy urodziła się Urszulka, zimna

i śnieżna aura powodowała, że tym przyjemniej zako-
pani przed telewizorem wszyscy troje oglądali świat
przez małe okienko niczym przez wychuchaną w szybie
dziurkę. Jedzenia było mnóstwo, w święta się nie gotowało, jedynie Ula, raz po raz przystawiana do piersi,
nie spróbowała wszystkich smakołyków, chociażby ciast
z cukierni wujostwa Kolasińskich.

Zaraz po świętach odliczało się dni do sylwestra i Nowego Roku. Rodzice nigdzie się nie wybierali, dziewczynka nie musiała się martwić, że trzeba grzecznie spać
i uważać, żeby nie obudzić się w nocy, bo przecież została w domu całkiem sama. Razem z rodzicami czekała
na szampańską Szopkę Noworoczną w telewizji. Zawsze
jej się podobały te kukiełki, toteż z uporem trwała aż
do północy, a później natychmiast zasypiała. W Nowy
Rok można było pospać dłużej. Zaczynał się wspaniały
czas karnawału i dziecięcych zabaw choinkowych. Choinka oznaczała nie tylko różne popisy, tańce i konkursy
z nagrodami, jej punktem kulminacyjnym było zawsze
pojawienie się Mikołaja, który po wypastowanej i wyfro-
terowanej na błysk podłodze ciągnął zwyczajne sanki,
a na nich worek wypełniony paczkami. Prezenty przy-
gotowywali zapobiegliwi rodzice, kupując po znajomości
słodycze, ale również rarytas każdego Bożego Narodzenia — pomarańcze czy rzadsze mandarynki. W pacz-
kach, aby powiększyć ich objętość, pojawiały się również
jabłka, zazwyczaj bardzo soczysty McIntosh. Paczki dla
dzieci swoich pracowników przygotowywały wszystkie
zakłady i instytucje. Każda też miała ambicje zorganizo-
wania zabawy choinkowej.

Dziewczynka czuła się trochę skrępowana podczas choinki w szkole, gdzie pracowała jej mama, bo od samego początku, kiedy do sali wszedł Mikołaj, wiedziała, że to jej tata. Oczywiście nikomu nie zdradziła sekretu, jednak odpowiadając na pytania, czuła się niepewnie i uciekała wzrokiem. Nie był to pierwszy raz, kiedy dorośli urządzili sobie kosztem dzieci taką zabawę. Jedna z mam na czas sprawowania jego obowiązków podarowała Mikołajowi swą czapkę z czarnego lisa. Dzieci patrzyły na te usiłowania z życzliwą pobłażliwością, bo wszak chodziło o rytuał, a ktoś przecież powinien wręczyć te paczki. Chyba żadne z nich nie wierzyło w prawdziwość świętego.

Tuż po karnawale skończył się urlop macierzyński. Mama musiała wrócić do pracy, a dziewczynka do wcześniejszego wstawania. Nie było łatwo się przyzwyczaić. Wychodzenie z domu niemal przed świtem było bardzo przykre. Zima wciąż trwała w najlepsze i na razie nie zamierzała ustępować. Mama nigdy się nie skarżyła i tego samego wymagała od wszystkich dookoła. Należało iść szybko, bo przecież o ósmej zaczynają się lekcje w szkole, mama nie mogła się spóźnić, uczyła drugą klasę. I kiedy dziewczynka, wciąż poziewując, rozbierała się w przedszkolnej szatni, mama już niemal biegła na Siennicką. Może któraś z nich wzdychała na myśl, że jeszcze tylko pięć miesięcy do wakacji, a od września będą razem chodzić do szkoły. Znacznie bliżej, choć też na ósmą.

Tymczasem czekała dziewczynkę jeszcze wspaniała zimowa przygoda. W pewien piątkowy wieczór, doskonale wyekwipowani, w zimowych strojach: narciarkach, czapkach, kożuchach i ciepłych filcowych butach nazywanych tatrzankami, wraz z tatą i kilkunastoma osobami z ZNTK Mińsk Mazowiecki, wśród których znajdował się również dyrektor zakładu Józef Bogdan, ruszyli wieczornym pociągiem do Warszawy. Tam wsiedli w specjalnie dla nich zarezerwowany wagon, doczepiony do normalnego składu jadącego do Wisły. Dziewczynka czuła niezwykłe podniecenie, stojąc na dworcu Warszawa Główna. Miała dziś po raz pierwszy spać w pociągu na wysoko podwieszonym łóżku, patrzeć na przesuwające się światła miast, wreszcie zasnąć przy stukocie kół i obudzić się w zupełnie nowym, nieznanym miejscu! Tak daleko od domu, w górach!

Rano przywitało ich piękne słońce. Wagon, zmieniony w tymczasowy hotel, stał na bocznicy w Wiśle. Tata, świetny narciarz, pojechał w góry, zostawiając córkę pod opieką znajomych. Poszła z nimi na kilkukilometrowy spacer, aż pod skocznię. Było pogodnie i dość ciepło. Dziewczynka maszerowała dziarskim krokiem, raz po raz wyprzedzając grupę. Kiedy dotarli wreszcie do skoczni, postanowiła wspiąć się jak najwyżej po schodkach. Wiedziała, że tu odbywają się skoki narciarskie, oglądała je przecież z rodzicami w telewizji. Po raz pierwszy jednak sama znalazła się w takim miejscu. Chcąc zaakcentować swoją obecność, weszła na garb, nieco wyżej ponad miejsce, gdzie skoczkowie kończą lot, zeskakując w eleganckim przysiadzie na jedno kolano. Nie miała nart, nie umiała przecież jeździć, jednak to nie przeszkadzało jej opuścić schodków. Gładki i z pozoru twardy garb okazał się zadziwiająco miękki. Nie był w stanie utrzymać sześcioletniego Chudusia. Nogi dziewczynki natychmiast zaczęły się zapadać po kolana, a stopy grzęznąć. Nie podobało jej się takie schodzenie. I kiedy kolejny raz noga wpadła po kolano w miękki śnieg, dziewczynka obciągnęła nieco kożuch i bez żadnej podkładki zjechała prawie na sam dół.

W efekcie tej niezapomnianej narciarskiej przygody kożuch musiał się przez kolejny dzień suszyć, a ona sama zmuszona została do siedzenia w wagonie, bo nie miała żadnego innego okrycia. Tata, nieprzygotowany na kupno nowej kurtki, wobec mamy zachował tajemnicę zmoczonego kożucha, czuł się też chyba troszkę winny.

Z początkiem lutego pojawił się w Mińsku młodszy brat mamy, lekarz weterynarii Teofil. Odbywał właśnie rekonwalescencję po wypadku samochodowym, któremu uległ w dniu urodzenia Uli. Teraz przyjechał, aby pokazać się zmartwionej rodzinie i zobaczyć swą przyszłą chrześnicę. Trafił pechowo — Urszulka akurat chorowała. Przez kilka ostatnich dni czuła się gorzej, nie chciała jeść, gorączkowała. Zdenerwowani rodzice wezwali lekarza. Pani doktor, zdyszana, wspięła się po stromych schodach, osłuchała niemowlę i niewiele mówiąc, usiadła, aby wypisać receptę. To przypomniało wszystkim podobną historię, która wydarzyła się kilka lat wcześniej.

Działo się to w przeddzień Wigilii. Wtedy brat Maryli również przyjechał do Gutowskich. Często w ten właśnie sposób spędzał wolne. Młodzi rodzice pochylali się z troską nad chorą córeczką, którą próbowali rozweselić, pokazując jej przygotowane pod choinkę prezenty. Dziecko jednak nie było w stanie wykrzesać z siebie ani odrobiny entuzjazmu. Patrzyło na zabawkę, a potem odkładało ją na bok. Zdesperowani rodzice wezwali lekarkę. Ta osłuchała chorą i bez żadnego komentarza zabrała się do wypisywania recepty. Student weterynarii, stojąc przy piecu, spoglądał lekarce przez ramię. Kiedy przybijała pieczątkę z imieniem i nazwiskiem, mruknął:

— To właściwie nic jej pani nie zapisała.

— A kim pan jest?! — warknęła oburzona lekarka.

— Jestem wujkiem dziecka — powiedział spokojnie i zgodnie z prawdą.

Lekarka ze złością podarła receptę i wypisała inną, a młody ojciec pobiegł do apteki oraz do sklepu z zabawkami, aby w ostatniej chwili kupić jeszcze jakiś prezent.

Dziewczynka bardzo lubiła wujka Tośka, który wciąż żartował i wszystkich zmuszał do śmiechu. Korzystając z jego rzadkiej obecności, zaryzykowała poważną rozmowę.

— Wujku, ty masz dziewczynę?

— Na co mi dziewczyna? Tylko kłopot z taką! — wypalił bez zastanowienia, rujnując misterny plan dziecka.

— A zwierzęta się całują?

— Nigdy nie słyszałem.

Jego wymijające odpowiedzi zniechęciły dziewczynkę. Pomyślała, że Tosiek jest zbyt młody i niedoświadczony, aby mieć pojęcie o całowaniu. Z drugiej strony jednak utwierdziła się w przekonaniu, że musi być coś na rzeczy. Liczyła, że wreszcie znajdzie kogoś, kto pomoże jej zgłębić temat.

— A zagrasz ze mną?

W zimowe popołudnia i wieczory ktoś z rodziny wyjmował gry planszowe, by spędzić trochę czasu na współzawodnictwie. Dziewczynka nie układała już klocków, które oklejone fragmentami obrazka, dopiero w prawidłowej konfiguracji składały się w całość. Te czekały na malucha. W Skaczące Czapeczki też nie bawiła się zbyt często, uważając nie bez racji, że jest już na to za duża. Wystarczyło bowiem tylko uderzyć w deseczkę z podklejonym od dołu drewnianym patyczkiem. Stała na niej gumowa czapeczka, która w tym momencie frunęła do góry i w zależności od tego, do której dziurki na kartonowej planszy wpadła, tyle punktów się zarabiało. Środek był punktowany najwyżej, zewnętrzny krąg najniżej.

Dziewczynka czuła się również trochę za duża na układanie obrazków z kolorowych plastikowych pinezek, wbijanych w podziurkowaną planszę. Za to bardzo lubiła tworzyć obrazki z drewnianych kół, kwadratów, prostokątów i trójkątów, które należało przybić do filcowej podstawki, używając młotka i małych gwoździków. Niezmiennie tworzyła idącego dziarskim krokiem ludzika z trójkątną czapką na głowie. Lubiła gry planszowe, gdzie coś się działo, trzeba było dokądś dotrzeć, coś zdobyć po drodze. Miała oczywiście bierki, ale nie uległa tak bardzo ich czarowi, podobnie za zbyt łatwą uznawała grę w pchełki czy Czarnego Piotrusia. Co to za trudność zebrać karty do pary?! Natomiast nigdy jakoś nie udało jej się nauczyć grać w szachy. Mimo że w domu było piękne drewniane pudełko z rzeźbionymi, podklejonymi zielonym filcem figurami, nikt nigdy nie zadbał o to, aby dziecku przedstawić zasady tej królewskiej gry.

W ostatnim roku przedszkola dziewczynka lubiła bawić się okrągłą plastikową tablicą, dookoła której w specjalnym rowku można było manewrować literami. Wprowadzone do poziomego rzędu tworzyły słowa. Nieco później, kiedy już nauczy się dobrze czytać, dostanie tajemniczy Mózg Elektronowy. Należało odpowiadać na pytania z różnych dziedzin. Miało się do dyspozycji dwa kartoniki: z pytaniami i z odpowiedziami. Karty kładło się na podziurkowanym podłożu i wkładało drucik z bolcem w dziurkę pod pytaniem. Jeśli znalazło się prawidłową odpowiedź, przy wkładaniu bolca do odpowiedniej dziurki zapalała się maleńka żaróweczka. Ta elektroniczna zabawka szybko znudziła się dziewczynce, gdyż w bardzo krótkim czasie odkryła, że pewne pola odpowiadają innym, nie musiała więc znać odpowiedzi, aby głupi Mózg Elektronowy zaświecił żarówkę. Wstyd doprawdy.

Wszystkie drogi prowadziły ją więc do książek, co za męka dla rodziców, dla Anki, dla gości!

XV

Kurier dostarczył z rana zamówione kilka dni temu książki. Do księgarni już w zasadzie nie chodzę. Na moim osiedlu nie ma żadnej, pewnie by się nawet nie utrzymała. Do miasta jeżdżę dość rzadko. Książki sprowadzam przez Internet, bo i tak na półkach zazwyczaj nie ma tego, co chcę. Odkładam więc na wirtualną półkę interesujące tytuły, a kiedy zbierze się kwota zapewniająca bezpłatną dostawę, zamawiam. Lubię odbierać takie duże paczki. Rozcinam ją nożem w kuchni, oglądam każdą książkę z osobna, cieszę się jak dziecko. A potem przytulając do piersi, niosę na górę i raz jeszcze przeglądam.

Nie mam złudzeń — choć czytam codziennie, większość z moich książek nigdy nie zostanie przeczytana. Nie zdążę. Musiałabym nie mieć innych zajęć, prac domowych i zawodowych, wyjazdów, obowiązków rodzinnych i społecznych. Dlaczego je więc kupuję, skoro z góry wiem, jaki los je czeka? Może to nadzieja, że jednak oszukam czas? Może chęć, aby mieć je obok i zawsze móc sięgnąć? Szacunek dla czyjegoś wysiłku? A może to po prostu głód narkomana, który zawsze chce mieć przy sobie działkę? Wiele z nich jest mi też potrzebnych do pracy. Co za wspaniały pretekst!

Zagospodarowywałam dziś nową półkę w gabinecie. Nadzieja szybko prysła. Zapełniła się natychmiast książkami, które narosły na regale powciskane jedne na drugie. Zrobiło się trochę porządku. Na krótko.

Pojedynczo przychodzą też odkupowane przeze mnie na Allegro, a zagubione gdzieś książki dzieciństwa: ukochany *Głos przyrody*, *Przygoda z małpką*, *Klechdy domowe*, *Dzieci z Leszczynowej Górki*. Patrząc na ilustracje w książkach, czuję się, jakbym nosiła je przez te wszystkie lata w sobie. Teraz zdejmuję z zakurzonej półki, dmucham, żeby odświeżyć, i oto znowu są! Czytam podpisy pod ilustracjami, zataczam koło i wracam do siebie — dziecka. W odróżnieniu od nowych te znam niemal na pamięć. Wyskakują z pamięci niespodziewanie i wywołują kolejne wspomnienia.

Niezmiernie żałuję, że nie odnajdziecie książeczek swego dzieciństwa w domu. Mam już co prawda półkę „dla wnuków", ale stoją na niej przede wszystkim nowe książki. Teraz wiem jednak, że w przyszłości będę starała się przechować skarbczyk pamięci moich wnuków, bo podobnie jak ja mogą kiedyś po latach, zbliżając się do kresu, zatęsknić za swoim dzieciństwem. Cóż im je wtedy lepiej przypomni? W głośnym czytaniu jest magia, jakiej trudno dopatrzyć się we wspólnym oglądaniu telewizji. Czytanie uruchamia wyobraźnię, podczas gdy film czyni nas jedynie biernymi świadkami zastanego, niezmiennego świata. Niektóre książki mojego dzieciństwa, zwłaszcza klasyki, nadają się wciąż jeszcze do wspólnej lektury, część z nich skażona będzie zapewne czasami, w których się wychowywałam. Być może te najnowsze najlepiej przemówią do wyobraźni moich wnuków. Czekam na czas, kiedy będę mogła być im przewodnikiem.

Być może sama coś jeszcze dla nich napiszę?

XVI

Od dnia, kiedy zaczynał topnieć śnieg, dziewczynka oczekiwała wiosny. Na razie drzewa za oknem były jeszcze bezlistne, powietrzem targał porywisty wiatr, a brudne szare chmury nie pozwalały nawet się domyślać, że gdzieś tam ponad nimi czeka już błękitne niebo, stęsknione wiosny. Do przedszkola chodziło się w wysokich kaloszach, bo na chodnikach pełno było kałuż, w które koniecznie należało wejść, by zbadać ich głębokość. Ale z każdym dniem kałuże malały, kurczyły się, wreszcie pozostawała po nich jedynie gruba warstwa lepkiego błota, która wkrótce zasychała, twardniejąc i krusząc się.

Na drzewach najpierw nieśmiało, a potem coraz odważniej pojawiała się zielona mgła. Listki, jakby skulone na zimnie, prostowały się z wolna i nagle świat wydał się napęczniały zielenią. Budynki skryły się w krzakach bzu i jaśminu, na dom dziewczynki znów wdrapało się dzikie wino. Orzech włoski oglądany przez kuchenne okno nie był już tak suchy i kostropaty. Ptaki siadały na nim jak na kanapie, nie jak na taborecie. Wygrzewając się w nikłym jeszcze słońcu, wyśpiewywały miłosne trele. Gospodarz znów pobielił pień jabłonki, która próbowała rosnąć na wybrukowanym podwórku. Zazieleniły się trawniki wzdłuż ulicy Warszawskiej, a klony w kształcie parasoli nareszcie mogły ochronić przechodniów przed niespodziewanym deszczem.

Zbliżała się Wielkanoc. Anka wyjechała do domu w piątek po obiedzie, a w sobotę wczesnym popołudniem, gdy nie pozostało już nic do zrobienia poza poświęceniem koszyka z wiktuałami, mama ubrała się w odświętną garsonkę z koronki w kolorze starego złota podbitą żółtą podszewką, starszej córce poleciła włożyć śliczną bluzeczkę z marynarskim kołnierzem, granatową plisowaną spódniczkę na szelkach i jasne pantofle. Wsadziła do wózka ubraną w jasne śpioszki i takiż sweterek Ulę. Tak wystrojone wyszły na spotkanie wracającego z pracy męża i ojca. Koszyk, przygotowany z dbałością, przybrany zielenią, z własnej roboty kraszankami wyskrobanymi przez tatę, dziewczynka niosła ostrożnie, dumna ze swej roli i bardzo przejęta. Tata wracał zazwyczaj ulicą Świerczewskiego. Spotkały go mniej więcej koło księgarni. Gdyby nie koszyk, dziewczynka natychmiast zażądałaby od taty, aby ją sobie posadził na ramionach. Jakoś nie potrafiła z tego wyrosnąć. Ale dziś czuła, że musi donieść nienaruszony koszyk aż do wystawionego przed kościół stołu. Udało się! Poświęciwszy pokarmy, wrócili radośnie do domu.

Wielkanoc zawsze organizowali dziadkowie w Barczącej. Ponieważ pogoda w Niedzielę Wielkanocną sprzyjała spacerom, mama i tata dziewczynki oraz ciocia i wujek z Warszawy z synem Andrzejem, uczniem pierwszej klasy, postanowili pójść do dziadków pieszo. Droga przez Targówkę i Zakole, dawniej część ważnego traktu z Warszawy na wschód, nie była zatłoczona. Samochodów jeździło po niej niewiele, za Targówką zaczynały się podmokłe jeszcze o tej porze łąki i las. W lesie kwitły już na potęgę zawilce. Na wierzbach pojawiały się pierwsze bazie. Mniej więcej sześciokilometrowy marsz nikogo nie zmęczył. Mama prowadziła wózek i rozmawiała z ciocią, tata z wujkiem, a dziewczynka biegała w tę i z powrotem, dokazując z bratem.

Kiedy doszli do stacji kolejowej, musieli swój spacer kontynuować gęsiego ścieżką biegnącą wzdłuż torów. Ale wiedzieli przynajmniej, że są już prawie na miejscu. W domu babci czekało na nich obfite śniadanie. Kilka dni wcześniej znów odbyło się świniobicie, nie można przecież było liczyć tylko na to, co dało się kupić w sklepach. Dzieci ledwie spojrzały na talerze, natychmiast wybiegły na dwór, aby wsadzić nos we wszystkie kąty. Mała Ula spała w wózku. Rodzina cieszyła się swoją obecnością.

Dziewczynka raz po raz przybiegała po jakieś resztki dla psów, których karmienie lubiła szczególnie. Trzeba też było co nieco zjeść, a przynajmniej poudawać. Zabawa podczas Wielkanocy nie była tak fajna jak w wakacje, bo należało wystrzegać się ubrudzenia, a jak się nie ubrudzić na wsi! Wdrapywali się przecież z Andrzejem na strych do królików, zaglądali do cielaczka i kurcząt grzejących się pod specjalną lampą, podchodzili do psów i próbowali złapać żabę, tego wszystkiego nie da się zrobić, zachowując czyste rajstopy, buty, spódnicę i sweterek!

Kiedy dzieci wizytowały swoje ulubione miejsca, dorośli dyskutowali o wielkim planie babci, aby w Barcząjcej założyć kółko rolnicze.

— Jest wielu rolników bez sprzętu, a gospodarować trzeba racjonalnie. Gdybyśmy mieli traktor i trochę maszyn, służyłyby wszystkim. Nikomu nie opłaca się kupować maszyn na hektar czy dwa, zresztą skąd na to wszystko brać? — tłumaczyła swoje przemyślenia.

Dziadek kręcił się na krześle i trąc podbródek, popatrywał na boki. Z jednej strony idea słuszna, ale wcale mu się nie uśmiechało, żeby żona tak bardzo angażowała się w działalność społeczną.

— Dobra, dobra! — nie wytrzymał. — Najpierw powiedz, gdzie by to kółko miało bazę.

— A choćby i u nas, póki czegoś lepszego nie wymyślimy! — wypaliła bez lęku o konsekwencje.

— Oszalała baba! — Dziadek złapał się za głowę.

— Jak to: u was? — dziwiły się dzieci. — Tu?! Na podwórku?! A gdzie się to wszystko pomieści? Traktory? Maszyny? Gdzie to ma stać?

— A kto będzie jeździł na tym traktorze? Bo chyba nie dziadek? — Synowa Zofia ciekawa była konkretów.

— Zatrudni się kogoś, mało to chłopaków kończy szkoły? — Babcia była nieugięta.

— Chłopaków?! — W dziadku odezwał się mężczyzna. — Jeszcze czego! Będzie mi tu podfruwajkę odgrywała! Widzieliście ją, czego to się zachciewa na stare lata! — fuknął rozdrażniony.

— Janku... — powiedziała pobłażliwie babcia i spojrzała na męża z taką litością, że zamiast ucichnąć, aż się poderwał.

— Za nic! Rozumiesz?! Nie wpuszczę tu żadnego kółka rolniczego! Nigdy i już! A tobie zabraniam się w to wszystko mieszać! Rozum postradała! — rzucił, wstał od stołu i wyszedł. Usłyszeli trzaśnięcie drzwiami, a potem zobaczyli go na podwórku. Chodził, niby bardzo zajęty, zaglądając do wszystkich szop, jakby chciał się upewnić, że żadne zmiany tu nigdy nie zajdą.

Tamta Wielkanoc miała się upamiętnić czymś jeszcze. Podczas posiłku Andrzej podszedł do swego taty i wskazując na kieliszek, powiedział:

— Daj spróbować!

Wujek Jurek, zajęty rozmową, delikatnie go skarcił.

— Idź się pobawić!

Nikt się nie przejął tą prośbą. Nikt też nie sądził, że trzeba jakoś specjalnie mieć na chłopca baczenie. Kiedy panowie wyszli na papierosa, a panie zmieniały talerze, Andrzej wszedł do pokoju i niezauważony przez nikogo poza dziewczynką, najpierw wsadził do czyjegoś kieliszka palec, potem go oblizał, a że najwidoczniej zasmakowała mu ta próba, podniósł do ust kieliszek i jednym haustem wypił zostawioną przez kogoś wódkę. Kieliszków było trzy, panie piły ostrożnie, ledwie mocząc usta. Andrzej zaś pił po męsku. Dziewczynka przyglądała się, jak wychyla jeden, drugi, trzeci. Wstrząsnął się, jak należało, chuchnął i złapał coś na zakąskę. Dziewczynka czuła, że to się źle skończy, ale lojalność wobec kuzyna walczyła w niej z powinnością grzecznego dziecka i w rezultacie wygrała.

Dotarli jeszcze do Mińska, ale tam już Andrzej poczuł się źle. Położył się i nie bardzo było wiadomo, co mu dolega. Kiedy wreszcie usnął, dziewczynka pociągnęła mamę do kuchni i tam, w ścisłej tajemnicy, wprost do ucha powiedziała jej, co się stało u babci. Nie mogła się pogodzić ze śmiechem dorosłych, bo przecież Andrzejowi najwyraźniej coś dolegało! Może nawet trzeba będzie wzywać lekarza? Ale obyło się bez interwencji doktora. Kiedy obudził się pod wieczór, uskarżał się tylko trochę na ból głowy, co mężczyźni przyjęli z życzliwymi uśmiechami, a kobiety z matczyną troską i połajankami.

Pierwsze maszyny rolnicze nowo powstałego kółka rolniczego stanęły na podwórku Serwatków w kwietniu. Wraz z ich pojawieniem się wybuchła zażarta kłótnia, bo znając swego męża, babcia wszystko załatwiała za jego plecami. Wymagało to wielu spotkań najpierw w Barczącej, a potem w różnych instytucjach w Mińsku. Babcia bywała więc często „w powiecie", jak to nazywała. Ponieważ już wcześniej była działaczką i radną powiatową, wszystkie drzwi się przed nią otwierały, a nawet jeśli nie, znanymi sobie sposobami potrafiła je sforsować. Inicjatywę wszyscy poza dziadkiem uznali za słuszną. Trudno powiedzieć, jak to małżonkowie między sobą załatwili, zapewne nie obyło się bez kolejnych kłótni. Babcia jednak była twarda, działała metodą faktów dokonanych, a może użyła kobiecej dyplomacji, bo w końcu dziadek, który miał przedwojenną małą maturę, dał się namówić i został księgowym Kółka Rolniczego w Barczącej.

Na wiosnę skrystalizował się plan wyjazdu taty do Lipska. Miał to być całkowicie prywatny wyjazd, przyświecał mu równie prywatny cel — spotkania po latach poznanego na kursie nauczycieli zawodu Niemca ze Śląska, Helmuta, który w domu dziewczynki nigdy nie był nazywany inaczej niż wujek Józek. Helmut vel Józek, po przeprowadzce w ramach łączenia rodzin, zamieszkał gdzieś w NRF-ie i oczywiście spotkanie z nim w Polsce było niemożliwe. Kto wymyślił ten wyjazd na targi, może on właśnie? Dość że tata dziewczynki zaczął się starać o możliwość wyjazdu do bratniej NRD. Tamże na targi miał w tym samym czasie dotrzeć Józek.

Być może ta wycieczka przeszłaby bez echa i nie została aż tak dobrze zapamiętana, gdyby mama dziewczynki nie chciała pomóc mężowi. Myśląc, że postępuje właściwie, zwierzyła się jednemu z rodziców swoich uczniów. To był przemiły człowiek, niewysoki, pulchny mężczyzna o sympatycznej powierzchowności. Jednocześnie szef mińskiego UB.

Kilka dni później do mieszkania przy Warszawskiej zapukało dwóch panów w kapeluszach. Z niezapamiętanej przez nikogo przyczyny tata akurat był w domu i wychodził do komórki po węgiel. Niemal zderzyli się w drzwiach.

— Pan Gutowski?

— Przecież pan widzi, że to ja!

Mężczyzna się nieco stropił.

— Możemy wejść?

— Niestety, nie — fuknął tata, unosząc lekko do góry wiadro. — Widzi pan, że idę po węgiel.

Młodszy z mężczyzn niemal rzucił się na wiadro.

— To ja przyniosę! Która komórka?

Tata zmierzył go wzrokiem; mężczyzna był elegancko ubrany w skórzany płaszcz i w pierwszej chwili żal się tacie zrobiło tego płaszcza, ale trwało to jedynie ułamek sekundy.

— Na wprost. Pierwsza z prawej. Szufelka leży na wierzchu.

Mężczyzna kiwnął głową, tata podał mu wiadro i klucz do kłódki. Tamten zbiegł, a tata z szefem UB weszli do mieszkania.

— Czemu zawdzięczam panów wizytę? — zapytał, nie proponując gościowi zdjęcia płaszcza ani szklanki herbaty.

— Pan się stara o wyjazd... — zaczął tamten. Wchodząc do kuchni, rzucił spojrzenie na wiszące nad paleniskiem kiełbasy suszące się po ostatnim świniobiciu.

Tata się stropił. Świniobicie było nielegalne. Nikt się tym nigdy szczególnie nie przejmował, ale teraz mogło stanowić okoliczność obciążającą.

— Nie o wyjazd, tylko o paszport.

— Ale chce pan wyjechać. Swojska? — nie wytrzymał ubek.

— Nie przeczę. Swojska — Tata wziął nóż, ukroił słuszny kawałek suchej kiełbasy i podał gościowi.

— Na stałe? — zapytał tamten.

Najpierw obwąchał kiełbasę ze smakiem, a kiedy ugryzł, do mieszkania wszedł drugi ubek, taszcząc wiadro węgla.

— Dlaczego na stałe? Pan wie, że mam dzieci, nie znam języka, nie mam tam pracy. Chcę wyjechać na kilka dni.

— I wrócić?

— I wrócić.

— A jak pan zamierza rozwiązać sprawę dewiz? Bo według naszego prawa...

— Tak, wiem, będę mógł kupić dziesięć dolarów, co mi nie wystarczy nawet na jeden nocleg. Oj, panie Owczarek, zrobiliście z nas żebraków!

— Ale przecież pan ma dolary?

— Niby skąd pan o tym wie?

Ubek westchnął głęboko, jakby chciał powiedzieć, że nie jest mu łatwo żyć z wiedzą, jaką ma o rodakach.

— Nie pożyczyłby mi pan?

Pytanie było tak niespodziewane, że tata stracił na chwilę rezon. Nie wiedział, co ma odpowiedzieć, jak zareagować. Czy to aby nie prowokacja? Jeśli się przyzna, że ma trochę dolarów, może się to obrócić przeciwko niemu. Zaprzeczyć? Co to da? Już oni pewnie dokładnie prześwietlają listy z zachodu i wiedzą, jakie w tych listach są przesyłki. A może to żądanie łapówki? Niby chodzi o pożyczkę, ale bezzwrotną — i wtedy sprawa nabierze tempa. Ubek zrozumiał wahanie.

— Całkiem prywatnie pytam. Dlatego nie wzywałem pana do biura, tylko tu z kolegą przyszliśmy. Mam chorą żonę, muszę kupować leki za dolary... Na moim stanowisku... — dodał po chwili niezręcznego milczenia.

Tata nie chciał mu współczuć, ale poczuł pewien smutek.

— Zapytam żonę — rzekł wymijająco.

Nie prowadził żadnych targów, nie pytał o zwrot. Obecność drugiego ubeka komplikowała dojście do porozumienia.

— To my będziemy się zbierać. Mam nadzieję, że powiedział pan prawdę. Tak by było najlepiej dla wszystkich. — Starszy ubek westchnął z nieoczekiwanym żalem i machnął dłonią, co jego kolega zrozumiał jako sygnał do wyjścia. On też chętnie spróbowałby swojskiej kiełbasy, ale nie było już nawet jak poprosić.

Kiedy miesiąc później tata dziewczynki dostał dokumenty na wyjazd, w domu zapanowała szalona radość. Dziewczynka cieszyła się z przyszłych prezentów, jakie na pewno wujek Józek jej podaruje, mama być może nie była aż tak interesowna, wystarczyło jej, że mąż promieniał. Był tak szczęśliwy, że nie przestawał się uśmiechać. Musiał jeszcze pojechać do jednego z warszawskich biur Orbisu po bilet na pociąg, a kiedy i ta formalność została załatwiona, napisał do przyjaciela list, w którym informował go o wszystkich szczegółach. W przeddzień spakował niewielką torbę, w końcu wyjeżdżał zaledwie na kilka dni. Wreszcie, wysłuchując niezliczonych dobrych rad, ruszył ku przygodzie.

Jeszcze zanim wrócił, listonosz przyniósł na Warszawską kartkę pocztową.

Orbis zrobił świństwo. Pociąg odchodził z Gdańskiego, ledwie zdążyłem. Pozdrawiamy Was wszystkie z Lipska!
Włodek

O szczegółach dowiedziały się dopiero po jego powrocie. Przeglądając prezenty, dziewczynka pilnie nadstawiała ucha:

— Sprzedali mi bilet ze Wschodniej. Na szczęście przyjechałem trochę przed czasem, sprawdzam, z którego peronu mam pociąg, a tu go w ogóle nie ma! Lecę do informacji, a oni, że taki pociąg jest, o tej samej godzinie, ale rusza z Gdańskiego! I że za pół godziny odjeżdża!

Wszystkie trzy: mama, Anka i dziewczynka, wstrzymały oddech.

— Wyskakuję przed dworzec, patrzę, nyska stoi, mówię do kierowcy: „Panie, każde pieniądze płacę! Zaraz mam pociąg z Gdańskiego!".

— I co? Wziął cię? — niepokoi się żona.

— Taksówki pod dworcem ani na lekarstwo, a do Gdańskiego kawał drogi.

— Zdążyłeś?! — ponagla dziewczynka.

— Wpadłem na peron w ostatniej chwili. Pociąg właśnie ruszał. A tu, wyobraźcie sobie, z ostatniego wagonu wychyla się jakiś facet, wyciąga do mnie rękę i woła: „Proszę, panie Gutowski!".

— Skąd znał twoje nazwisko? — głośno zastanawia się Anka.

— No właśnie! Miał bilet w tym samym wagonie, w tym samym przedziale i jak się do mnie przyssał, to się nie mogłem od niego uwolnić. Niby tłumaczył, że jest z jakiejś centrali handlowej, ale potem się okazało, że to zwykły ubek.

— Kto to ubek? — docieka dziecko.

— Ubek to taki szpieg — tłumaczy krótko ojciec i wraca do opowieści. — Najpierw chciał się koniecznie zaprzyjaźnić. Opowiadał o sobie, wyciągał mnie na zwierzenia, ale co mu miałem mówić?

— Najlepiej mówić prawdę! — pomaga dziecko.

Tata nabiera tchu, żeby wytłumaczyć dziewczynce, że istnieją pewne szczególne okoliczności, które zwalniają z mówienia prawdy. Rezygnuje jednak, być może sądząc, że ona sama już to wie.

— A potem nie mogliśmy się od niego opędzić. Łaził za mną i za Józkiem przez cały czas. Udawał, że nie zna języka, prosił o pomoc.

— Szpiegował? — sugeruje dziewczynka.

— Właśnie. Wiedział, gdzie będziemy nocować. Właściwie wiedział wszystko. Bawiliśmy się z nim przez cały czas w ciuciubabkę.

— No ale po co? — dziwi się żona. — Przecież ty jesteś zwyczajnym robotnikiem w ZNTK-u, co mogłeś zrobić?

— Mogłem uciec, mogłem przekazać jakieś tajemnice państwowe.

— Ty nie znasz żadnych tajemnic państwowych!

— O, wiesz... — Mąż kręci głową trochę obruszony. — Mogłem przemycić zdjęcia ZNTK-u, FUD-u (Fabryka Urządzeń Dźwigowych).

— I oni tam w NRF-ie tylko czekają, żeby nasze popsute pociągi zobaczyć na zdjęciach! Albo dźwigi. Bo u nas to taka jest myśl technologiczna, że nic tylko ją kraść! — Żona krzywi się z przekąsem.

Mężowi nie podobają się te złośliwe komentarze.

— W każdym razie gadał, że niby jest sam i mu się nudzi. Tylko że jakoś nic nie miał do załatwienia.

— Skoro go wysłali, żeby cię pilnował, to co miał robić?! — rozsądnie konkluduje Anka. — To nawet dobry zawód, tak sobie jeździć po świecie i nic nie robić. Ciekawe, czy za mną, jakbym gdzieś chciała wyjechać, też by posłali takiego szpiega? — puszcza wodze fantazji.

— Albo za mną! — mówi dziewczynka.

— Wy tu śmichy-chichy — poważnieje matka — ale teraz, jak już ciebie w tej ubecji mają zapisanego, to nie wiadomo, czym to się jeszcze może skończyć. Ty się lepiej z niczym, Włodek, nie wychylaj.

— A z czym ja się miałbym wychylić?

— Nie gadaj, gdzie byłeś i że masz przyjaciela Niemca. Im szybciej wszyscy zapomną, tym lepiej. I do Józka nic takiego nie pisz. Pewnie oni i twoje listy czytają. Inaczej skąd by wiedzieli o dolarach?

— No i jak, podobają się wam prezenty? — mąż zmienia temat, zadowolony, że wrócił, i cieszy się, że żona nie może puścić z dłoni jedwabnej chustki. Już zdążyła ją sobie założyć na głowę i zawiązać wokół szyi.

Dziewczynka bawi się plastikowym odkurzaczem Piko, który wciąga śmieci zupełnie jak prawdziwy, zastanawiając się przy okazji, którą z dwóch przywiezionych przez tatę halek wybrać: żółtą czy różową? Obie są piękne, mają usztywniane, bogato zdobione koronkami spódniczki i bodaj żadnej ani ona, ani Ula nigdy nie założą. Nie będzie okazji.

Kilka dni później tata został wezwany na milicję.

— Jak to: przyjechali po ciebie?

— Nieoznakowanym samochodem zabrali mnie w godzinach pracy na milicję! Wyobrażasz sobie?! — wściekał się tata. — Co sobie o mnie ludzie pomyślą?

— Co sobie pomyślą? Nie masz nic na sumieniu! — łagodziła mama.

— Ale wszyscy będą myśleli, że mam!

— O co cię pytali?

— Sami nie wiedzieli, o co mają pytać.

— Wiedzieli, wiedzieli! — Anka nie daje się zwieść. Stoi w bojowej pozie, podpierając się pod boki. —

Na mur beton wiedzieli, bo po co czekaliby tyle dni? Ten twój szpieg już na pewno napisał raport, a teraz oni sprawdzają.

— Co sprawdzają? — mama nie rozumie.

— No, czy się zgodzi!

— A wiesz, że to możliwe, bo podczas przesłuchania co chwila zaglądał do jakichś papierów. Myślałem, że ma tam pytania, ale on to pewnie konfrontował z raportem tamtego.

— Ja tylko mam nadzieję, że to już będzie koniec, że się wreszcie od nas odczepią!

— Pytali, czy planuję jeszcze wyjazd.

— I co im powiedziałeś?

— Że to niewykluczone.

— A dolary oddał?

— Taka niby ważna figura, ubek! A za dolarami musi po prośbie latać! — z wyraźną satysfakcją ironizowała Anka.

— Nie jeszcze, ale oddadzą, to porządni ludzie.

Rzeczywiście oddali. Mama mogła te pieniądze wydać później w warszawskim sklepie przy Czackiego, gdzie znajdował się jeden z punktów sprzedaży dolarowej. W pamięci dziewczynki do tej pory pozostała niebieska elastyczna bluzeczka polo, którą mama kupiła jej na specjalne okazje i którą nosiła w szkole, póki z niej nie wyrosła.

Aby zrobić większe zakupy, należało się wybrać do Warszawy. Mińsk miał świetne połączenie ze stolicą. Pociągiem elektrycznym jechało się wygodnie i szybko, a ze zniżką kolejarską na dodatek tanio. Po niecałej godzinie można było wysiąść na Dworcu Wschodnim, a kilkanaście minut później na Śródmieściu. Na Wschodnim wysiadało się, kiedy trzeba było zrobić zakupy na bazarze Różyckiego. Szło się wtedy do Brzeskiej i wchodziło tylną bramą, albo do Targowej, aby wejść od frontu.

Bazar Różyckiego był placem zabudowanym szeregiem bud, w których sprzedawano całą ówczesną produkcję rzemieślniczą i fabryczną. W labiryncie alejek można się było zgubić! Mocno trzymając mamę za rękę, dziewczynka patrzyła to w prawo, to w lewo, a w głowie jej się kręciło od nagromadzonego tu dobra. Ile butów, koszul, sukni ślubnych, kurtek, torebek, futer, dywanów, wózków, obrazów, książek! Bliżej Brzeskiej bazar stawał się warzywniakiem. Jeśli czegoś nie było na Różycu, nie było tego nigdzie. Handlowano tu nie tylko w budach, ale i z ręki. Swój sektor miały też praskie gospodynie, które sprzedawały zgłodniałym kupcom i klientom warszawskie flaki lub gorące pyzy, a zza pazuchy pewnie i wódkę. Dziewczynka chętnie spróbowałaby tych pysznych dań, ale mama, zajęta poszukiwaniami, nigdy ich jakoś nie kupowała. Tu i ówdzie mężczyźni oddawali się hazardowi, grali w trzy karty albo w kości. Mama przestrzegała córkę, aby mocno trzymała pod pachą swoją torebkę, bo grasowali tu też złodzieje. Na szczęście nigdy nie padły ich ofiarami.

Mimo że do stolicy było niedaleko, nie jeździło się tam z byle powodu. Dziewczynka bodaj nigdy nie pojechała z rodzicami na Stare Miasto, do Łazienek czy Wilanowa. Wyjątek stanowiły wycieczki szkolne klas uczonych przez mamę. W ten sposób popłynęła chyba kiedyś statkiem po Wiśle, choć to wspomnienie jest bardzo mgliste.

Jadąc do stolicy, niezależnie: na Pragę czy do Centrum, rodzice dziewczynki poza wszystkimi innymi sprawunkami zawsze kupowali dwie rzeczy: czarny salceson i chleb razowy na miodzie. Mieli taki nigdy nieskodyfikowany rytuał rodzinny, że wracając z podróży do Warszawy, gdzie raczej nie chciano tracić czasu ani pieniędzy na jedzenie w punkcie żywienia zbiorowego, ledwo weszli do domu, robili kanapki z razowca z salcesonem i popijali je herbatą. Dopiero później rozpakowywali siatki z zakupami. Ten chleb i ten salceson smakował jak żaden inny. Nigdy zresztą nie kupowali go w Mińsku.

Kiedy to się skończyło? Może wtedy, gdy w sklepach zabrakło i salcesonu? Ulubiony sklep mięsny mamy dziewczynki znajdował się przy Rutkowskiego w kącie pasażu, niedaleko kina Atlantic. Zakupy spożywcze zostawiano sobie na koniec, a stąd blisko już było do Dworca Śródmieście. Drugi sklep znajdował się na parterze Centralnego Domu Towarowego przy Alejach Jerozolimskich. Były to Delikatesy. Dziewczynka znała tę nazwę. Delikatesy były też w Mińsku przy Siennickiej, ale te warszawskie pachniały tak, jak już potem żaden inny sklep nie śmiał pachnieć. Pachniały kawą i kabanosami, pachniały czekoladą i chlebem. Były tu wszystkie najbardziej wykwintne artykuły spożywcze. Wrażenie pogłębiał owalny kształt sklepu, inny od wszystkich, które dziewczynka dotychczas poznała.

W pobliżu Domu Dziecka czasami odwiedzali sklep Chinka. Mama kupiła tam córce przepiękną i niezwykle elegancką, ręcznie malowaną bambusową parasolkę od słońca w kolorze błękitnym i białe, elastyczne ażurowe rękawiczki z maleńką falbanką. Gdyby dziewczynka urodziła się choć trzydzieści lat wcześniej, może znalazłaby okazję, aby ich użyć. W kraju bez różnic społecznych i bez lęku o opaleniznę, biegając po podwórku w Mińsku czy na wsi, nie miała w zasadzie żadnej okazji, aby pochwalić się tak pięknymi elementami garderoby. Zabrała je więc pewnego razu na zakupy do Warszawy. I być może nawet otworzyła parasolkę, trzymała ją przez krótką chwilę w dłoni ozdobionej ażurową rękawiczką.

Pech chciał, że kiedy dojechali do Mińska, nastąpiło nagłe załamanie pogody. Na niebie pojawiły się ołowiane chmury i z jasnego dotychczas nieba lunęła rzęsista ulewa. Chcąc ratować córkę przed zmoknięciem, mama rozłożyła nad jej głową bambusową parasolkę przeciwsłoneczną. Najpierw spłynęła malowana na niebieskim tle pagoda, potem zdefasonował się jedwab, uderzany bezlitosnymi biczami deszczu. Walka z żywiołem trwała krótko. Chińska parasolka poległa w niej śmiercią bohaterską i do dziś nieodżałowaną.

W podobnie dramatycznych okolicznościach zakończył się inny wyjazd na zakupy. Było już chyba lato. Chodząc z rodzicami po sklepach, dziewczynka zauważyła, że jeden z butów coraz bardziej ją uwiera. Gdy spojrzała na stopy, zdziwiła się.

— Mamusiu, noga mi spuchła!

Matka załamała ręce.

— Włodek, natychmiast wracamy!

Nie dokończyli zakupów, tata wziął Chudusia na ręce i zaniósł na pobliski dworzec Warszawa Śródmieście, wtedy jeszcze lśniący nowością kolorowych mozaik. Było upalne lato, zatem od sprzedawcy obsługującego saturator kupili pewnie wodę sodową, dla dziewczynki bezwzględnie bez soku.

Mimo przyłożenia kompresu z chusteczki do nosa zmoczonej w zimnej wodzie noga wciąż puchła. W pociągu zdjęli więc but i patrzyli przez okno, modląc się o jak najszybszy powrót do Mińska. Tu z dworca czym prędzej popędzili na pogotowie. W tych czasach znajdowało się ono w zielonym drewnianym budynku na rogu Szpitalnej i Siennickiej, nieopodal przejazdu kolejowego. Na przyjęcie czekali niedługo, były wakacje, nikomu nie opłacało się chorować. Weszli do dużej sali ambulatorium. Lekarz zapytał, z czym przychodzą. Dziewczynka pokazała nogę.

— Ukąszenie! — pada diagnoza.

— W Warszawie? — dziwi się tata.

— A co robiłaś wczoraj? — lekarz zwraca się wprost do pacjentki.

— Byłam u babci w Barczącej, chodziłyśmy do olszyny z krowami.

— Widzi pan! Olszyna! Las! I wszystko jasne. Ukąszenie żmii.

— Pan żartuje? — ojciec nie rozumie. — Ugryzła ją żmija, a ona nawet tego nie zauważyła? Niemal przez całą dobę nic się nie działo, dopiero w Warszawie noga jej spuchła.

— Damy surowicę, tak na wszelki wypadek — mówi lekarz i wychodzi, aby zawołać pielęgniarkę.

W tym czasie ojciec łapie córkę na ręce i nie oglądając się, ucieka z pogotowia. Z trudem donosi ją na Warszawską, ktoś, może mama, biegnie po znajomego felczera wojskowego, pana Piórkowskiego. Oględziny nogi są krótkie, a diagnoza brzmi:

— Ukąszenie.

— W pogotowiu też tak mówili — przyznaje ze skruchą tata.

— Wykupicie w aptece wapno i przykładajcie wodę Burowa, póki opuchlizna nie ustąpi. Dziecko ma słabą odporność.

— Nie będzie zastrzyku? — nieśmiało pyta ciężko chora. Obłożona książeczkami, siedzi wygodnie z nogą ułożoną na kuchennym taborecie. Całkiem jej się podoba bycie w centrum zainteresowania.

— Niestety, nie tym razem. — Pan doktor robi smutną minę i pakuje swój piękny skórzany neseser.

— To co mnie ukąsiło? — zastanawia się dziewczynka, żałując w duchu, że nie potrafi zdobyć się na odwagę i zapytać lekarza o istotę pocałunku. Ale to przecież nie ma nic wspólnego z jej chorobą.

Wiosną zaczynało się wychodzić na podwórko. Ileż tam było ciekawych zakamarków! Ile miejsc godnych eksploracji! Ile możliwości! Gdy tylko słońce trochę mocniej przygrzało, dzieci ciągnęło na dwór. Wychodzili Przemek, Tadek, wychodziła dziewczynka, przybiegały czasem z sąsiednich podwórek Magda i Hanka.

Wyniósłszy wszystkie garnki, stołki, kocyki, wózki dla lalek i inne manele, bawili się w dom. Ale urządzali też Wyścig Pokoju, pracowicie rysując między kamieniami kręte drogi dla swoich rowerów kapsli i niemal kładąc się na ziemi, pstrykali w nie kciukiem i palcem wskazującym. Grali w wojnę, w chłopka, przez niektórych nazywanego grą w klasy, w chowanego. Raz po raz słyszało się na podwórku dziecięcy chór skandujący: „Pobite gary!", co oznaczało, że gra została rozstrzygnięta lub jest z jakiegoś powodu unieważniona. Nigdy się nie nudząc, skakali na skakance i gumie. W wymyślaniu zabaw byli niepokonani. Dziewczynka często odmawiała rodzicom wspólnego popołudniowego spaceru „na miasto", bo wolała zostać z dziećmi. Nie żal jej było nawet lodów, które mogłaby wtedy wyżebrać. Rodzice zostawiali ją bez obawy, że wyjdzie na ruchliwą bądź co bądź ulicę Warszawską, że coś jej się stanie. Wierzyli w rozsądek sześciolatki i w czujne oko sąsiadów.

A dzieci miewały szalone pomysły. Pewnego dnia, nie wiedzieć czemu, dwójka małych łobuziaków za pomocą dwóch kamieni, z których jeden był w ziemi, a drugi w dłoni, starła kawałek szkła i wmówiła koledze, że to sól. Dlaczego miałby zjeść sól rozsypaną na kamieniu, która na dodatek musiała zupełnie jak szkło chrzęścić w zębach? Jakich argumentów użyli? Czym go zaszantażowali lub co mu obiecali?

Tadek zjadł to szkło.

Dziewczynka nie miała wątpliwości, że robi coś złego. Wieczorem nie mogła zasnąć. Przewracała się z boku na bok w gorącym łóżku, czekając świtu, żeby strząsnąć z siebie wyrzuty sumienia, widząc Tadka żywego. Nikomu o tym nie powiedziała, było jej wstyd za siebie i za Przemka, który jako starszy, powinien ich powstrzymać przed niewłaściwą zabawą.

Tadek przeżył.

Jego rola w życiu dziewczynki była zresztą dużo ważniejsza. To na jego przykładzie w ciemnej komórce pełnej zapasów węgla, starych rupieci, słoików i szmat poznała nieco wcześniej anatomiczną różnicę między kobietą a mężczyzną. Kiedy Tadek zdjął spodenki, a potem majtki, schyliła się, zaintrygowana. Nie miała śmiałości „tego" dotknąć. Może się brzydziła? Przesuwała „to" raz na prawo, raz na lewo, używając cienkiego patyczka, i dziwiła się trochę, a później, czując przymus rewanżu, sama opuściła majtki.

Jak do tego doszło? Kto wpadł na pomysł obnażenia się? Co go poprzedziło? Jakaś rozmowa? Kontrowersja? Sprzeczka? Czy stało się to przypadkiem, podczas zabierania czegoś z komórki, czy też z premedytacją ukradli klucz, aby się tam ukryć przed dorosłymi i nadrobić lukę w swym wykształceniu?

Wzajemne oglądanie okolic intymnych nie miało w sobie nic zdrożnego. Całkowicie pozbawione jakiegokolwiek seksualnego kontekstu, było wyłącznie doświadczeniem przyrodniczym, jak oglądanie ptasich gniazd czy przyglądanie się kopulującym zwierzętom. Nikt dorosły nigdy się o tym nie dowiedział, a dzieci nigdy nie powtórzyły owej dwuznacznej zabawy. Wiedziały już, jak wygląda chłopiec, a jak dziewczynka. To im wystarczyło. Wyręczyły zawstydzonych dorosłych.

Jedną z ulubionych, choć rzadko widywanych koleżanek dziewczynki była Małgosia Chłopicka. Podobnie jak Przemek pochodziła z Warszawy, do Mińska przyjeżdżała w odwiedziny do babci, która mieszkała po drugiej stronie Warszawskiej, za sklepem spożywczym, sama we własnym murowanym domu, elegancko umeblowanym w nobliwym stylu art déco. Była tam bieżąca woda i ubikacja, wygoda ówcześnie wcale nie taka powszechna. To był najbogatszy i najnowocześniejszy dom w okolicy. Dookoła rozciągał się piękny, zadbany ogród z eleganzko wyznaczonymi grządkami, od frontu oddany szeroko rozrośniętym kępom upajająco pachnących niziutkich fiołków. Były tam również altana, huśtawka i niewielka piaskownica.

Miła starsza pani robiła czasami do zjedzenia coś, czego dziewczynka nie znała z domu. Pewnego dnia przygotowała jaja faszerowane. Zdumionemu dziecku nie mogło się pomieścić w głowie, jakim cudem pani Chłopicka włożyła do środka skorupki szczypiorek! Między dziewczynkami szybko nawiązała się nić sympatii. Starsza o jeden dzień Małgosia z Warszawy była wyższa i lepiej zbudowana, miała przepiękne jasne włosy, które układały się w naturalne loki. Ku swej radości wiele lat później dziewczynka odnajdzie dawną przyjaciółkę, pod zmienionym imieniem i nazwiskiem, jako znaną reżyserkę filmową.

Prawdopodobnie ani z babcią, ani z jej wnuczką dziewczynka nie zdecydowała się poruszyć gnębiącego ją problemu pocałunku, który rósł i ogromniał, niczym chmura gradowa zasłaniając pogodne niebo jej dzieciństwa.

Pierwszy Maja był w tych czasach ważnym świętem państwowym. W fabrykach takich, jak: ZNTK, FUD, Stojadła czy Fabryka Obuwia, nakłaniano zapewne pracowników do wzięcia udziału w pochodzie, który stanowił symboliczne poparcie dla polityki partii. Zwykli ludzie tej polityki na ogół nie popierali, mając na co dzień dość powodów do narzekania. Powoli zapominano wojenny horror, trwały czasy rządów Gomułki, przesiąknięte propagandą, którą w życiu codziennym niezmiennie brało się w cudzysłów, ale tylko niewielu za punkt honoru uznało rezygnację z przejścia ulicami miasta i machania czerwonymi i biało-czerwonymi chorągiewkami.

Co bardziej zaangażowani w budowę socjalizmu albo ulegli wobec systemu robotnicy stawiali się w zakładzie pracy, pobierali szturmówki i transparenty z internacjonalistycznymi hasłami w rodzaju: „Pokój, praca, socjalizm". Ktoś je wcześniej przygotował, ktoś wymyślał scenariusz, delikatnie lub ogródkami wyrażonym szantażem nakłaniał pracowników do zasilenia kolumny. Być może sprawdzano nawet listę obecności? A nawet jeśli nie, to w końcu tego dnia się nie pracowało. Za cenę krótkiego spaceru ulicami miasta cały długi, zazwyczaj słoneczny dzień był od południa wolny.

Grupy radosnych robotników, urzędników i ubranych odświętnie uczniów wraz z nauczycielami zbierały się w swych macierzystych instytucjach i szły na miejsce zbiórki, którym wówczas był plac przed Technikum Chemicznym, czyli pałacem Dernałowiczów. Tam następowało wysłuchanie przemówienia I sekretarza KC PZPR, pełnego zapewnień, że jest dobrze, a będzie jeszcze lepiej, po czym kolumny wycofywały się z placu i dumnie szły przez miasto. Na zdjęciach widać, że trasa wiodła ulicą Świerczewskiego (Piłsudskiego), zatem dalej może Lenina (Wyszyńskiego) i Kościuszki? Tu zapewne, przed Urzędem Miasta, w pobliżu siedziby Komitetu Miejskiego i Powiatowego Partii, stała trybuna honorowa z tak zwanymi włodarzami, czyli władzami partyjnymi i miejskimi. Gdzie rozwiązywał się pochód? Zapewne gdzieś na Warszawskiej. Podczas marszu skandowano wypisane na transparentach hasła, rozmawiano, śmiano się i zerkano z ukosa na tych szczęśliwców, którzy stojąc na chodnikach, przypatrywali się pochodowi z ironicznymi uśmiechami, pokazywali palcami zauważonych w tłumie znajomych. Gdyby zabrakło widzów, cóż wart byłby taki pochód?

Władze bardzo dbały, aby tego dnia na mieście było uroczyście i radośnie. Ponad głowami demonstrantów idących całą szerokością jezdni powiewały rozciągnięte między latarniami transparenty, które wzywały do walki o sprawiedliwość społeczną i pokój na świecie, głosiły przyjaźń z bratnimi narodami obozu socjalistycznego oraz nawoływały do wykonania i przekroczenia planów produkcji, co w gospodarce niedoborów było szczególnie ważne. Czy ktoś wierzył w te hasła?

Rodzice dziewczynki, zaangażowani w działalność społeczną i pracę z młodzieżą, tego roku szli zapewne

z kolumną harcerzy, pośród których, niewiele rozumie-
jąca z owego aktu politycznego zaangażowania, szła
zapewne również ich córka. Zachowało się zdjęcie taty
w mundurze instruktora harcerskiego na placu przed
pałacem. Anka zapewne wykorzystała dzień wolny od
pracy i czmychnęła na wieś do swojego Heńka, toteż
mama musiała pchać wózek z Urszulką. Matki zresztą
nie wzbraniały się przed maszerowaniem z niemowlęta-
mi. Problemem mogły być wyłącznie niewygodne buty.
Jeśli włożyła nowe, prawie zawsze kończyło się to bąb-
lami i cierpieniem.

Pogoda raczej dopisała, na 1 Maja prawie nigdy nie
padało, ten dzień symbolizował początek lata. Zdejmowało się prochowce, ubierając się „do figury". Młodzież
zakładała po raz pierwszy białe podkolanówki i pepegi,
nierzadko czyszcząc je uprzednio pastą do zębów Lechia.
Rok, jeśli chodzi o ubrania, bywał wtedy dość przewidy-
walny: na Wszystkich Świętych nosiło się grube kurtki,
kożuchy i futra. Często leżał już śnieg, więc taki strój nie
był niczym dziwnym ani niestosownym. Grube ubrania
zdejmowało się na Wielkanoc. Wtedy wkładano cienkie
płaszcze i kurtki, z którymi ostatecznie rozstawano się
1 Maja aż do początku roku szkolnego. Pierwszego Maja
młodzież często szła w pochodzie ubrana jedynie w białe
bluzki i granatowe spódnice czy spodnie.

Tego dnia rozpoczynano sezon lodów i opalania.
Może zatem Gutowscy pojechali po pochodzie do Barczącej, ale możliwe, że potraktowali ten dzień ulgowo
i po obiedzie wybrali się z córkami na jeszcze jeden
spacer. Albo zostali w domu, mając już dość chodzenia?

Po skończonych transmisjach z Moskwy i Warszawy w telewizji zawsze pokazywali coś ciekawego.

Jeśli mama nie zdążyła przygotować obiadu lub chciała mieć tego dnia wolne, szli na obiad do Padzika, knajpki znajdującej się w małym drewniaku przy Warszawskiej, niedaleko rogu z Kościelną, vis-à-vis wylotu Błoni. Były tam dwie salki, raptem może z pięć stolików. W pierwszej salce znajdowało się okienko, przez które podawano posiłki, i bar. W drugiej stoliki bywały chyba nakryte obrusami; czy usługiwano do stołu? U Padzika jadło się bardzo smacznie. Nawet Chuduś tu nie wybrzydzał. Zamawiało się rosół, pomidorową, mielony, schabowy, kurczaka, same pewniaki. Na stole pojawiał się też zdaje się kompot. Knajpka była znana z pysznych pierogów, które tata dziewczynki, jako mistrz w tej sztuce, potrafił docenić.

Raz czy dwa poszli na obiad do Bachusa. W restauracji było pustawo, co raczej dobrze o kuchni nie świadczyło. A może było wynikiem wysokich cen i oszczędności mieszkańców?

W dni powszednie dziewczynka czasem dawała się rodzicom skusić na wspólny spacer. Celem najczęściej były zakupy, najpierw zaglądało się do sklepu z gospodarstwem domowym na rogu Warszawskiej i Kościelnej. Stąd pochodziły wszystkie szklanki, talerze, łyżki, noże, tarki. Tu w sezonie letnim kupowało się słoje do wekowania przetworów, szybko niszczące się gumki i sprężyny, stąd pochodziły gąsiory na soki i domowe wino. Po skosie, w stojącym wzdłuż Siennickiej na rogu Warszawskiej pawilonie, rządziła pani Boniecka. Jeden z jej synów, Waldek, był uczniem mamy. Tu „nabierało" się materiały na często szyte u krawcowej, podpatrzone w pismach i żurnalach „Burdy" sukienki czy garsonki, tu kupowało się tkaniny dekoracyjne na zasłony i firanki. W kącie stały ciasno zwinięte dywany sznurkowe i te bardziej eleganckie, ale też trudniejsze w utrzymaniu: strzyżone. Najlepsze z Kowar.

Po gwoździe, wiadra i całe żelastwo szło się na róg Siennickiej i Miodowej. Dwa domy dalej na Siennickiej był zakład szklarski Tejbluma. Gdzieś przy Nadrzecznej mieściła się wytwórnia wód gazowanych Kłopotowskiego, którego córka, Małgosia, również była uczennicą mamy. To stąd pochodziła pyszna oranżada dostarczana do sklepiku szkolnego w dużych drewnianych skrzynkach, mieszczących kilkanaście butelek z ceramicznym korkiem, który trzymał się dzięki przemyślnemu mechanizmowi z grubego aluminiowego drutu i uszczelniającej całość gumce. Niedaleko, przy Mostowej, idąc od rzeki w kierunku Siennickiej, poniżej skwerku, przez wiele lat funkcjonował ogródek jordanowski, którego furtki z niewiadomych przyczyn dziewczynka nigdy nie przekroczyła.

Jednak najczęstszym celem takiego spaceru była ulica Świerczewskiego, odchodząca od Warszawskiej przy placu Kilińskiego, najważniejsza ulica handlowa miasta. Tu w przedwojennym drewniaku znajdowała się pracownia zegarmistrza Dąbrowskiego, a tuż obok zakład fotograficzny. Ten należał do Kropiwnickiego, dwa pozostałe do Pustoły i Sażyńskiej. Przed epoką pism lokalnych i Internetu wystawa u fotografa pełniła funkcję kroniki towarzyskiej. Długie lata trwać będzie zapomniany i śmieszny już dziś obyczaj oglądania tam zdjęć i oceniania, jak kto wyszedł. Wywieszenie zdjęcia na wystawie równało się nobilitacji towarzyskiej. Poza legitymacyjnymi wystawiano też zdjęcia ze ślubów i chrztów. W tak małej społeczności ludzie czerpali z tych wystaw informacje i pożywkę do plotek.

Nieco dalej, po wschodniej stronie Świerczewskiego, mijało się mekkę nieustannie spragnionej klasy robotniczej — bar Pod Ściętą Lipą. Dalej był ogród z bajkowym, jak się wydawało, domem i kawiarnią Ogrodową, do której dziewczynka nigdy nie weszła. Z ogrodem sąsiadował piętrowy drewniak. Na dole funkcjonował sklep z odzieżą, specjalizujący się w ubrankach dla dzieci, w tym do chrztu. Tutaj wiele lat później, już jako nastolatka, dziewczynka kupi sobie białą haftowaną w kolorowe kwiaty bluzkę, w której wystąpi na studniówce.

Mniej więcej w tym miejscu, gdzie obecnie znajduje się budynek nieistniejącego już kina, stała budka z lodami Piotra Starosty. Lody zawsze były atrakcją, która mogła odciągnąć od zabawy na podwórku, tu jednak rodzice nigdy się nie zatrzymywali, gdyż szli prosto do Kolasińskich. Starosta stanowił naturalną, bo najbliższą ich konkurencję. Cukiernia Kolasińskich, która w marcu 2014 roku, po sześćdziesięciu ośmiu latach działalności, ostatecznie przestała istnieć, wtedy miała już wśród mieszkańców Mińska wielu klientów.

Usytuowana przy Świerczewskiego, która to ulica nie została jeszcze wtedy zmieniona na deptak, cukiernia była początkowo zaledwie małą drewnianą budką. Kusiła jednak licznych przechodniów i w sezonie letnim często widziało się tu kolejki. Nieco później przeniosła się do większego pawilonu, który stanął na zakupionej przez Kolasińskich działce przy tej samej ulicy, gdzie teraz znajduje się ich dwupiętrowy bliźniak. Ruch w sklepie panował ogromny, ale dziewczynka i jej rodzice mogli przecież wejść od strony zaplecza. Zawsze toczyli targi dotyczące porcji lodów. Na ogół jednak kończyło się na dwóch gałkach: jednej śmietankowej i jednej kakaowej. Trzy były już rozpustą. O czterech dziewczynka długo nie odważyła się nawet marzyć.

Za cukiernią rozciągał się piękny ogród, pełen kwiatów, krzewów i drzew owocowych. Opiekował się nim dziadek dziewczynki, Władysław Gutowski. Była tu obrośnięta groszkiem czy fasolą altana, w której siadali, aby porozmawiać i zjeść lody. Kiedy Kolasińscy w latach siedemdziesiątych zaczęli budowę zakładu i domu, ogród zlikwidowano. Wybetonowany, stał się parkingiem. Zanim Kolasińscy wybudowali zakład z prawdziwego zdarzenia, piekli swoje wyroby w wynajmowanych lokalach. Jeśli chodzi o ciasta, dziewczynka lubiła najbardziej makowiec, z ciastek sprzedawanych na sztuki wybierała zazwyczaj cudownie nasączone alkoholem ponczowe, nigdy nie zjadając kleksa z kremu. Krem był powodem, dla którego nie tykała tortów lub zjadała z nich jedynie biszkopt. Na święta rodzice zamawiali zazwyczaj: sernik krakowski, keks, makowiec, roladę i stefankę.

W podwórku za Kolasińskimi można było przez okno oddać guziki do obciągnięcia. Zostawiało się kawałek materiału i wybierało odpowiednią wielkość guzików oraz zamawiało potrzebną liczbę. Po kilku dniach można było je odebrać owinięte w papierek. Kosztowało to grosze, a guziki były identyczne jak sukienka.

Naprzeciwko cukierni znajdował się sklep spożywczy, a raczej nabiałowy, nazywany Jedynką. Idąc w kierunku stacji, mijało się przylegający doń zakład fryzjersko-kosmetyczny Praktyczna Pani. Tu za dwa lata, tuż przed pierwszą komunią, dziewczynka podda się po raz pierwszy zabiegowi nakręcenia na grube wałki swych długich włosów, aby utworzyły następnego dnia piękne „anglezy". W Praktycznej Pani pracowała mama kolejnego ucznia, pani Kazimierczakowa. Oprócz fryzjera i kosmetyczki znajdowało się tu też stanowisko repasacji pończoch. Przy maleńkim stoliku siedziała pani, która specjalnym elektrycznym szydełkiem łatała dziury w naciągniętych na szklankę nylonowych pończochach. Zawsze gdzieś obok stało pudełko pełne torebek z pończochami do zacerowania lub gotowych do oddania klientkom. Mama dziewczynki też miała dwa pasy ze specjalnymi gumowymi sprzączkami, które przytrzymywały pończochy z przodu i z tyłu. Rajstop dla kobiet chyba jeszcze wtedy w handlu nie było, ale repasatorki przetrwały czas ich upowszechnienia. Dopiero bardzo niska cena rajstop zmiotła ten fach.

Kilka domów dalej znajdowała się księgarnia Domu Książki. Już wtedy dziewczynka czuła się tu niczym w zaczarowanej krainie. Księgarnia zajmowała jedno duże pomieszczenie. Miała dwa okna wystawowe, ale wewnątrz było raczej ciemnawo. Przeszklone lady tworzyły odwróconą literę U i nie wiedzieć czemu zakończone były rodzajem poręczy. Dziewczynka zawsze schylała się do tej lady, w której wystawiono książeczki dla dzieci, a kiedy dostała którąś do obejrzenia, najpierw otwierała ją na chybił trafił, podnosiła do nosa i głęboko wciągała w płuca zapach farby. Może to ten cudowny zapach spowodował, że tak bardzo pokochała książki?

Za księgarnią w niziutkim budynku przez długie lata funkcjonowała fryzjerka Zeba. Zaraz za jej zakładem, w otwartej bramie, przez lata kwiaty wprost z wiader sprzedawała pani Miroszowa. Miała licznych klientów, mimo że po drugiej stronie ulicy, nieco bliżej cukierni Kolasińskich, działała (i działa do dziś) kwiaciarnia Parolów. Ale jeśli tam szło się po kwiaty wykwintne, odświętne, zawinięte w przezroczysty celofan, przeważnie dyżurne w PRL-u goździki, a potem gerbery, u pani Miroszowej kupowało się kwiaty w nagłym odruchu schwytania wiosny lub lata: konwalie, lewkonie, groszki, piwonie, gałęzie jaśminu czy bzu, słoneczniki. To wszystko, co aktualnie oferowały mińskie ogrody.

Idąc dalej w kierunku stacji, trzeba było przejść przez ulicę Traugutta, którą skręciwszy w lewo, dochodziło się do kościoła mariawickiego i dalej do torów. Za skrzyżowaniem stały dwa pawilony, jeden ogólnoprzemysłowy, choć niewątpliwie przez długie lata najważniejsze było dla dziewczynki stoisko papiernicze i z zabawkami. Ileż to razy zatrzymywała się przed ogromną witryną, na której stały aktualne przedmioty jej ubożuchnego pożądania! Tu można było obejrzeć wszystkie najmodniejsze wzory lalek, wózki, klocki czy misie. To tu zostanie kupiona kilka lat później najbardziej zapamiętana zabawka Urszulki: pluszowa sarenka o ślicznym pyszczku, na którą Ula spontanicznie zareaguje padnięciem na kolana, złożeniem dłoni jak do modlitwy i okrzykiem:

— O Jeziu, jaka ślićna... Siarenka!...

Dalej ku stacji wybudowano drugi pawilon o dość nowoczesnej konstrukcji, ze szklaną ścianą frontową, nieco cofnięty w głąb parceli. Sprzedawano tu dywany i tkaniny. Obydwa już zresztą nie istnieją. Nieco później powstanie trzeci z gospodarstwem domowym i kolejny, dobudowany poprzecznie do niego, w którym przytuli się tak zwana Cukierenka, sklep ze słodyczami i kawiarnia, miejsce pierwszych randek młodzieży w latach siedemdziesiątych. W głębi parceli pobudowanych zostanie kilka bloków osiedla wojskowego.

Niemal naprzeciwko trzeciego z pawilonów, tego, który się zachował, po drugiej stronie ulicy znajdowało się kino Bałtyk, jedyne regularnie działające mińskie kino tych czasów. Budynek stoi do dziś, funkcjonuje tam jakiś sklep. Nim jednak dojdziemy do kina, warto się nieco cofnąć, bo tuż przed skrzyżowaniem z ulicą Lenina (obecnie kardynała Wyszyńskiego), w murowanym narożnym budynku mieściły się jadłodajnia Mazowianka, apteka i wspomniany już zakład fotograficzny Sażyńskich. Nie istniało jeszcze przebicie ulicy Lenina ku Traugutta i ten fragment miasta wyglądał zupełnie inaczej. Za kinem, idąc ku stacji, wciąż stoi kilka drewniaków, przypominających dawną, przedwojenną zabudowę ulicy, naprzeciwko nich radosna twórczość architektoniczna nowych czasów, pokraczny pawilon, na który w PRL-u z pewnością nie wydano by zezwolenia. Przyklejone do niego dwa miniaturowe drewniane domki, przed skrzyżowaniem z Daszyńskiego, stały tu pewnie jeszcze przed wojną. Na drugim rogu, naprzeciwko, pięknie odnowiony hotel, który był kiedyś siedzibą Miejskiej Rady Narodowej, potem sądu.

Posuwam się dalej ulicą Piłsudskiego (dawniej, najpierw Karczewska, potem Świerczewskiego) ku stacji i szukam w pamięci miejsca, gdzie stał dom, w którym się urodziłam. Włączam Google Maps i dzięki Street View mam podgląd na ten fragment ulicy. Choć wciąż dobrze go pamiętam, nie potrafię znaleźć. Powstało tu dużo przypadkowych, brzydkich budynków. Przypominam sobie o składzie opałowym, który przylegał niemal do torów. Sprzedawano tu też jakieś maszyny, artykuły żelazne, może nawozy sztuczne? Obecnie jest salon meblowy. Tu zresztą mama kupiła mi, młodej mężatce, kiedy doczekaliśmy się wreszcie pierwszego spółdzielczego mieszkania, pierwszy regał, elegancki Łask.

Przemysłowa zabudowa ciągnie się aż do torów. Ulica Piłsudskiego, robi nagłą woltę, ostro skręcając ku Kazikowskiego. Tymczasem niegdyś prowadziła na wprost, ku Fabryce Urządzeń Dźwigowych, osiedlu kolejowemu oraz Zakładom Naprawczym Taboru Kolejowego. Niewielu pamięta o tym, że przed wojną ten fragment miasta podobno nazywano Foksalem i że była to piękna leśna dzielnica willowa. Ale na tamtą stronę torów nie było już zupełnie po co chodzić.

XVII

Pisząc tę opowieść, raz po raz dzwonię do rodziców. Mam to szczęście, że obydwoje jeszcze żyją. Rzucam im jakiś temat, który nagle przyszedł mi do głowy, i rozmawiamy przez dłuższą chwilę, wspominając dawne czasy. Rozmowa zawsze skręci w końcu ku innym sprawom, uczepi się dnia dzisiejszego, codzienności, zdrowia, sąsiadów, działki, mojej siostry i jej córek, ale nie bez sentymentu pokręci się też wokół zmartwień minionych, problemów nieaktualnych i dawno przebrzmiałych, o których zdążyliśmy zapomnieć. Przypominamy sobie trudy codzienności, ludzi, którzy zaistnieli w naszym życiu, tych, których lubiliśmy, i tych, którzy nie cieszyli się naszą przyjaźnią. Przypominamy sobie nazwiska, imiona, sprzeczamy się, porównując nasze wspomnienia. Okazuje się najczęściej, że nieźle wszystko zapamiętałam. Rodzice wprowadzają drobne korekty, czasem jednoczymy się z tatą przeciwko mamie lub na odwrót. Niekiedy moje pytania ich zdumiewają. Jaka była trasa pochodu pierwszomajowego w tamtych latach? Kiedy położono na Warszawskiej kostkę bazaltową? Mama się dziwi, że nie pamiętam kolejek, a pamiętam cyrk, który rozłożył się na placu przed kościołem, albo wesołe miasteczko nad rzeką, naprzeciwko parku. Jak mam nie pamiętać, skoro pozwolono mi jeździć tylko na niskiej karuzeli?!

Podczas spotkań rodzinnych wyjmujemy stare albumy ze zdjęciami. Porastały przez lata kurzem, fotografie z nich powypadały, bo klej skruszał lub wysechł. Nikt ich na nowo nie wkleił, wydawały się niepotrzebne. Ale nagle przypominamy sobie takie czy inne zdjęcie, szukamy go po szufladach i pudełkach, kłócąc się niemal, kogo przedstawiało i w jakich okolicznościach zostało zrobione. Teraz nadszedł ich czas. Cmokamy nad nimi, przekazujemy sobie z rąk do rąk, stajemy za plecami oglądającego i bezceremonialnie wystrzelamy palcem zza jego ucha, aby pokazać ten czy ów detal.

Przy okazji potwierdza się to, co już dawno zauważyłam. Dzieci pamiętają szczegóły tych samych sytuacji o wiele dokładniej i plastyczniej od rodziców, którym fakty i lata często się mylą. Nieobciążone wiedzą, chłoną wydarzenia, z których każde jest dla nich ważną cegiełką budującą świat, dlatego staje się o wiele istotniejsze niż to samo wydarzenie w życiu rodziców. Z czasem zgromadzonych doświadczeń przybywa, a ich wartość, poza tymi najbardziej przełomowymi, maleje. Moi synowie recytują z pamięci i bez zająknięcia, gdzie w którym roku spędzaliśmy wakacje. Ja miałabym z tym kłopot.

Staram się przywołać moje dzieciństwo. Jednocześnie trochę się lękam, że nigdy już nie zostanie opowiedziane inaczej. Teraz nawet ja będę je wspominać tak, jak to zapisałam. A przecież jest wiele sposobów, tysiące słów. Dlaczego użyłam właśnie tych? Dlaczego tylko o tym pomyślałam? Dlaczego tak wielu rzeczy nie zdołałam sobie przypomnieć?

XVIII

Wczesną wiosną Ula potrafiła już siedzieć. Sadzana nie tylko na nocnik, była wynoszona na dwór i tu na niskim taboreciku, opartą o płot ogródka, sfotografował ją tata. Rosła! Już wkrótce zacznie chodzić, mówić, czynnie uczestniczyć w życiu rodziny.

Tygodnie wiosny mijały, a dziewczynka z coraz większym utęsknieniem czekała na koniec roku szkolnego i zakończenie swej edukacji przedszkolnej. Przedszkole zamierzała pożegnać bez żalu. Była dumna z dorosłości i pragnęła jej jak najszybciej doświadczyć. Dorosłość kojarzyła jej się z nauką i brakiem leżakowania. Nie zdawała sobie sprawy z tego, jak wiele jest poziomów dorosłości. Że dorosłość pierwszoklasisty trwa tylko jeden dzień i ulatnia się bezpowrotnie w pierwszym dniu zwykłego szkolnego harmideru. Że już nie cztery, a całe osiem lat będzie mozolnie wspinać się ku następnemu szczeblowi, by w pierwszej klasie liceum, patrząc na maturzystów, doznać tego samego uczucia szczeniakowatości. I że matura, wbrew oczekiwaniom, znowu niczego nie zmieni, podobnie jak ten dzień w czerwcu (którego to było?), kiedy obroniła pracę magisterską. Stojąc naprzeciwko swoich uczniów we wrześniu, zaczęła odczuwać coś na kształt dorosłości, ale życie szybko dało jej po łapach i znów zastanawiała się, kiedy wreszcie będzie dorosła.

Ten moment przyszedł niezauważenie. Pewnego dnia nie mogła już zadać sobie tego pytania, bo czuła, że jest nie na miejscu. Była dorosła. Dorosła od dawna, ale od kiedy, nie potrafiła powiedzieć.

Ponieważ dni stawały się coraz cieplejsze i dłuższe, przedszkolaki wychodziły po podwieczorku na plac zabaw, tu oczekując odebrania przez rodziców. W ciągu kilku ostatnich tygodni dziewczynka miała wrażenie, że Andrzej, który całkiem już dał sobie spokój z całowaniem i prześladowaniem, jakoś często bawi się w pobliżu. Nie zwracała na niego uwagi, a raczej robiła wszystko, aby nie domyślił się, że ona go widzi. On też się nie odzywał, ale obserwując ją dyskretnie, starał się być niedaleko. Wydawał się smutny, popatrywał z ukosa, kiedy bawiła się z innymi, podstawiał nogę chłopakom, którzy zbliżyli się za bardzo. Wreszcie, gdy przez chwilę została sama, podszedł i ni z tego, ni z owego wypalił:

— Dlaczego mnie unikasz?

Zaszokowana, nie wiedziała, co odpowiedzieć. Pewnie się zaczerwieniła, pewnie zaschło jej w gardle.

— Ja? To ty mnie unikasz — tyle tylko zdołała wydusić.

Ale to nie była prawda, wiedzieli o tym oboje. Więc stali przy siatce i milcząc, unikali swego wzroku. Czekali, że może ktoś ich wybawi z niezręcznej sytuacji, a jednocześnie mieli nadzieję, że to nigdy nie nastąpi. Bo chwila, która ich tu zatrzymała, była piękna. Co więcej mogli zrobić? Byli zaledwie dwojgiem przedszkolaków, na których spadło pierwsze zauroczenie. Nie wiedzieli, ani jak się zachować, ani co powiedzieć. Nie potrafili jeszcze

panować nad skrępowaniem, nazywać swych uczuć, ko-
kietować i kłamać. Nie mieli pojęcia, czego chcą od siebie nawzajem, podświadomie czuli jednak, że muszą tu
tkwić i omijając się wzrokiem, cieszyć się ze swej obecności. Coś ich ku sobie ciągnęło, coś wiązało. Nie umieli
wybiegać w przyszłość, która i tak lada dzień miała ich
rozdzielić. Nie powiedzieli więc nic, co warto by zapamiętać. Nie obiecali sobie niczego, bo i tak nie mogliby
tego dotrzymać.

Choć rejonowa podstawówka, Dąbrówka, do której
chodził Andrzej, znajdowała się niemal za płotem, mama
zapisała córkę do szkoły nr 4, tej, gdzie pracowała. Jej
domeną było nauczanie początkowe, więc świetnie znała
potrzeby pierwszoklasistów. Aby mieć wszystko gotowe
na początek września, należało się znacznie wcześniej
zakręcić. Obie — i mama, i córka — żyły w wielkim podnieceniu, penetrując sklepy i poszukując potrzebnych
przedmiotów. Od czasu do czasu wyjeżdżały też razem
do Warszawy, gdzie był znacznie większy asortyment.
Podczas jednej z tych wypraw w kiosku RUCH-u obok
dworca kolejowego w Mińsku mama kupiła dziewczynce
jej pierwsze wieczne pióro. Miało kolor jasnobrązowy
w białe maziaje. Atrament nabierało się za pomocą gumowego tłoczka, który należało zwinąć jak najściślej, a potem powoli popuszczać. Wtedy pióro zasysało atrament.
    Z dnia na dzień zapasy rosły. Znajdowały się już
pośród nich: piękny tornister ze świńskiej skórki, biała
bluzka, alpagowy czarny fartuszek z plisowanymi skrzy-
dełkami na ramionach i u dołu oraz maleńką, wyłącznie

ozdobną kieszonką. Tata sfotografuje we wrześniu klasę Ia i jego córka będzie wtedy szła w pierwszej parze, mając na sobie ten właśnie fartuszek. Dalej na liście zakupów znajdowały się: drewniany piórnik zamykany na mały metalowy haczyk, stalówki, obsadki, gumka myszka, kredki świecowe i ołówkowe, kolorowe kredy, klej guma arabska, blok rysunkowy, zeszyt papierów kolorowych, farby, pędzelki, zeszyty w trzy linie, w kratkę oraz gładkie. Zeszyty miały po szesnaście kartek, niebieskie okładki i prostokąt na metryczkę, gdzie w pierwszej linii wpisywało się przedmiot, w drugiej imię i nazwisko ucznia, a w trzeciej klasę i rok szkolny. Żeby uniknąć zamazania tekstu zapisanego atramentem, do zeszytów trzeba było dokupić kilka bibuł. Czasem przyklejało się je na kolorowej tasiemce do okładki. Wtedy bibuła nie mogła wypaść z zeszytu ani się zgubić.

Ania uszyła dziewczynce nowy czarny worek na szmaciane kapcie z gumką przy palcach, które już niecierpliwie czekały na pierwszy dzień szkoły. Niemal wszystko zostało zgromadzone przed wakacjami.

W domu pojawiły się też książki: *Elementarz* Falskiego i *Pierwsza czytanka* oraz zeszyty ćwiczeń. Dziewczynka lubiła od czasu do czasu zapakować tornister „do szkoły" i pochodzić z nim po mieszkaniu. Nie wierzyła dorosłym, że wnet znudzi jej się ten najmilszy z obowiązków. Nie posmakowawszy, nie mogła tego pojąć.

Wreszcie przyszedł ostatni dzień roku szkolnego. W przedszkolu odbyła się stosowna uroczystość z recytacją wierszyków, podziękowaniami, kwiatami i bombonierkami dla pań. Dorośli może byli wzruszeni, dzieci chyba jedynie rozkojarzone. Myślały już wyłącznie o wakacjach i szkole, która z tej perspektywy jawiła się jako nieskończenie atrakcyjna.

Mama jak zwykle przyniosła z pracy wielki pęk kwiatów, głównie różowych i czerwonych goździków, oraz cały stos bombonierek. Następnego dnia miał się zacząć cudowny czas wakacji, powolnych spacerów na rynek, nieśpiesznych wyjazdów na wieś, młodych ziemniaków z koperkiem i zsiadłego mleka, które można było niemal kroić i które nazywano w domu górkami, barszczu czerwonego ze świeżej botwiny, truskawek, lekkich ubrań, bosych nóg, długich dni i zabaw bez końca.

Niezmąconą radość dziecka czekającego wakacji psuło jednak poczucie, że to jednocześnie ostatni dzień, kiedy mieszka z nimi Anka. Tak już się wszyscy do niej przyzwyczaili, że nawet tata, kiedyś przeciwny, teraz nie wyobrażał sobie rozstania.

Ania pakowała się, pochlipując. Zbierała już ostatnie rzeczy. W drzwiach kuchni stał zdenerwowany nie wiadomo czym Heniek.

— Niech pan usiądzie! — zachęcała mama. — Może wody się pan napije?

— Nie, nie! Będziemy uciekać! — Pokręcił głową skrępowany.

— Bo tak pan stoi, jakby na wesele prosił! — zażartowała, a on spiekł raka.

— Prosisz na wesele, Heniu? — wtrąciła się dziewczynka.

— Hm — chrząknął, przełknął ślinę i nic więcej nie powiedział.

— To chyba wszystko. — Anka rozejrzała się po kuchni, a dziewczynka przylgnęła do jej nóg.

— Nie odjeżdżaj! Co my bez ciebie zrobimy?! — krzyknęła i już płakały wszystkie trzy.

Nie wiadomo, jak długo trwałoby pożegnanie, gdyby z pracy nie wrócił tata.

— Trzeba się rozstać, żeby się można było znowu spotkać! Pojedziemy w wakacje do Małej Wsi, obiecuję!

— Jaaak? — chlipało dziecko. — Przecież we czwórkę się na motorze nie zmieścimy! Co zrobimy z Uuuląąą?!

Usłyszawszy swoje imię, bawiąca się dotychczas na podłodze młodsza córka Gutowskich wyciągnęła rączki do taty.

— Damy radę, obiecuję! — powiedział i uniósł ją, aby dać maleństwu buziaka.

Anka stała już obok Heńka. Jakoś pasowali do siebie. Nikt jeszcze wtedy nie wiedział, że spędzą razem szczęśliwe życie.

Przez część letnich wakacji dziewczynka przebywała u babci w Barczącej. Lato na wsi nie przypominało jesieni. Przede wszystkim niemal całe dnie spędzało się na dworze, często biegając boso. Ogromne, jasne słońce przypiekało niemiłosiernie. Niebo było bezchmurne albo płynęły po nim chmurki lekkie niczym białe piórka. Kiedy cichł stukot przejeżdżającego pociągu, wracała cisza nasycona śpiewem skowronków, kumkaniem żab, cykaniem świerszczy. Czasem gdzieś daleko zaszczekał pies albo zapiał kogut, ale aż do następnego pociągu wydawało się, że nic nie mąci ciszy. Od stacji w Barczącej po obu stronach torów droga była nieutwardzona, samochody jeździły tu rzadko.

Gdy wujostwo z Warszawy przywozili Andrzeja, dziewczynka miała się z kim bawić. Przez pierwsze dni Andrzej łapał zawsze wysypkę od świeżych jajek, ale potem mu przechodziło. Jednak nawet jeśli Andrzeja nie było, z babcią nie sposób się było nudzić. Rano należało zagnać krowy do olszyny, na drugą stronę torów. Znajdowało się tam pastwisko dzierżawione przez dziadków od państwa Jakubowskich. Byli to przemili warszawiacy w wieku babci, którzy mieszkali w Barczącej przez całe lato. Pan Stanisław Jakubowski, wysoki siwy staruszek, był więźniem i królikiem doświadczalnym w obozie koncentracyjnym w Oświęcimiu. Miał na przedramieniu wytatuowany numer, który widać było latem, kiedy chodził w koszulach z krótkim rękawkiem. Kiedyś o tym opowiedział mamie dziewczynki. Małżeństwo Jakubowskich miało w Barczącej skromny domek letniskowy, a dookoła piękne łąki, warzywniak i staw z rybami. Przez ich posiadłość płynęła czysta płytka rzeczka Mienia o piaszczystym dnie. Ponad jej nurtem ktoś zawiesił wysoką kładkę. Przebiegało się po niej, kiedy krowy zatrzymywały się na grobli, aby ugasić pragnienie. Fruwały tu ważki, a brzeg porastały wysokie trawy, tatarak i sitowie. Dziewczynka lubiła się kąpać nieopodal, na tak zwanym progu — wybetonowanym fragmencie nurtu, który tworzył niewielki wodospad.

Do olszyny szło się też w południe, żeby przewiązać i wydoić krowy. W upały zdejmowało się buty, a gorący piasek na drodze aż parzył w stopy. Olszyna pachniała szczególnie. Teren był tu podmokły, czuło się gnijące rośliny, zioła, siano, tatarak. Piękne wysokie kasztanowce dawały cień, a rzeczka odrobinę chłodu. Wieczorem należało zagonić krowy z powrotem do obejścia, udój odbywał się już przy nikłym świetle żarówki.

Na początku wakacji, na przełomie czerwca i lipca, codziennie zbierało się dojrzałe truskawki. Część nieodmiennie lądowała we wciąż nienasyconych ustach, były to przeważnie duże, jasne Ananasy. Pozostałe, mniejsze, bardziej soczyste i ciemniejsze Murzynki i Senga-Sengany, przerabiało się na kompoty i konfitury. Po truskawkach dojrzewały kolejne owoce i warzywa: zielony groszek, który zdrapywało się zębami z lekko uchylonych strączków, porzeczki czarne, czerwone i ulubione białe, maliny oraz agrest. Jako pierwszy wyrastał jednak niemożliwy do zjedzenia na surowo rabarbar. Babcia gotowała z niego kompoty, które należało koniecznie odcedzić z rozgotowanych cienkich nitek rośliny, dodawała też pokrojony rabarbar do pysznych placków z mąki pszennej, które potem posypywało się cukrem pudrem.

Wydawało się, że ogród jest nieskończenie bogaty. I taki był. Ale rosły tu nie tylko zasadzone warzywa, pleniły się również chwasty. Walkę z nimi rokrocznie przegrywano, bo jeśli udało się oczyścić warzywniak, to zarósł ogród kwiatowy, jeśli się opieliło truskawki, to w ziemniakach rozrosła się ognicha po pas. Wysiewający się rokrocznie na burcie kolejowej, niewykoszony na czas oset wykiełkował w zbożu, a piękne żółte kwiaty mniszka, zwanego popularnie mleczem, pozostawione na łące koło dołka, dojrzały w cudownie delikatne kule, które aż prosiły się o podmuchanie. Rwąc je, dziewczynka nieświadomie pomagała pofrunąć ślicznym, przypominającym spadochrony nasionom w świat, a choćby i tuż-tuż pod płot. Można je było znaleźć następnego roku najpierw jako młode postrzępione listki, potem cudne żółte kwiatki, wreszcie białe ażurowe kule. Na łące kwitły też rumianki. Ich białe płatki odrywało się w celu powróżenia: „Kocha, lubi, szanuje, nie chce, nie dba, żartuje. W mowie, w myśli, w sercu, na ślubnym kobiercu".

Nieustającym zmartwieniem babci był perz i mimo przejeżdżania norkrosem konieczność pielenia w ziemniakach rokrocznie okazywała się smutną koniecznością. Wielkie pole kartofli, których miało wystarczyć aż do wiosny, stanowiło dla pielącego wyzwanie nie lada. To nie to samo co maleńkie spłachetki grządek warzywnych, w których podcięcie motyką korzeni chwastów nigdy długo nie trwało. W ziemniakach już samo spojrzenie na długie, ciągnące się aż do granicy pola grzędy, mogło przyprawić o zniechęcenie. Dlatego babka wyznaczała sobie małe kawałki, rwała tu zielsko na paszę dla świń, namawiała wnuczkę i córkę do pomocy. Jednak mimo ich zaangażowania chwasty zawsze brały górę.

Wreszcie nadchodził czas pachnących cierpko pomidorów, krótkich, kolczastych ogórków, czasem przesiąkniętych goryczką, zwłaszcza gdy nie obrało się ich prawidłowo od jaśniejszej strony. Na rosnących za stodołą renklodach dojrzewały powoli ogromne, soczyste żółto-zielone śliwki, a bliżej granicy na karłowatym drzewku pojawiały się pierwsze kwaśne wiśnie. Przygotowania do obiadu zaczynało się od wyrwania z ziemi marchewki, pietruszki, cieniutkiego jeszcze o tej porze pora, uskubania kilku listków selera i kopru oraz wykopania kilkunastu ziemniaków, a także wyrwania wiotkiej, niezwiniętej w główkę sałaty masłowej. Babcia pokazała kiedyś dziewczynce, raczej dla zaspokojenia jej ciekawości niż apetytu, że popularny chwast, komosa, może być z powodzeniem spożytkowany jako jarzyna do drugiego dania. Prawdopodobnie kryło się za tym wspomnienie głodnych lat wojny, bo eksperymentu nigdy nie powtórzyła.

Przed sezonem mama i babcia sprawdzały stan weków. Trochę słoików trzeba było zawsze dokupić. Niszczyły się też gumki, które parciały, wyciągały się. Zbyt mocno szarpnięte, urywały się ich języczki, za które pociągano, aby do słoika dostało się powietrze, rozszczelniając wek i pozwalając na jego otwarcie. Wyszczerbiały się podważane nożem pokrywki. Pełna spiżarnia była dumą każdej gospodyni, a zagospodarowanie płodów obowiązkiem wobec hojnej natury i próbą zaoszczędzenia pieniędzy. Wekowało się więc przecier pomidorowy, kisiło ogórki, smażyło konfitury z truskawek, suszyło grzyby, przerabiało wszystko, co tylko wyrosło i nie zostało na bieżąco skonsumowane. Niektóre warzywa, jak fasola, musiały „dojrzeć". Suche łęty składało się na strychu nad oborą, aby wyschły, a potem dopiero łuskało. Jedynie samotne pory zostawały niemal przez całą zimę w ziemi.

Oczywiście nie wszystko zdołano wyhodować w gospodarstwie. Nie mając czasu na zbieranie w lesie, kupowało się czarne jagody, żurawinę, borówki. Od gospodarzy, którzy hodowali właściwe odmiany, mama kupowała też twarde gruszki lub jabłka do borówek. Zawsze ktoś je dostarczał na rynek w Mińsku. Czasem zaraza zniszczyła pomidory czy przyszedł nieurodzaj na ogórki. Wtedy dokupowało się na rynku po najniższych letnich cenach i wekowało do upojenia, aby zimą można było skoczyć na stryszek i wyciągnąwszy rękę, zdjąć z półki słoik twardych i kwaśnych ogórków, sos pomidorowy, śliwki w occie, kompot jagodowy, borówki z gruszkami czy wiśnie w zalewie do budyniu.

Dopiero poznawszy zwyczaje Kresowiaków, kiedy pojechali na ślub wujka Tośka, mama zobaczyła, że wekować można także przetwory z mięsa. Spróbowała raz czy drugi, ale ten zwyczaj się w domu dziewczynki nie przyjął. Rokrocznie zdarzało się, że trochę przetworów nie dotrwało do wiosny. Ogórki okazały się miękkie, purchlowate, pewnie hodowano je na złym nawozie, do nieszczelnych słoików dostała się pleśń, a przecier pomidorowy skwaśniał. Rachunek jednak i tak zawsze wychodził na plus.

Choć wspomnienia tchną dziś nostalgią, ten gorączkowy czas wcale dziewczynki nie cieszył. Nie czuła dumy, jaka towarzyszy gospodyniom szykującym kolejne przetwory. Z łagodną rezygnacją drylowała wiśnie i węgierki na powidła, myła słoiki, kręciła pomidory w metalowej maszynce, prototypie dzisiejszej sokowirówki, zrywała liście porzeczki i dębu do ogórków. Nie udzielała jej się gorączka liczenia raz po raz świeżo ustawionych na półkach, idących w setki słoików. Nudziła się, stojąc przy krzaku agrestu z zadaniem oskubania kolczastych gałązek. Jedyną szansą przezwyciężenia monotonii zrywania owoców było współzawodnictwo. Za każdym razem, kiedy musiała wykonać w polu jakąś nielubianą czynność, zakładała się sama ze sobą, że wykona ją, zanim nadjedzie pociąg. Albo w ciągu trzech przejazdów pociągu. Ta sportowa rywalizacja, wprowadzając ekscytujący element ryzyka i dumę z ewentualnego zwycięstwa, jakimś cudem zabijała nudę.

Bywało, że babcia musiała wyjść z domu, jak choćby wtedy, gdy urodziła się Urszulka. Czasem miała do załatwienia sprawę w jakimś mińskim urzędzie. Zdarzało się to niezwykle rzadko i może dlatego zostało zapamiętane, ale kiedyś zostawiła dwoje swoich najstarszych wnuków samych w obejściu, nakazując im, aby grzecznie się sprawowali i pilnowali domu. Dzieci wzięły to sobie bardzo do serca i bez ani chwili odpoczynku stały na straży. Oceniły, że wróg nadejdzie od drogi, pilnowania innych kierunków poniechały. Aby dobrze widzieć z dużej odległości, wdrapały się na dach parnika i przez cały czas pilnie bacząc, czy nie ma zagrożenia, stworzyły mały arsenał środków odstraszających. Znalazło się tam kilkanaście kamieni, którymi zamierzały zasypać wroga, stary bosak, którym postanowiły go dźgnąć, gdyby za bardzo się zbliżył, parę grubych kijów i trochę pordzewiałego żelastwa, w tym na wszelki wypadek wiadro bez dna i bez sensu.

Przez cały czas nieobecności babci ani na chwilę nie zaprzestały wpatrywać się w linię torów, za którymi biegła ścieżka najwygodniejsza dla wroga. Jakoś żadne nie brało pod uwagę, że może on nadjechać na rowerze, motorem, wozem konnym, wreszcie czarną wołgą. Nie, czarna wołga zupełnie się nie komponowała z wsią, ze słonecznym letnim dniem i z tą wiejską drogą. A jednak pomimo spokoju i ciszy z jej wszystkimi atrybutami: śpiewem skowronka, gdakaniem kur czy bzyczeniem owadów, czego przecież na ogół nawet się nie zauważa, oraz powtarzającym się turkotem przejeżdżającego pociągu, dzieci czuły wewnętrzny niepokój. Uwierzyły bowiem, że napastnik prędzej czy później musi nadejść. Napięcie, w jakim na niego czekały, przewyższało to, z jakim Gary Cooper czekał w samo południe na swego najgorszego wroga. Nie było żartów.

Gorąca, lepka papa parzyła w stopy, powietrze, gęste jak miód, spowalniało ruchy i myśli. Zmęczeni wypatrywaniem wroga gdzieś na horyzoncie, zapadli się w sobie. Chciało im się pić, żadne jednak nie spróbowało opuścić posterunku, by skazać to drugie na samotną walkę.

— Całowałeś się kiedyś? — zapytała znienacka dziewczynka.

To pytanie zupełnie nie pasowało do kontekstu.

— Z kim? No pewnie! Setki razy! — Chcąc dodać sobie powagi, chłopiec wzruszył ramionami.

Pewna siebie, a nawet buńczuczna odpowiedź ucznia pierwszej klasy zachwiała nieco radością absolwentki przedszkola. Więc w szkole dzieją się takie rzeczy?!

— Ale dlaczego? — wyszeptała.

Czuła się skrzywdzona. Dotknięta i skrzywdzona. Już dziś, w środku wakacji, ktoś odziera ją z cudownych marzeń, z radości, z dumy, z tej niewidocznej, ale jakże ważnej zawartości tornistra. Dlaczego w szkole dzieją się takie rzeczy?!

— Dla draki.

Tylko im draka w głowie! Chłopcy są tacy prymitywni. Bezduszni. Niczego nie rozumieją. Jeśli po czterech latach w przedszkolu zostały jej co do chłopców jeszcze jakieś złudzenia, to jedno słowo wypowiedziane w kontekście tak ważnej dla niej sprawy rozwiało je ostatecznie.

Draka! Od tej chwili dziewczynka nie była już skłonna nadstawiać piersi na cios niewidzialnego wroga. Niech sobie Andrzej sam dalej walczy.

— Chce mi się siku! — powiedziała obrażonym tonem i zlazła z parnika, kalecząc się w nogę. Po jakimś kwadransie, niepewna własnego bezpieczeństwa, przykładając sobie do kolana liść babki, z powrotem wdrapała się na szopę.

Ale i bez niej zagroda Serwatków była najbardziej strzeżonym i najlepiej uzbrojonym wiejskim obejściem stąd aż do Bugu. Może dlatego wróg w końcu zrezygnował ze swych niecnych planów. Zrejterował albo wybrał jakieś inne podwórko, gdzie nieświadome zagrożenia dzieci beztrosko stawiały babki z piasku lub grały w piłkę.

Po kilku godzinach krokiem ciężkim od upału i zmęczenia nadeszła babcia. Poznali ją zresztą dużo wcześniej, kiedy zbliżała się ścieżką nad torami. Ale nie opuścili swego posterunku, dotrwali do końca, dopóki nie otworzyła furtki. Wtedy dopiero zleźli z dachu parnika, zostawiając tam całą swą broń. Babcia pewnie miała w siatce pyszne jagodzianki od Kolasińskich, godną zapłatę za tyle godzin stróżowania. Zwolnieni z obowiązku, który ich przerastał, po słodkiej uczcie mogli się nareszcie zacząć bawić!

Dziewczynka lubiła się bawić w dom, a zwłaszcza w gotowanie. Naśladując babcię, nastawiła swoją własną autorską zupę, jako naczynia używając starej pordzewiałej puszki po konserwach znalezionej koło parnika. Trafiły do niej te same warzywa, które babcia kroiła do najulubieńszej letniej zupy jarzynowej. Nawet młody groszek znalazł się w starej puszce, czegoś jednak najwyraźniej zabrakło, bo nawet psy jej nie chciały. Stąd zresztą wzięła się nazwa tej zupy — „agresorówka", jako że pies, co się już rzekło, wabił się Agresor.

Czasem babcia wysyłała wnuczkę po drobne sprawunki do spółdzielni. Droga za stację kolejową, gdzie wtedy znajdował się sklep, była dla dziecka daleka, skracała się jednak wydatnie, jeśli znalazł się ktoś do towarzystwa. W tej roli najczęściej występowała Krysia Pudłowska. Starsza od dziewczynki o dwa, może trzy lata, mieszkała w oficynie u Krupińskiego. Jej rodzice pracowali tam w gospodarstwie. Dziewczynki nieśpiesznie szły drogą w stronę stacji, zatrzymując się z lada powodu, na przykład przy kępie koniczyny albo chabrów, które rwały na wianki. I zawsze, kiedy tylko słychać było nadjeżdżający pociąg, a one znajdowały się w pobliżu cementowych drenów, które wkopano pod nasypem, aby umożliwić cyrkulację cieniutkiemu strumyczkowi, wchodziły do tej poziomej studni i przerażone czekały na dudnienie, które rozlegało się tam ze szczególną mocą. Dodatkową atrakcją był strach, bo nikt im nie gwarantował, że nasyp się w tej właśnie chwili nie zawali, grzebiąc je już na zawsze pod tonami ziemi i żelastwa. To był taki wiejski rollercoaster bez biletów.

Nieco dalej znajdowała się posesja państwa Godlewskich, pięknie uprawiony, regularny w założeniu, z przecinającymi go ścieżkami, elegancki zagajnik leszczynowy. Był tu też mały staw. Czasami tam zaglądały. Kiedy tylko minęły posesję Godlewskich i drogę na Budy Barcząckie, zaczynały się perony. Szły wzdłuż peronu, przy którym zatrzymywały się pociągi do Mińska, i kiedy dotarły do początku, mijały budynek stacji. Stąd już było bardzo blisko do sklepu. Załatwiwszy sprawunki, wracały tą samą drogą, z powrotem jest jednak zawsze jakoś bliżej...

Czasami nie było Krysi ani Andrzeja i dziewczynka nie miała się z kim bawić. Jeśli nie pomagała babci, lubiła chodzić na łąkę. Kładła się wtedy, delikatnie rozgarniała trawę i obserwowała życie maleńkich stworzeń, dla których trawa była wysoka jak las. Chodziły w nim mrówki, maleńkie pajączki, dżdżownice, czasem ślimaki. Kiedy już naoglądała się tych miniaturowych cudów, odwracała się i kładąc na plecach, patrzyła w niebo na przepływające ponad głową chmury. Bywały rozmaite. Czasem luźne, jakby je ktoś porozciągał w dłoniach.

Czasem zbite, niczym kłębuszki waty rzucane na choinkę. A czasem ich wcale nie było, tylko gorące słońce piekło nielitościwie, zmuszając do chronienia się w cieniu budynków.

Trochę chłodniej było nad dołkiem, małym oczkiem wodnym z kijankami i żabami, stopniowo zarastanym przez sitowie. Dołek miał niewielki cypel, na którym przyjemnie było usiąść, obserwując ważki. Sitowie dziewczynka kiedyś pocięła nożyczkami i włożyła do eleganckiego pudełka po papierosach. Od czasu do czasu, kiedy nikt nie widział, „wypalała" jeden czy dwa, wkładając sobie do ust eleganckim gestem, podpatrzonym na amerykańskim filmie, i wydmuchując nieistniejący dym. Do prawdziwych papierosów nigdy jej nie ciągnęło.

Którejś soboty tata przywiózł do Barczącej namiot. Dzieciom bardzo podobało się uczestniczenie w rozbijaniu namiotu i ścielenie w środku. Nie mogły się doczekać, kiedy nadejdzie wieczór i rozlokują tam swoje rzeczy. A jeszcze miały obiecane opowiadanie baśni i następnego dnia rano grzybobranie! Z podniecenia nie mogły zasnąć, ale rankiem, trąc oczy, dzielnie wstały. Najbliższy las znajdował się tuż pod nosem i należał do sąsiada dziadków, pana Krupińskiego. Pola nie były ogrodzone, wystarczało więc dojść do końca sadku, przekroczyć nigdy nieużywaną, wysadzaną topolami graniczną drogę, przeciąć łąkę, skoczyć przez szeroki rów, w którym czasem, choć rzadko, zbierała się woda.

Za rowem zaczynał się las, a właściwie zagajnik. Wpadało się tu ot, tak, na chwilę, kiedy brakowało czasu, aby wypuścić się dalej. Na łące można było znaleźć pieczarki, a w lasku, choć niedużym, wszystkie rodzaje grzybów, aczkolwiek w ograniczonej ilości. Pójścia na grzyby nie traktowało się jak pracy, stanowiło ono wytchnienie, rodzaj sportu. Grzybów szukało się, jakby to była zabawa w podchody z naturą. Jeśli się coś znalazło, choćby i kilka sztuk, można było ugotować z nich zupę, zrobić sos do kartofli czy udusić je na tłustej wiejskiej śmietanie i zrobić pyszną jajecznicę. Do natychmiastowego zjedzenia kwalifikowano najczęściej maślaki, szlachetniejsze grzyby suszyło się na Wigilię. Kiedyś babcia znalazła rydza pod krzakiem rosnącym na burcie kolejowej. Odtąd chodziła tam co kilka dni, często przynosząc śliczne różowopomarańczowe kapelusze.

Chlubą rodziców dziewczynki był specjalnie uszyty lniany worek na grzyby, w którym mogły się zmieścić i dwa kilogramy suszu. Po sezonie letnim ujmowało się go w ręce, z dumą ważyło w dłoni, a potem zimą sięgano do niego garściami, śmiejąc się z odstraszających cen w sklepach, i z rozkoszą smakowało się zupę grzybową z makaronem, bigos, pierogi, sosy.

Las Krupińskiego miał jeszcze jedną wielką atrakcję: ruiny starej cegielni. Od dawna w wykopanych głęboko w ziemi dołach gnieździły się lisy, a wysoki na kilka metrów, z daleka widoczny pocegielniany komin był najlepszym punktem orientacyjnym, kiedy się poszło do dużego lasu, który ciągnął się po południowej stronie torów, na górce pod Chmielewem. Tam już nie było żartów: żeby się nie zgubić, należało się trzymać blisko taty.

Tata dziewczynki świetnie znał się na grzybach, przybiegali zatem do niego z każdym okazem, aby ocenił przydatność znaleziska. W tym lesie zbierali też jagody, ale tylko troszkę, aby zaspokoić pragnienie. Długie grzybobranie po lekkim, zjedzonym w pośpiechu śniadaniu znakomicie zaostrzało apetyt. Andrzej też był raczej niejadkiem, ale kiedyś, gdy wrócili zmęczeni po długim spacerze, krzyknął błagalnym głosem:

— Wujaszku! Chociaż chlebka z margarynką!

Tego lata tato, jadąc po pracy motorem do Barczącej, przewrócił się na nierównej drodze. Koło zabuksowało w koleinie i motocykl upadł na bok. Na szczęście nic poważnego się nie stało, jednak kiedy dotarł do teściowej, zauważył, że nie ma na ręku zegarka. Bardzo się zmartwił. Zaczął sobie przypominać, gdzie mógł go zostawić, nic jednak nie przychodziło mu do głowy. Zjadł co nieco i usiadł w cieniu, żeby się jeszcze raz zastanowić. Niespodziewanie zasnął. We śnie upadek odtworzył mu się ze wszystkimi szczegółami. Patrząc na siebie jakby z boku, spostrzegł, że podczas wywrotki sprzączka metalowej bransolety rozpina się i zegarek spada w piasek. Gdy się obudził, natychmiast wsiadł na motor i pojechał w tamto miejsce. Srebrna bransoletka z daleka lśniła w koleinie z piasku.

Na początku lata, czasem już w maju, odbyły się pierwsze sianokosy. Siana zawsze potrzeba było sporo, nieraz się dzierżawiło łąkę tylko po to, by zapełnić sąsieki w stodole, aby zimą zwierzęta miały co jeść. Krowa, potem koń, bo z czasem dorobili się też Serwatkowie własnego sprzężaju, z filozoficzną zadumą mełły podane do żłobów siano. Ale nim to nastąpiło, trzeba było pomóc w suszeniu skoszonej trawy; najpierw przewracało się ją drewnianymi grabiami, potem układało w kupki do całkowitego wyschnięcia. I nie daj Boże, żeby w tym czasie spadł deszcz!

W środku lata zaczynały się żniwa. Serwatkowie na swoim niewielkim polu na przemian siali zboże lub sadzili kartofle, więc kiedy zboże dojrzało, trzeba było je zżąć. Czasem dziadek odkaszał fragment ręczną kosą. Potem skręcało się coś w rodzaju grubego powroza i tym niby sznurem związywało się zebrane naręcze żyta czy owsa, tworząc w ten sposób snopek. Wreszcie kilka snopków ustawiało się symetrycznie, tworząc kopkę. Do tego jednak potrzebne były co najmniej dwie osoby.

Dziadek, poza tym, że był dość kłótliwy na podwórku i w domu, na polu lubił chyba pracować, bo nikt go nigdy nie gonił, a miał przecież do obrobienia również pole w Piasecznie. Chętnie jednak przyjmował pomoc dzieci, jeśli przyjechały w czasie wakacji.

Lato mijało leniwie i osiągało apogeum tuż przed żniwami. I choć przed dziećmi było jeszcze dużo wolnego, potem już robiło się jakoś smutno. W sierpniu jakby częściej zbierało się na burzę, kolory blakły, dni robiły się krótsze, a wieczory chłodniejsze.

Założone wiosną przez Serwatkową i gospodarzy z Barczącej kółko rolnicze działało pełną parą. W chwilach kiedy nie wyjeżdżał do prac polowych, a tych była masa, na podwórku u dziadków stał traktor, a w jakiś czas potem nawet dwa. Ten drugi, wielka duma babci i całego kółka rolniczego, miał do dziś zapamiętany symbol C-4011. Dziewczynce udało się kilka razy przejechać traktorem. Na jednym z nadkoli przewidziano twarde i bardzo niewygodne miejsce dla pasażera. Jadąc, traktor trząsł niemożliwie, trzeba się było mocno trzymać i frajda z tej jazdy była, prawdę mówiąc, dość wątpliwa. Dzieciom jednak to nie przeszkadzało. Siadali też czasem na traktor we dwoje, wtedy Andrzej obowiązkowo na fotelu kierowcy. I kiedyś nawet uruchomili silnik za pomocą zwykłego gwoździa włożonego do stacyjki. Na szczęście traktorzysta zaciągnął hamulec ręczny. Traktorzystów było dwóch: Jasiek i Zenek. Bardzo się dziewczynce podobali. Jakoś podskórnie czuła, że ją lubią, a najważniejsze, że żaden się nie rwał do całowania.

Na sierpień zaplanowano ważne wydarzenie — wujek Teofil miał się ożenić. Tuż po studiach rozpoczął pracę w Koszalińskiem, wysłany tam do licznych na tym terenie PGR-ów celem odpracowywania stypendium studenckiego. Nim zdołał zakończyć ów przymusowy etap kariery, poznał swą przyszłą żonę, Janinę z domu Huta, zakochał się i został w okolicach Drawska Pomorskiego na tak zwanych ówcześnie Ziemiach Odzyskanych. Rodzina Hutów, podobnie jak większość Polaków osiadłych na tych terenach po wojnie, pochodziła z Kresów Wschodnich. Rodzice Janiny przyjechali do wsi Ostrowice i zamieszkali w rzuconym między pola domu wraz z inną rodziną, dzieląc zabudowania i gospodarstwo po połowie. Jak przystało na Kresowiaków, mieli też krewnych w Ameryce. W tym czasie ostrowicka lecznica weterynaryjna znajdowała się w domu państwa Podhorodeckich i tu bodaj zatrzymali się Gutowscy. Pani Podhorodecka była w wieku babci, pan Podhorodecki, zgięty wpół przez artretyzm czy jakąś inną chorobę, przypominał dziewczynce jej własnego dziadka. Wieś, czysta i zadbana, rozsiadła się wokół skrzyżowania dróg z Połczyna do Drawska, ponad malowniczym jeziorem Ostrowiec, do którego wpadała niewielka bezimienna rzeczka.

Otoczona lasami rosnącymi na niewysokich wzniesieniach i jeziorami, sąsiadująca z Drawskim Parkiem Narodowym okolica stanowiła idealne miejsce wakacyjnego wypoczynku. Aby tam dojechać, należało wsiąść w nocny pociąg do Koszalina i nad ranem przesiąść się w Grzmiącej do kolejnego pociągu. Było to niewygodne, zwłaszcza z dwójką dzieci, ale inne połączenie wtedy nie istniało. Zresztą tacie, jako kolejarzowi, przysługiwał wypisywany na dowolną trasę bezpłatny bilet rodzinny. Po latach, kiedy dorobią się wreszcie syreny, Gutowscy do Złocieńca, gdzie ostatecznie osiądzie wujek Tosiek, będą jeździć swym samochodem. Kiedyś zabiorą do bagażnika skrzynkę zielonych pomidorów, które podczas kilkugodzinnej podróży dojrzeją w nagrzanym niemiłosiernie bagażniku.

Dla dziewczynki oczywiście większą frajdą była nocna jazda pociągiem. Zawsze wybierała najwyższą kuszetkę, aby z niej spoglądać w nakrapianą piegami świateł ciemność i wdychać zapach dymu z lokomotywy. Kiedy tylko pociąg ruszał, zaczynało się jedzenie. Mama przygotowywała zawczasu bułki posmarowane masłem z nijakim żółtym serem. Do tego były obowiązkowe jaja na twardo i pomidory. W pociągu dziewczynka zawsze miała apetyt.

Przed końcem wakacji mama musiała zgłosić się do szkoły na Radę Pedagogiczną. Okazało się, że jej klasa znów będzie zaczynała lekcje o ósmej, tak samo jak nowo tworzona klasa, do której zapisała starszą córkę. To bardzo ułatwiało życie. Będą chodziły razem i razem wracały!

Nie obyło się jednak bez zgrzytów: koleżanki mamy, inne nauczycielki klas początkowych, zarzuciły dyrektorowi jej faworyzowanie.

— Dlaczego Gutowska ma zawsze klasę na ósmą, a nasze dzieci muszą przychodzić na popołudnie?

Dyrektorowi trudno było znaleźć inny argument poza tym, że Gutowska zawsze dostaje klasę „a", która zwyczajowo przychodzi na ósmą.

— Drogie panie — wił się jak w ukropie pod ostrzałem oskarżycielskich spojrzeń. — Nie mam tyle sal, żeby was wszystkie obdzielić. Plan już ułożony, wiecie, ile to roboty?

Mamie żal się zrobiło dyrektora, który był dla niej zawsze bardzo dobry, więc w nagłym i nie do końca przemyślanym odruchu postanowiła mu pomóc.

— W porządku, ciągnijmy losy! — zaproponowała. — Ja będę ciągnęła ostatnia.

Dyrektor, niezbyt zadowolony, bo rysowała mu się realna perspektywa pracy nad nowym planem lekcji dla całej szkoły, co jest żmudnym, niemal karkołomnym zajęciem, nie miał jednak wyjścia. Wyjął cztery zapałki i jednej z nich ułamał główkę. Zgodnie z umową koleżanki mamy miały pierwszeństwo w losowaniu. Jedna po drugiej wyciągały zapałki z łebkami. Dla mamy pozostała ta bez łebka, oznaczająca godzinę ósmą.

Czy to aby nie wtedy dziewczynka dowiedziała się, że jej tata jest tylko przypadkiem jej tatą? Nigdy wcześniej o tym nie myślała. Znała różne opowieści o mamie i tacie z ich dzieciństwa, wiedziała, że rodzice poznali się podczas wywiadówki, ale nigdy jej nie opowiadali, że zanim się poznali, mieli jakieś inne plany matrymonialne.

Było sierpniowe południe. Tata miał urlop i został z Ulą w domu, dziewczynka, posadzona w sekretariacie szkolnym przed maszyną do pisania, bawiła się w biuro, a mama załatwiała coś z sekretarką, panią Luśniową, może pobierała albo deponowała pieniądze w ogromnej tajemniczej szafie — sejfie szkolnym, który otwierało się zamkiem kółkiem, a drzwi i ściany miały grubość kilkunastu centymetrów? Może po prostu zagadała się po owym słynnym ciągnięciu losów? Ni z tego, ni z owego rozgorzała rozmowa dotycząca pierwszych miłości i odrzuconych zalotników.

— Pamiętam to dobrze — mówiła mama. — Po wywiadówce w Koperniku Włodek, który przyszedł dowiedzieć się o swojego brata Grześka, zaproponował, że mnie odprowadzi. Zapadł już zmrok, do domu miałam daleko, chętnie się zgodziłam. Był razem z kolegą,

czułam się z nimi bezpieczna. Dotarliśmy na Warszawską, zaproponowałam im herbatę i kiedy tak siedzieliśmy
przy stole, rozmawiając, ktoś zapukał. Otworzyłam i zobaczyłam chłopaka, którego poznałam podczas wakacji.
Na dodatek byłam już na weselu jego siostry jako jego
narzeczona! Tylko że wzięli go do wojska i nawet się na
tym weselu nie spotkaliśmy. Pochodził z zielonogórskie-
go, z Nowej Soli, zdaje się. Pisaliśmy do siebie przez jakiś
czas, ale przyjechał niespodziewanie.

— I zobaczył coś, czego nie powinien! — skomento-
wała z boku któraś z koleżanek.

— Dlaczego? Nic się jeszcze nie stało. Może poza tym,
że mnie przez te klika tygodni jakoś przeszło.

Dziewczynka siedzi nad maszyną i uparcie wpatruje
się w klawisze, ale nie ma siły unieść palca. Nie chce
uronić ani słowa ze słyszanej po raz pierwszy opowieści.

— I co zrobiłaś? — dopytują się koleżanki.

— Marian pokazał Włodkowi, że na nich pora, i wyszli, a my z Frankiem zostaliśmy sami. Powiedziałam mu,
że niepotrzebnie się fatygował, bo ja za niego nie wyjdę.

— Biedny! — wyrwało się którejś z nauczycielek. —
Musiał się czuć strasznie!

— Taki kawał drogi jechał na darmo! — podsumowała
pani Luśniowa.

Wtedy dziewczynka wykrzyknęła przez łzy:

— Jak mogłaś?! Dlaczego to zrobiłaś?! Dlaczego?!

Miała w pamięci zdjęcie przystojnego chłopaka
w mundurze, podpisane „Twój Franek", nigdy jednak nie
przyszło jej do głowy zapytać, kto to taki. Czuje, że mama
skrzywdziła chłopaka, który mógłby być jej tatą.

— Głuptasku — tłumaczy mama w drodze powrotnej. — Gdybym wyszła za Franka, nie pojawiłabyś się na świecie.

— Dlaczego nie?

— Jak dwie krople wody jesteś podobna do swojego taty, nazywasz się Gutowska. Gdybym wyszła za Franka, to nawet gdybym urodziła dziewczynkę, nazywałaby się Szachniewicz, mieszkałaby pewnie w Nowej Soli i wyglądała zupełnie inaczej niż ty.

— To nie byłabym ja?

Mama spogląda na nią z miłością i bez słowa przecząco kręci głową. Dziewczynce bardzo trudno to zrozumieć. Z jednej strony nie chciałaby stracić ot, tak własnej, zdobywanej w trudzie osobowości, z drugiej strony jest jej żal tego miłego Franka ze zdjęcia, tak bezwzględnie odpalonego przez mamę. Chciałaby mu to jakoś wynagrodzić, nie znajduje jednak sposobu i idzie smutna, ze wzrokiem wbitym w chodnik.

Zastanawia ją wielość dróg, jakimi może potoczyć się życie. Przecież to loteria! Gdyby tamtego dnia tata nie przyszedł na wywiadówkę, życie mamy mogłoby wyglądać zupełnie inaczej! Nie potrafi sobie wyobrazić własnego nieistnienia. Mogłaby od biedy być córką innego tatusia, ale nie istnieć w ogóle? Więc nasze przyjście na świat jest wynikiem przypadku, zbiegu okoliczności? Przeraża ją ta konstatacja, bo dowodzi czegoś, z czym dziewczynka bardzo nie chce się zgodzić: nieważności jej osoby. Do tej pory żyła w przekonaniu, że świat jest taki, jaki jest, bo taki być musi, bo ktoś, prawdopodobnie Bóg, to wszystko zaplanował, wyznaczył cel, nadał temu sens. Sądziła, że jest częścią tego celu, że ma zadanie do wykonania.

Tymczasem historia Franka i jego nieszczęśliwej, odrzuconej miłości spowodowała zawalenie się tej zbudowanej na własny użytek dziecięcej metafizyki. Przygnieciona nieoczekiwaną i niechcianą, trudną do pojęcia wiedzą, dziewczynka nie zapyta nawet mamy, czy się z Frankiem całowała. To już nie miało wielkiego znaczenia.

XIX

Coś dziwnego dzieje się z czasem. Może to zbyt duża liczba spraw, które sobie biorę na głowę, może rozproszenie, któremu ulegam, mnóstwo czasu oddając błahym aktywnościom, zauważam jednak jakąś istotną zmianę w długości dnia. Czas przyśpieszył. Pędzi nawet wtedy, gdy nie otwieram laptopa i nie nurkuję w Internecie. Dzień zrobił się krótszy nie tylko dlatego, że mamy zimę i o piętnastej słońce zawisa już nad horyzontem. Nawet gdyby o tej porze zaledwie trochę przekroczyło zenit, też miałabym wrażenie, że znowu z tyloma rzeczami nie zdążyłam.

Zastanawiam się, czy dzień bez rozpraszaczy typu telewizja i Internet, czy życie zbliżone do natury, takie, jakie wiedli moi dziadkowie, było dłuższe? Czy wolniej płynie czas niewypełniony ucieczką od własnego życia, niezajęty penetrowaniem cudzych spraw i niezwiązanych z nami zdarzeń? Być może właśnie tak. Kiedy koncentrujemy się na własnym działaniu, mamy szansę odczuć czas, gonimy go, starając się wyprzedzić, ale doświadczamy każdej sekundy. Kiedy uciekamy w inną realność, książkę, film, Internet, nasze doświadczenie czasu słabnie, jak podczas snu. Czas mija wtedy niezauważenie.

Rano budzą mnie psy. Więc już jest jutro? Poranki są bure, ciężkie. Wstaję z trudem, nieprzytomna, nieprzyjaźnie nastawiona do świata. Kiedy przypominam sobie, co mnie czeka, humor jeszcze mi się pogarsza. Wczoraj znowu nic nie napisałam, czuję zniechęcenie i smutek.

Powoli przyzwyczajam się do twojej nieobecności. W tamtym mieszkaniu będziesz miał swoją choinkę, a przede mną stoi zupełnie nowe zadanie. Nie jest łatwo otworzyć ramiona i wypuścić dzieci w świat. Osłabić więź, która co prawda już od dawna więdła, bo moje miejsce w twoim życiu zajmowali inni ludzie i coraz mniej o tobie wiedziałam, choć nigdy przecież nie wiedziałam wszystkiego. Czuję się rozsypana. Myślę o tym stanowczo zbyt wiele. Zdefiniowanie siebie na nowo wymaga czasu.

Zbliżają się święta. Nie stoimy w kolejkach, nie pierzemy na tarze, nie nosimy bielizny do magla, w kuchni stoi zmywarka. Nie jestem aż tak rygorystyczna, jak była moja mama. Mam do pomocy męża i syna oraz panią na przychodne, a jednak święta wywołują we mnie odruch paniki. Dlaczego? Przecież obowiązków jest relatywnie o wiele mniej niż dawniej, kiedy dzień lub dwa trzeba było jeszcze odstać w kolejkach. O co chodzi?

Jadę do rodziców i siostry z upominkami. Przy okazji jak zwykle szperam po maminych kątach. Wyżebrałam zerwane czerwone koraliki z Jabloneksu i drugie, srebrne, też zepsute. Może uda się je naprawić. W piwnicy zobaczyłam białą fajansową kurę siedzącą w koszyku, PRL-owski pojemnik nie wiadomo na co. Zapałałam sentymentem do tej kury. Nagle podobają mi się przedmioty relatywnie na to niezasługujące. Czy kryształy też mi się zaczną podobać? Skąd ten pociąg do rzeczy, które do tej pory kompletnie ignorowałam? U mamy na kuchennej szafce stoją jeszcze talerz i wazon z tańcami Zofii Stryjeńskiej. Muszę zapytać Urszuli, czy nie ma na nie ochoty.

W niedzielę przedświąteczną przyjeżdżasz, aby ozdobić dom kolorowymi światłami, osadzacie z bratem choinkę w stojaku. Do tej pory była to twoja funkcja. Wieszacie lampki, resztę zostawiając na następny dzień. Ta Wigilia będzie inna, będzie nas więcej, dom zaczyna żyć nowym życiem.

Twój brat siedzi na walizkach. Lada dzień i on się wyprowadzi. Na razie ignoruję strach, który mnie dusi na samą myśl, ale snu nie oszukam. Poprzecierał się, porwał. Budzę się w nocy i nie potrafię zasnąć. Jest wpół do trzeciej, po co wstawać o takiej idiotycznej porze? W poczuciu bliskiej straty zaczynam cenić każdą spędzoną z wami chwilę. Cieszę się w duchu, że przygotowanie mieszkania tak się odwleka.

Lada moment obaj będziecie tu już tylko gośćmi, a życie moje i waszego taty dramatycznie się skurczy. Nie będę zostawiała światła w hallu. Na spotkania będziemy się umawiać. Dom okaże się za duży, jak spodnie, kiedy się nagle schudło.

XX

Początek września tego roku był dla rodziny ważny z dwóch powodów: starsza córka zaczynała naukę w pierwszej klasie, dla młodszej rozpoczynał się równie trudny, a kto wie, czy nie trudniejszy etap pierwszych rozstań z domem. Odwiózłszy niespełna roczną Ulę do żłobka i mamiąc ją nadzieją rychłego powrotu z ciastkami, mama ze starszą córką udały się na rozpoczęcie roku szkolnego.

Korzystając ze słonecznej pogody, uroczystość zorganizowano na placu przed budynkiem. Dla pierwszaków ustawiono ławki, reszta uczniów, to jest klasy drugie, trzecie i czwarte, stała. Dzieciom towarzyszyła spora grupka rodziców, pośród nich tata dziewczynki, który uwiecznił uroczystość na zdjęciach. Wejście do budynku znajdowało się na wysokim parterze, a prowadziły do niego cztery szerokie schodki. Stojąc tam niczym na scenie, do dzieci przemówił dyrektor szkoły, Tadeusz Wegner. Potem nastąpił podział na klasy i wychowawczynie pierwszaków zabrały swoich nowych uczniów do klas.

Nieistniejący już dziś gmach Szkoły Podstawowej nr 4 im. Hanki Sawickiej w Mińsku Mazowieckim został oddany do użytku zaledwie sześć lat wcześniej. Dziewczynka dobrze znała jego rozkład, bo jej mama pracowała tu od pierwszego dnia. Jeszcze jako przedszkolak mała bywała tu a to na przymusowych, nudnych dla niej, zebraniach Rady Pedagogicznej, a to na choinkach, czy też kiedy jechała na wycieczkę z klasą mamy. Najmilej wspomina te chwile, kiedy mogła usiąść w sekretariacie szkolnym przed maszyną do pisania i stukać w klawisze, które odbijały na papierze ciągi liter, tworząc nieistniejące słowa. Sekretariat połączony był wewnętrznymi drzwiami z gabinetem dyrektora szkoły. W specjalnej gablocie spoczywał tam sztandar z orłem haftowanym białą i złotą nicią.

Szkoła, pobudowana na niewysokiej skarpie, miała ciekawą architekturę. Od centralnie zaprojektowanego, przeszklonego po bokach hallu odchodziły cztery różnej długości korytarze z wejściami do klas, pomiędzy którymi zainstalowano szafki na ubrania. Z hallu, gdzie znajdowało się dość miejsca na urządzenie cotygodniowego porannego apelu, prowadziły drzwi do toalet dla dzieci, a nieco z boku wygrodzono pomieszczenie ze zlewami, później zajęte przez sklepik szkolny.

Szkoła podstawowa w tym czasie miała osiem klas. Sale lekcyjne były tu bardzo widne, albowiem posiadały okna z dwóch stron: duże z parapetami od wschodu i ciąg lufcików od zachodu. Pomiędzy korytarzami, niczym w zamkniętym z trzech stron patio, rosły krzewy i drzewa. Ta część szkoły była parterowa. Jedynie od zachodu budynek miał piętro. Korytarz przyziemia, ku któremu schodziło się po kilku stopniach, prowadził do kotłowni, kuchni, gabinetu pielęgniarki, sali zajęć praktyczno-technicznych dla chłopców, przebieralni męskiej i damskiej, pomieszczenia ze sprzętem do wychowania fizycznego, wreszcie ku dużej sali gimnastycznej. Korytarzem na piętrze dochodziło się do znajdujących się na lewo: szatni i toalety nauczycieli, sekretariatu, gabinetu dyrektora, gabinetu dentystycznego, pokoju nauczycielskiego, biblioteki. Z prawej strony duże okna doświetlały korytarz, a dalej znajdowały się pracownie biologiczna i chemiczna. Korytarz zamykała świetlica, która w porze drugiego śniadania i obiadu pełniła również funkcję stołówki. Z kuchnią łączyła ją miniaturowa winda towarowa. Dziewczynce udało się, siedząc w kucki, raz czy dwa zjechać nią na dół. Po przeciwnej stronie korytarza wchodziło się jeszcze na półpiętro. Były tam harcówka i pracownia robót ręcznych dla dziewcząt.

Plac dookoła szkoły był dość duży. Od wschodu zagospodarowano go na grządki do uprawy roślin, od północy rosła trawa, ujęta w obwódkę z dzikich róż. Z tej strony szkoła graniczyła z osiedlem wojskowym przy ulicy Mireckiego (później Pierwszego Pułku Lotnictwa Myśliwskiego „Warszawa" — chyba najdłuższa nazwa ulicy w Polsce!), do której prowadziła najpierw usankcjonowana dziura w ogrodzeniu, a potem furtka. Główne wejście bowiem znajdowało się od ulicy Siennickiej 17. Do ogrodzenia przylegało boisko szkolne. Przy bramie, w wydzielonym niewielkim wgłębieniu, stały krzyż i pomnik poświęcony pamięci powstańców styczniowych. W mur szkoły wtopiono wyrytą w dwóch językach, polskim i hebrajskim, tablicę czczącą pamięć wywiezionych stąd podczas okupacji mińskich Żydów. Między boiskiem a placem przed szkołą urządzono duży klomb z centralnie umieszczonymi masztami na sztandary. Do zabudowań szkolnych przynależał jeszcze niewielki parterowy budynek z dwoma mieszkaniami dla personelu. Zajmowali je nauczyciele, państwo Anna i Kazimierz Gałązkowie, oraz woźna szkolna Bogusława Wronka z mężem Janem i rodziną.

Klasa dziewczynki mieściła się w drugim korytarzu na lewo. To był najkrótszy korytarz w szkole, znajdowały się tu zaledwie dwie klasy. Tutaj, siedząc w ławce z pochyłym blatem i dziurą na kałamarz, pod okiem wychowawczyni Heleny Zając dziewczynka stawiała swoje pierwsze nieporadne litery. Tu nieumiejętnie komponowała szlaczki, które obowiązkowo miały oddzielać pracę na lekcji od domowej. Tu spoglądała w okno, tęskniąc za czymś odległym i nieuchwytnym, tu wreszcie uczyła się czytać. W klasie było dwudziestu chłopców i zaledwie trzynaście dziewczynek. Sześć z nich miało na imię tak jak ona. Kiedy 10 czerwca przynosiły cukierki, robiła się z tego niezła wyżerka.

W każdej sali nad tablicą wisiało godło państwowe — na czerwonym tle biały orzeł z rozpostartymi skrzydłami, a po jego bokach czarno-białe portrety aktualnych przywódców narodu. Dziewczynka pamiętała trzech panów, którzy z wysokości przyglądali się postępom dzieci w nauce. Najpierw byli to Józef Cyrankiewicz i Władysław Gomułka, potem dołączył do nich jeszcze Edward Ochab. Nikt się specjalnie nie przejmował tą cichą inwigilacją. Nie było zwyczaju pytać o jej zasadność. Portrety władz, niczym wyraz kultu, wisiały zresztą we wszystkich niemal miejscach urzędowych. Wreszcie wtopiły się w pejzaż, niezauważane i upstrzone przez muchy niczym

Szwejkowski cesarz Franciszek. W trzeciej klasie, podczas chwilowej nieobecności nauczycielki na pracach ręcznych, gdy dzieci oblepiały masą papierowo-gipsową szklane słoiki, aby po pomalowaniu wyczarować z nich wazony, jeden z chłopców, zmiąwszy masę w kulę wielkości pączka, rzucił nią w Edwarda Ochaba z okrzykiem:

— Oddaj mi moją żonę i moje dzieci!

Nie wiadomo, skąd dziewięciolatek skopiował ten okrzyk, może z ulicy, z jakichś pokątnych rozmów dorosłych, może z jakiegoś filmu pokazującego zgniły kapitalistyczny zachód? Sam fakt wzbudził ogólną wesołość dzieci i pewnie nawet były jakieś konsekwencje. Niestety, jak większość lokalnych wydarzeń historycznych, zarówno czyn, jak i kara spłowiały, skurczyły się, wreszcie znikły ze wspomnień wszystkich świadków.

Prosto z rozpoczęcia roku szkolnego mama i dziewczynka pobiegły do żłobka po Ulę. W sali pachniało siuśkami. W żelaznych łóżeczkach stały lub siedziały dzieci. Miały na sobie piżamki. Kilkoro załatwiało się na nocnikach. Niektóre popłakiwały, były zasmarkane. Z identyczną nadzieją wpatrywały się w drzwi, jakby stamtąd miało przyjść wybawienie. Urszulka była senna, ale widać, że również płakała. Miała ubrudzoną buzię, a gdzieś ze środka raz po raz wyrywało się łkanie. Dziewczynka patrzyła na to wstrząśnięta. Jej siostrze działa się tu krzywda! Wraz z mamą ubrały Ulę, posadziły do wózka i bez słowa ruszyły do domu. Po wyjściu z podwórka, na mostku, a może już na ulicy, dziewczynka nagle wybuchła:

— Mamusiu, ty mi nic nie kupuj, ale proszę, nie oddawajmy Uli więcej do tego żłoba! — krzyknęła błagalnie, a broda poczęła jej drżeć i za chwilę płakały już wszystkie trzy: pierwszoklasistka w białej bluzce z czarną aksamitką i granatowej spódniczce na szelkach, mama ubrana w elegancką sukienkę i siedzący w wózku maluch.

Sprawa nie była łatwa. Co zrobić? Gdzie znaleźć radę i opiekunkę dla Uli po wyjeździe Anki? Mama z zaciętością pchała wózek i zagryzając wargi, intensywnie myślała. Dziewczynka pociągała nosem i mocno trzymała za rękę młodszą siostrę, chcąc jej dodać otuchy. Postanowiła wyrazić swój stanowczy sprzeciw, gdyby mama jednak chciała jutro zostawić Ulę w tym więzieniu dla dzieci. Zmartwione, z pozwieszanymi nosami, weszły do domu. Tak je zastał tata, kiedy wrócił z pracy.

— Co tu tak cicho? — zdziwił się. — Coście takie markotne?

— Bo Ula nie może wrócić do tego żłoba! Ona tak strasznie płakała! Zobacz tylko!

Tata, zmarszczywszy brwi, patrzy ku młodszej córce, która bawiąc się na podłodze w kuchni, wygląda na całkiem zadowoloną. Bierze dziecko na ręce, tuli, całuje.

— Nie damy jej zrobić krzywdy, prawda? — pyta starsza córka.

— Nie damy! — odpowiada stanowczo tata, bujając malutką, która już śmieje się głośno, radosna i szczęśliwa.

— Nie damy! Nie damy! Dobrze wam mówić! — denerwuje się mama. — Przecież jej do szkoły nie wezmę!

— Może Ania by jeszcze przyjechała? — nieśmiało sugeruje starsza córka.

— To zły pomysł. Mamy za małe mieszkanie — twierdzi tata.

— Zresztą ona chce wyjść za mąż — dodaje mama.

— I musi zacząć zarabiać.

— To może ja jutro zostanę? — proponuje dziewczynka.

Rodzice patrzą na nią rozbawieni.

— Ty musisz iść do szkoły. Pierwsza klasa jest najważniejsza.

Tata podchodzi z Ulą do okna, po chwili odwraca się i z uśmiechem mówi do żony:

— Idź do pani Tokarskiej.

— Po co?

— Wychowywała Przemka, teraz nie ma już z nim tyle pracy. Może zajęłaby się Ulą, to przecież tylko kilka godzin dziennie. Idźcie wszystkie trzy. Czuję, że się dogadacie.

Mama bierze malucha na ręce, starsza córka z ciekawości i w poczuciu misji idzie za nią. Pukają. Babcia Tokarska otwiera im z uśmiechem.

— Pani sąsiadko — mama rusza do ataku. — Czy nie zechciałaby pani zaopiekować się Ulą do czasu, aż czegoś nie wymyślę? Była dziś pierwszy raz w żłobku, ale płakała przez cały czas, szkoda mi dziecka. Ja pracuję krótko, na ogół do wpół do pierwszej, o pierwszej bym ją odbierała. Wiem, że z takim maluchem jest dużo pracy, ale nie chcę za darmo, zapłacimy, ile pani zechce... — zawiesiła głos i patrzyła błagalnie.

Babcia uśmiechnęła się do Uli, która jakby wyczuła, że teraz kolej na nią, i wyciągnęła rączki do starszej pani.

— Pani wie, że ja nie jestem już pierwszej młodości. Nie wiem, czy dam radę. W tym wieku dzieci wymagają szczególnej opieki, zaraz będzie się uczyła chodzić…

— Chociaż na kilka dni, póki kogoś nie znajdę! Błagam panią!

— Zgoda! — Babcia Tokarska kiwa głową. — Spróbuję! — Całuje w rączkę Ulę, która już wyrywa się do mamy.

Następnego dnia rano mama przygotowała na talerzu drugie śniadanie i o wpół do ósmej zaprowadziła młodszą córkę do sąsiadki. Pełna obaw wyszła do pracy, denerwowała się przez cały dzień i jak najszybciej wróciła. Ale obawy były najzupełniej zbyteczne. Ula rozgościła się u przyszywanej babci. Nie płakała, czuła się tu jak w domu.

U Tokarskich nigdy nie mówiło się o Uli inaczej niż „nasza Ula". Nazywał ją tak nawet Przemek, który przecież mógłby być o nią zazdrosny. Rozwiązanie problemu było bliżej, niż ktokolwiek mógłby przypuszczać. I wszyscy byli zadowoleni.

Dwa lata później babcia Tokarska wiele razy zatrzymywała się przy ogrodzeniu przedszkola nr 3, żeby zobaczyć swoją Ulę, kiedy ta biegała po placu zabaw. Zawsze wtedy miała dla niej jakiś mały słodki upominek. I czasem było jej smutno, że przyszywana wnuczka, porwawszy batonik czy ciastka, nie zaszczycała jej specjalnymi względami.

Do szkoły pierwszoklasistka chodziła na ósmą. Razem z mamą pokonywała siedemset metrów w mniej więcej dwadzieścia minut. Idąc ulicą Błonie, w drugim bloku od końca, bodaj na pierwszym piętrze, mijały mieszkanie Andrzeja z przedszkola. Chodził do szkoły nr 2, czyli Dąbrówki, prawie się nie widywali. Otworzył jednak kiedyś okno i na całe gardło krzyknął jej imię, co spowodowało, że za każdym razem, mijając jego blok, dziewczynka będzie się czuła dziwnie podekscytowana. Może czekała na kolejny raz? Nie zdążyła go zapomnieć. Ten sentyment wróci niespodziewanie kilka lat później.

W jednym z parterowych okien przy Błoniu jakaś kobieta w siatce nałożonej na wałki codziennie wykłada na parapet poduszki i kołdrę. Dochodząc do końca ulicy, mama i córka kierują się Mireckiego ku Siennickiej. Nikt jeszcze wtedy nie wpadł na pomysł zrobienia dziury w płocie, która tak bardzo skróci drogę do szkoły dzieciom z tego osiedla. Przy Siennickiej, po przeciwnej stronie ulicy, tuż za skwerem stoi bardzo stary, zaniedbany, chylący się ku ziemi drewniany dom z pobielonymi ścianami i ostrym dwuspadowym dachem krytym gontem, uważany za jeden z najstarszych w mieście. Dziewczynka czasem się zastanawia, kto w nim mieszka, ale nigdy nikogo się tam nie widzi.

Plan lekcji na każdy dzień wygląda tak samo i składa się z dwóch godzin języka polskiego i jednej godziny matematyki. Po zajęciach dziewczynka zostaje w świetlicy, czekając na mamę. Odrabia pracę domową, rysuje nienawistne szlaczki, do których nigdy nie będzie miała zacięcia, ćwiczy w zeszycie w trzy linie pisanie kolejnych liter alfabetu, a w zeszycie w kratkę kolejnych cyfr. Pisze pierwsze słowa, dodaje pierwsze słupki. Czasem bawi się z koleżankami lub czyta książki. Nie lubi drugiego śniadania, na które w szkole serwuje się maślany rogalik ze szklanką mleka, i trochę zazdrości kolegom, że jedzą w szkole pachnący pysznie obiad, którego ona nigdy nie spróbuje.

Nauka przychodzi jej z łatwością. Dostaje prawie same piątki. Rodzice się cieszą, ale też po cichu podejrzewają, że stopnie Chudusia są stawiane na wyrost. Nie wiedzą, jaką naprawdę uczennicą jest ich córka. Boją się, że jej wychowawczyni, koleżanka mamy, nie mówi im prawdy, tak się zresztą często zdarza z dziećmi nauczycielskimi. W źle pojętej solidarności koledzy rodziców stawiają zawyżone stopnie swoim uczniom, krzywdząc ich w ten sposób. Z tej niepewności wyrwie ich dopiero kilka lat później grupa zupełnie nieznanych wychowawców, pod których opieką dziewczynka będzie przebywać przez sześć tygodni w górskim ośrodku wczasów zimowych, daleko od domu, gdzie nikt ich nie znał. Wtedy odetchną z ulgą i kupią jej w nagrodę radio tranzystorowe Koliber w skórzanym etui, które przez wiele lat będzie wisiało na kuchennym oknie.

Raz w tygodniu w salce katechetycznej na tyłach mińskiego kościoła odbywała się lekcja religii. Dziewczynka chodziła tam razem z kolegami, wprost ze szkoły. Lekcje były dość nudne, siostra stara i marudna, chyba nie lubiła dzieci, trochę straszyła, znając tylko ten sposób na ich uspokojenie. Na ścianie wisiały: mapa przedstawiająca Ziemię Świętą z Galileą, Samarią i Judeą, pokolorowanymi na zielono, różowo i beżowo, święte obrazy z aniołami oraz smutny Chrystus pokazujący swe rozdarte boleśnie serce. Dzieci siedzące w niewygodnych, twardych, długich ławkach po kilkoro w jednej słuchały opowieści ze Starego i Nowego Testamentu, wierząc we wszystko i hodując w sobie naiwną dziecięcą miłość do Boga-człowieka. Zeszyty do religii nie miały ani linii, ani kratek, były gładkie, aby dobrze prezentowały się w nich rysunki rodziców, bo za rysunki dzieci siostra stawiała złe stopnie.

Dziewczynka miała bardzo ładny zeszyt, jej tata potrafił rysować. Jego rysunki były niczym wycięte z książki i to się siostrze podobało. Gorzej z tymi, które uczniowie wykonywali podczas lekcji religii. Były bezkształtne, pomazane, mama denerwowała się i wyrywała kartkę za kartką, a tata wieczorem rysował je jeszcze raz, bo zeszyt musiał być piękny. Zanim dziewczynka wyrobiła sobie charakter pisma, który odpowiadał mamie, padło wiele głośnych i zbędnych słów, wiele kartek zostało wyrwanych i przepisanych na nowo, popłynęło mnóstwo łez.

Ale treści religijne, sam kościół, z jego magią, milczącymi obrazami świętych, boleściwą figurą Chrystusa ukrzyżowanego, tajemniczymi wotami w gablotach, obrzędami i rytuałami, rozpalały wyobraźnię dziewczynki i jej uczestniczących w religii koleżanek. Dekalog zaczęły poznawać w przedszkolu przez naiwne dziecięce rymowanki, takie jak: „Skarżypyta bez kopyta, język lata jak łopata" czy „Kto oddaje i zabiera, ten się w piekle poniewiera".

Znalazły się też oczywiście takie uczennice, które na religię nie chodziły — były to córki pracowników wojska, milicji czy partii. Z powodu wykonywanej przez rodziców pracy dzieci te nie przystąpiły do Pierwszej Komunii Świętej w ogóle lub zrobiły to w konspiracji, w wioskach swoich dziadków. Jednej z takich pokrzywdzonych przez los koleżanek dziewczynka wraz z przyjaciółką, zachowując wszelki rytuał, udzieliły komunii w domu.

Mama dziewczynki jest opiekunką Spółdzielni Uczniowskiej Skrzat, do której zadań należy między innymi prowadzenie sklepiku szkolnego, początkowo wygrodzonego w końcu jednego z korytarzy. Sprzedaje się tu artykuły szkolne: zeszyty, ołówki, kredki, bibuły, ale przede wszystkim przychodzi się, a raczej przybiega na przerwach po słodycze i oranżadę. Ekspedientkami w sklepiku są starsze uczennice, które potrafią dobrze i szybko liczyć w pamięci, bo żadnych kalkulatorów nikt jeszcze wtedy nie posiada. Dziewczynki mogą sobie najwyżej pomóc liczydłami, tej umiejętności nauczano w szkole. Na drewnianych liczydłach liczono wszystko z sukcesem i bez pomyłki.

Codzienny utarg sklepiku wsypuje się do woreczka. W domu dziewczynka pomaga mamie w ustawianiu monet nominałami. Potem dorośli zawijają monety w papier, tworząc rulony przypominające dropsy. Okoliczne sklepy chętnie wymieniają je na banknoty.

Spółdzielnia uczniowska rozprowadza też podręczniki i tuż przed zakończeniem roku szkolnego jest z tym mnóstwo pracy. Trzeba przecież książki zamówić w księgarni, przewieźć, sprzedać uczniom, kompletując zestawy z różnych kupek, a często bywają braki i niektóre książki sprzedaje się dopiero we wrześniu. Na szczęście dla każdego poziomu nauczania istnieje tylko jeden zatwierdzony przez ministerstwo zestaw, ale i tak jest to poważna operacja. Zebrane od uczniów pieniądze zawozi się do księgarni, a zysk pozostaje w spółdzielni.

Wszystkie operacje finansowe spółdzielni: zakupy, utargi i inne koszty mama księguje w wielkiej księdze, nie wiadomo czemu zwanej „Dziennik Główna". Jest ona tak duża, że wystaje poza stół, i ma mnóstwo maleńkich krateczek, w których mama musi precyzyjne co do grosza nanosić wpływy i wydatki. Potem zlicza strony „Ma" i „Winien" na dużym drewnianym liczydle. Dziewczynka ma takie samo liczydło, tylko małe, z plastikowymi koralikami. Liczenie na nim jest bardzo łatwe. Na koniec w podsumowaniu księgi mama i tak zawsze szuka jakiegoś grosza, co zabiera mnóstwo czasu i kosztuje ją wiele nerwów, ale mama uparcie ślęczy przez pół nocy i na koniec znajduje jakiś drobny błąd w zapisie. Poprawia go triumfalnie, dumna i szczęśliwa.

Dziewczynka zastanawia się, czy gdyby tego błędu nie zrobiła, mama miałaby w ogóle jakąś frajdę z wypełniania Dziennika Głównej. Ale ma, oczywiście, że ma. Może nie z samej czynności księgowania, ale jest dumna, kiedy za zarobione przez spółdzielnię pieniądze może zafundować szkolnej drużynie harcerskiej przepiękny sztandar albo wysłać dzieciaki na obóz. Po to to robi.

Rok szkolny płynie wartko, dziewczynka czyta już coraz płynniej. Podczas jednej z lekcji polskiego pierwszaki odwiedzają bibliotekę szkolną. Panuje tu wszechobecna szarość. Książki, których zadaniem jest w magiczny sposób przenosić dzieci do innego, kolorowego świata, jakby dla niepoznaki obłożono w jednakowe brzydkie okładki z papieru pakowego. Ma to zapobiec pobrudzeniu i zniszczeniu okładki, ale zabija jedną z najważniejszych cech książek: ich rozmaitość. Stoją tu nieodróżnialne, niczym robotnicy fabryczni, ubrane w jednakowe szare fartuchy. Nie kokietują, nie uśmiechają się, nie kuszą. Stłoczone na półkach jedna obok drugiej, zniechęcająco identyczne. I tylko wypisany na grzbiecie tytuł pozwala się domyślić treści. Tylko on walczy o czytelnika, bowiem okładka, nad którą grafik spędził może niejeden wieczór, jest skutecznie zamaskowana.

Dziewczynka nie dyskutuje z rozumieniem świata narzuconym przez ustrój chłopów i robotników, którzy mając niewiele, ze wszystkich sił starali się chronić swój dobytek. A książki były dobytkiem szkoły, miały starczyć na lata, podobnie jak przykrywane ceratą stoły czy chronione narzutami wersalki w robotniczych domach. Podobną funkcję spełniały obowiązkowe fartuszki szkolne: chroniły ubrania przed zabrudzeniem i maksymalnie ujednolicały dzieci.

Chroniło się również zeszyty i podręczniki. Jeśli nie było pasujących okładek z plastiku, podręczniki obkładało się w dostępny w mniejszych arkuszach, niby kolorowy, ale w gruncie rzeczy niewiele weselszy od szarego, szaroniebieskofioletowy papier zwany marmurkowym. Skoro okładki były jednakowe, książki do poszczególnych przedmiotów odróżniało się po specjalnej wizytówce — metryczce naklejanej na froncie. Czasem można też było kupić gotowe papiery okładkowe, drukowane w jakieś wzory, na przykład herby miast lub kwiaty, te miały wydrukowaną metryczkę.

Mimo swej szarości biblioteka nie zniechęciła dziewczynki, która od pierwszej wizyty zaczęła wypożyczać książki. Na początek grubaśną *Pyzę na polskich dróżkach* Hanny Januszewskiej. Rozpiera ją duma, że jej pierwsza w całości przeczytana książka ma tyle stron. Od tej pory nie ustanie w usiłowaniach dogonienia literatury, czyta na wyścigi z pisarzami, którzy jednak nie pozostawią jej szansy wygrania. To zresztą pocieszające, bo nigdy nie zabraknie nowych lektur.

Czyta wszystko, nawet gazety rozłożone na półce w przedpokoju, gdzie rodzice przechowują buty. Młody umysł jest chłonny i wiele zapamiętuje. Stara się też dopasować posiadaną wiedzę do sytuacji. Dziewczynka uczy się zresztą nie tylko w szkole, ale i podczas korepetycji, udzielanych przez mamę mniej zdolnym uczniom. Często zdumiewa ją to, że nie mogą pojąć czegoś, co ona, siedząc obok i rysując, pozornie niezainteresowana, już dawno zapamiętała. Wyskakuje wtedy z jakąś uwagą, wprawiając otoczenie w konfuzję.

Kiedyś przyszła z wizytą koleżanka mamy. Panie, nie zważając na dziecko, plotkują w najlepsze. Dziewczynka bawi się na podłodze, budując dom. Któraś z pań, załamując ręce, mówi:

— Nie sądziłam, że to zrobi, z pozoru to taka mądra dziewczyna.

— Pozory mylą! — dziecko wypala bez pardonu, pamiętając tytuł felietonu z „Życia Warszawy" i błyskawicznie dopasowując swą świeżą wiedzę do sytuacji.

Dziewczynka lubi szkołę. Jest pilna i grzeczna. Nic jej w tych pierwszych latach nie odstręcza. Nie ma nielubianych przedmiotów, wszystko idzie gładko. Najbardziej podoba jej się w szkole to, że chłopaki ani przez chwilę nie myślą o całowaniu, widać wyrośli już z tych głupot. Opowie o tym mamie podczas wykopków, kiedy pojedzie do Barczącej, aby pomóc w zbieraniu ziemniaków z pola. Całkiem poważnie zwierzy się z ulgi, jaką z tego powodu odczuwa, wprawiając ją pewnie w świetny humor.

Przy codziennych obowiązkach jesień mija bardzo szybko i już zaczyna popadywać drobny śnieżek. Na święta jest go jeszcze bardzo mało. Rodzina postanawia się spotkać w Barczącej. I tu podczas Wigilii dociera do nich przywieziona przez przyrodnią siostrę taty, Joannę, tragiczna wieść o śmierci Władysława Kolasińskiego seniora. Od jakiegoś czasu chorował na astmę, ale śmierć jest zawsze dla rodziny zaskoczeniem. Nie zdążyli usiąść do kolacji. Kiedy wrócili z piekarni i sklepu i zakrzątnęli się, aby przygotować wieczerzę, rozpoczęła się agonia.

Gutowscy przyjeżdżają na Nadrzeczną następnego dnia. W mieszkaniu panuje przygnębiająca atmosfera, którą potęguje otwarta trumna z nieboszczykiem, ustawiona na środku pokoju. Zmarły ma twarz koloru pergaminu, zapadnięte oczy i policzki. Leży w trumnie niczym na wąskim łóżku, w złożonych dłoniach trzyma święty

279

obrazek. Dziewczynka trochę się boi. Patrzy niepewnie na trumnę obstawioną kwiatami i świecami. To jej pierwszy kontakt ze śmiercią. Zbiera jej się na płacz. Te święta upłyną pod znakiem pierwszej żałoby w jej życiu. Rodzina pożegna zmarłego, dziewczynka zaś nie zauważy nawet, że furtkę do jej raju kopnęło właśnie prawdziwe życie.

XXI

Na twojej kanapie od kilku dni leży wyjęty w sylwestra garnitur. Nawet nie pamiętałam, że taki masz. Jest w dobrym stanie, wiem jednak, że nie będziesz go już nosił. Krótka rozmowa telefoniczna potwierdza moje domysły. Postanawiam go oddać. Stoję przed otwartą szafą i myślę, że już czas, abyś przyjechał i zrobił tu porządek. Nie chcę odbierać ci prawa do tego pokoju. Tak długo, jak będę o tym decydować, pozostanie twój. Ale chciałabym, abyś wprowadził tu trochę ładu.

Usiłuję sobie przypomnieć dzień, w którym się wyprowadziłeś, pierwszą noc, kiedy cię nie było, i nie potrafię. Mam do siebie żal. Może trzeba to było zapisać? Niektóre przeżycia wydają się nam tak ważne, że jesteśmy pewni ich trwałości. Tymczasem minęło niecałe pół roku, a ja już nic nie pamiętam! Pamiętam pustkę, pamiętam mój ból, pamiętam oczekiwanie na każdy twój telefon, ale tego konkretnego wieczoru nie potrafię sobie przypomnieć. Jaki był dzień tygodnia? Co wtedy robiłam? O której wyszedłeś? Co powiedziałeś?

Jak to się stało, że zapomniałam coś, co wydarzyło się zaledwie kilka miesięcy temu?

Nie myślę już obsesyjnie, co mógłbyś zjeść, jeśli niespodziewanie wpadniesz. Znacznie zmniejszyłam zakupy. Choć zima jest łagodna tego roku, codziennie rano chodzę z psami nad kanałek i niczym wiejska gospodyni karmię dzikie kaczki. Kiedy spadł śnieg, kupiłam worek karmy, sypię im codziennie w tym samym miejscu, przywołując je zupełnie jak moja babcia:

— Taś! Taś! Taś!

I już płyną, wietrząc bliskie śniadanie. Kiedy się czasem spóźniam, widzę ich ślady na śniegu tam, gdzie wczoraj wysypałam karmę. Cieszę się, kiedy wychodzą na ulicę, bo mam nadzieję, że to mnie wypatrują. Lubię spoglądać z niewielkiej odległości, jak gramolą się po stromym brzegu, a potem jedzą, wracają, aby się napić wody, i znów wchodzą. Niektóre samce starają się przegonić konkurentów do uczty, dlatego sypię po trosze karmy w kilku miejscach. Inna grupka ptaków lekceważy moje zaloty. Pływają daleko, nie reagują na wołanie, obojętni, zajęci sobą indywidualiści. Te przykuwają moją uwagę. Zastanawiam się, czemu przypisać ich lekceważenie? Nie mam dla nich zbyt wiele czasu, psy stoją niespokojnie, Milka najchętniej rozpędziłaby stado, Nesia, nudząc się, popiskuje z cicha lub zła podgryza smycz. Nasyciwszy oczy widokiem kaczek, podchodzę do uwiązanych w pewnej odległości psów i ruszamy w dalszą drogę.

Przyszła dziś do mnie we śnie ta powieść. Stałam po nieparzystej stronie ulicy Warszawskiej i widziałam, że dom mojego dzieciństwa jest właśnie rozbierany. Jacyś ludzie chodzili po pustych wnętrzach, ściany były już częściowo zburzone. Pomyślałam w panice: Nie mam aparatu! Powinnam tam pobiec, zrobić zdjęcia, zobaczyć, to ostatni moment! Zawsze chciałam tam wrócić!.

Nie zdążyłam, obudziłam się.

To prawda, zawsze chciałam tam wrócić, raz nawet mi się udało, chociaż może to też był tylko sen? Ale chyba nie, bo skąd bym wiedziała, że powrotu nie ma, skoro nawet proporcje uległy zachwianiu? Dom nie był tak olbrzymi, ja urosłam, on zmalał.

A potem nigdy już się nie odważyłam. Nie potrzebowałam go, podobnie jak nie potrzebowałam mojego porcelanowego kompletu do herbaty. Nie potrzebowałam też ludzi, których tam poznałam. Niektórzy jeszcze żyją, tych być może kiedyś uda mi się spotkać, jednak kilkoro już odeszło. Niektórzy całkiem niedawno. Żałuję, że nie znalazłam sposobności, żeby ich odwiedzić.

Kiedy teraz stoję po drugiej stronie ulicy i patrzę na dom mojego dzieciństwa, zmagam się z przepełniającym mnie uczuciem zawodu. Nie wygląda już tak jak dawniej. Pokryty nowym dachem, odnowiony, prezentuje się lepiej niż wtedy, kiedy ja w nim mieszkałam. Ale to nie jest tamten dom. Nigdy nie będzie. Jest zwyczajny. Idąc ulicą, nie zwrócilibyście na niego uwagi. Mieszkają tu, nie wiedząc o niczym, jacyś obcy ludzie. Zmagają się z codziennością, może na coś czekając. Przeżywają chwile smutku i radości, jak my kiedyś, pewnie marzą o przeprowadzce do innego, nowocześniejszego domu?

A dla mnie to miejsce, niczym raj utracony, już na zawsze pozostanie święte. Wiem jednak, że nawet gdyby udało mi się wejść na podwórko, nie odnajdę tamtej dziewczynki. Kiedy się z nią rozstałam? W liceum? Na studiach? Przeprowadzając się do Warszawy? Gdy poszłam do pracy? Kiedy wyszłam za mąż? Urodziłam synów?

Kiedy skończyło się moje dzieciństwo? Musi być jakiś uchwytny moment. A może wyciekało po kropli, dzień po dniu? Może wciąż jeszcze, póki pamiętam, mam je w sobie? Może tylko obrosło zewnętrznymi warstwami? Moja twarz nie przypomina twarzy tamtego dziecka, jak drzewo z popękaną korą nie przypomina młodej sadzonki.

Patrzę na tę małą z zewnątrz. W jej historii są całe miesiące i lata luk. Nie potrafię o nich niczego powiedzieć. Zapamiętałam tak niewiele! Ale cóż miałam zapamiętać, skoro w moim życiu nic się nie działo? Dni spokojnie mijały jeden za drugim, czasem przedzielone świętem lub jakąś maleńką burzą. Czekałam na coś niesprecyzowanego. Może na dorosłość? Na siebie taką, jaka dziś jestem? Na siebie inną? Patrzyłam w tym kierunku, jednak nie widziałam niczego. Miałam tylko moje marzenia dziewczynki z małego prowincjonalnego miasteczka, które urodziły się na tym wybrukowanym kamieniami podwórku, w tym domu bez kanalizacji, w biednym mieszkaniu na poddaszu.

Zresztą nawet kiedy już umiałam pisać, moje życie nigdy nie wydawało mi się godne uwiecznienia. Gdybym prowadziła pamiętnik, przynajmniej fakty by się ostały. A na faktach, jak na rusztowaniu, można by osadzić uczucia. Żyjąc teraźniejszością, sądzimy, że zapamiętamy wszystko, a czego nie zdołamy zapamiętać, widać nie jest godne pamiętania. Ale nadchodzi taki moment, kiedy pragniemy pochylić się nad własnym życiem, kiedy nasze dzieciństwo, każdy jego dzień, staje się nagle równie ważne jak nasza dorosłość. I często trafiamy w pustkę.

Bardzo żałuję, że tak niewiele opowiadałam wam o moim dzieciństwie. Już nigdy tego nie naprawię. Kiedyś spróbuję opowiedzieć o nim moim wnukom. Mogłabym zacząć na przykład tak:

— Czy opowiadałam wam już o dniu, w którym urodziła się moja siostra?

Ale dość już, zrobiło się późno, muszę wyjść z psami na spacer. Na dworze jest pięknie, właśnie spadł świeży śnieg.

Anin, 5 lutego 2013–22 lutego 2015

Wydanie pierwsze

Opieka redakcyjna
Dorota Wierzbicka

Redakcja
Anna Sidorek

Korekta
Ewa Kochanowicz, Weronika Kosińska, Dorota Trzcinka

Projekt okładki
Paweł Panczakiewicz/PANCZAKIEWICZ ART.DESIGN
www.panczakiewicz.pl

Rysunek na okładce
Jacek Yerka

Redakcja techniczna
Bożena Korbut

Książkę wydrukowano na papierze Ecco Book Cream 70 g vol. 2,0

Printed in Poland
Wydawnictwo Literackie Sp. z o.o., 2015
ul. Długa 1, 31-147 Kraków
bezpłatna linia telefoniczna: 800 42 10 40
księgarnia internetowa: www.wydawnictwoliterackie.pl
e-mail: ksiegarnia@wydawnictwoliterackie.pl
fax: (+48-12) 430 00 96
tel.: (+48-12) 619 27 70
Skład i łamanie: Infomarket
Druk i oprawa: Drukarnia POZKAL, Inowrocław

ISBN 978-83-08-06010-0